HORIZONS

nouveaux

COURS SUPÉRIEUR DE FRANÇAIS

HORIZONS
nouveaux

COURS SUPÉRIEUR DE FRANÇAIS

Marcelle Cendres Sandhu

Dalhousie University

Holt, Rinehart and Winston of Canada
A division of Harcourt Brace & Company, Canada
TORONTO MONTREAL FORT WORTH NEW YORK
ORLANDO PHILADELPHIA SAN DIEGO LONDON SYDNEY TOKYO

L'éditeur a mis tout en œuvre pour identifier les détenteurs des droits d'auteur des textes reproduits dans cet ouvrage. On ne manquera pas de rectifier toute omission éventuelle dans les prochaines éditions.

Canadian Cataloguing in Publication Data
Sandhu, Marcelle Cendres
Horizons nouveaux   cours supérieur de français
Includes index.
ISBN 0-03-922752-9
1. French language - Textbooks for second language learners - English speakers.*   2. French language - Composition and exercises.   I. Title.

PC2129.E5S36 1990   448.2′421   C89-093614-5

Éditeur : *David Dimmell*
Rédactrice responsable de l'acquisition : *Heather McWhinney*
Rédacteurs responsables de l'élaboration : *Brett Lavery / Donna Adams*
Responsable des services de publication : *Karen Eakin*
Coordinatrice de la publication : *Jill Parkinson*
Adjointe à la coordinatrice : *Tess Fragoulis*
Préparation de la copie : *Karen Linnett*
Édition électronique : *True to Type Inc.*
Graphisme : *Jack Steiner*

Imprimé et broché au Canada

2 3 4 5   94

À mon mari

Preface

Horizons nouveaux s'adresse à des étudiants de troisième ou quatrième année, ayant déjà une bonne connaissance du français écrit. À ce niveau, l'enseignement de la langue est souvent négligé au profit d'études plus spécialisées, ce qui résulte en un degré de compétence souvent insuffisant chez de nombreux étudiants, quel que soit le domaine de leur spécialisation : littérature, linguistique, traduction ou autres. Le manque de manuels à ce niveau est en grande partie responsable pour cet état de choses. Nous espérons qu'*Horizons Nouveaux* comblera cette lacune en mettant à la disposition des enseignants et des étudiants un outil complet et intéressant.

Notre but est de rendre les étudiants aptes à une communication efficace non seulement dans la vie courante, mais dans la vie professionnelle, et, le cas échéant, de leur mettre en main les outils nécessaires pour entreprendre des études plus élevées. Cela suppose donc une bonne connaissance de la langue dans tous ses composants : vocabulaire, structures, syntaxe et style, permettant à l'étudiant de saisir avec exactitude la pensée communiquée et d'exprimer la sienne avec précision et facilité.

Horizons nouveaux est divisé en huit chapitres, chacun formant une unité relativement indépendante. Cependant, il est préférable de suivre l'ordre établi, car certains points de vocabulaire, de syntaxe ou de style reviennent à plusieurs reprises dans différents chapitres, afin d'en assurer l'acquisition.

Chaque chapitre est divisé de la façon suivante :

- des **passages à lire** dont un qui sert d'introduction à l'idée centrale du chapitre, présentant le vocabulaire pertinent et un modèle de style approprié au sujet — histoire, sociologie, urbanisme, critique littéraire, langue administrative, etc. — et un autre d'orientation plus littéraire basé sur le même thème. Les textes ont été choisis avec soin, de façon à présenter une grande variété de styles et de techniques. Tout en servant principalement de pré-textes à l'étude et à la pratique de la langue, les diverses lectures ouvrent des perspectives sur la culture française en Amérique du Nord, souvent passée sous silence dans les manuels d'enseignement ;
- une **série de questions** encourageant la réflexion, l'analyse, et la communication orale ;
- des **remarques de langue et de style**, reprenant des exemples des textes, suivi d'exercices d'application ;
- une **traduction** de phrases basées sur les textes, qui oblige l'étudiant à relire soigneusement certains passages, et ainsi, à mieux les assimiler ;
- une **étude de vocabulaire**, visant à enrichir et à élargir les connaissances acquises dans les lectures. Les mots prêtant à confusion sont étudiés dans une partie séparée ;
- une **étude de langue** qui analyse et explique les principales difficultés syntaxiques trouvées dans les textes. L'intention n'est pas de présenter une révision de grammaire, mais de mettre l'accent sur les difficultés rencontrées le plus souvent par les étudiants ainsi que sur les points les plus délicats de la syntaxe ;

- une **étude comparée** du français et de l'anglais, centrée sur les points sur lesquels les étudiants butent le plus fréquemment. Nous espérons rendre ainsi les étudiants anglophones conscients des différences qui existent entre les deux langues, afin qu'ils apprennent à reconnaître et à utiliser des constructions proprement françaises, plutôt que des tournures inconsciemment traduites de l'anglais ;
- une **traduction**, dans laquelle l'étudiant aura à montrer qu'il a bien acquis et assimilé le vocabulaire, les constructions et la syntaxe du chapitre, ainsi que les techniques de style. Les textes proposés sont assez longs et variés pour que l'enseignant puisse choisir à son gré tel ou tel passage qui lui semble le plus pertinent ;
- enfin, une **composition** visant à entraîner l'étudiant à pratiquer des techniques diverses : comment écrire un résumé, comment discuter un sujet général, présenter des arguments, développer des idées et exprimer des opinions, comment faire une description, une narration, comment écrire des lettres au niveau administratif, comment faire une analyse littéraire, etc. Les nombreux exercices de vocabulaire, de structure, de syntaxe et de style préparent l'étudiant à écrire non seulement correctement mais dans un style approprié à chaque cas.

Les exercices sont variés et encouragent non seulement l'acquisition, mais également la réflexion. Ils sont assez nombreux pour permettre à l'enseignant de choisir ceux qui correspondent le mieux aux besoins des étudiants ou à sa tendance personnelle. La plupart des exercices peuvent être préparés à l'avance et faits oralement en classe, ce qui mène à une fructueuse discussion.

Table des matières

Abréviations

can.	canadianisme
fam.	familier
orth.	orthographe
pl.	pluriel
pop.	populaire
p.p.	participe passé
propos.	proposition
qqch.	quelque chose
qqn	quelqu'un
tjrs	toujours

Les mots indiqués en caractères gras dans les textes font l'objet d'une note de vocabulaire, au bas de la page.

Les noms marqués d'une suscription[1] font l'objet d'une note à la fin du texte.

Les phrases en italiques font l'objet d'une remarque dans la rubrique Remarques de style.

CHAPITRE UN

Le nouveau monde

TEXTE I

Histoire du Canada pour tous

Au cours de l'année 1491, entre le 7 juin et le 23 décembre, dans *une humble maisonnette de Saint-Malo qui aurait,* ***paraît-il****, occupé l'emplacement de l'****hôtel*** où Chateaubriand[1] **voyait le jour quelque** trois cents ans plus tard, *un enfant naissait à Jamet Cartier et à Jesseline Gensart.* C'était l'année même où la bonne duchesse Anne de Bretagne[2] épousait le roi Charles VIII. Le nouveau-né recevait le nom de Jacques ; et toute son enfance se déroula dans la pittoresque cité bretonne, entourée de remparts, nid de corsaires[3] et de marins dont les exploits ont porté le nom aux quatre coins du monde.

« Natif de Saint-Malo de l'isle, en Bretagne », comme il l'écrivait lui-même, Jacques Cartier connut dès son jeune âge ce secret de Terre-Neuve[4] que ses compatriotes se glorifiaient de posséder et qui fut, de l'avis des historiens, le point de départ des découvertes de 1534. On présume qu'il fit partie des expéditions de pêche aux « **bancs** », connus des **Malouins** depuis les premières années du XVIe siècle. L'écho des grandes découvertes qui marquèrent la fin du siècle précédent enchanta sa jeunesse avide de voyages et d'aventures. **Aussi bien**, six ou sept ans après avoir épousé Catherine des Granches, l'une des filles les plus riches de sa ville natale, Jacques Cartier inaugurait sa carrière de marin et d'explorateur en visitant les côtes du Brésil que Pedro Cabral[5] avait abordées en 1500.

Mais ce n'est pas le Brésil qui devait faire la gloire du Malouin. D'autres régions inconnues, quoique soupçonnées, l'attendaient, l'appelaient : ces régions du nord de

---

paraît-il : *d'après ce qu'on dit*
hôtel (ou **hôtel particulier**) : *grande demeure (en ville), occupée par un riche particulier et sa famille*
voir le jour : *naître* (littéraire)
quelque : *environ* (adverbe)
« **bancs** » : *bancs de poissons, troupes nombreuses de poissons de même espèce.* En Bretagne on dit simplement *les bancs* pour désigner les lieux de pêche à Terre-Neuve. L'appellation *terre-neuvas* est donnée aux Bretons (ainsi qu'à leurs navires) qui, chaque année, participent à la grande pêche à la morue au large de Terre-Neuve
Malouin : *habitant de Saint-Malo*
aussi bien : ici, *bien* sert simplement à renforcer *aussi*

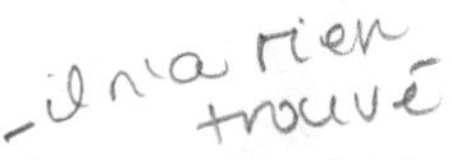

l'Amérique où Giovanni de Verrazano[6] avait vainement cherché le passage vers la Chine et les Indes, après Colomb et les Cabot[7].

Ni les Portugais ni les Espagnols n'avaient renoncé, en dépit des guerres dont l'Europe était le théâtre, aux entreprises commerciales et coloniales qui étaient à la mode depuis la découverte de l'Amérique. Les navigateurs européens ne cessaient de parcourir la route des Indes Occidentales[8], et, parmi les armateurs, **c'était à qui obtiendrait**, au détriment de ses rivaux, le monopole de la navigation et du commerce à venir avec les terres nouvelles. *Ayant signé, avec son redoutable cousin, Charles Quint[9], une trêve qui ramenait la paix entre la France et l'Espagne* (Paix de Cambrai, dite aussi « Paix des Dames »[10]), *François Ier*[11], ce « brillant enfant gâté » dont la vie **tient de** la féerie, *voulut reprendre les expéditions interrompues après l'échec de Verrazano*. Il avait alors, pour grand amiral, Philippe de Chabot, celui-là même qui avait encouragé et aidé l'Italien Verrazano, et qui devait, quelques années plus tard, être enfermé à Vincennes[12] sur une accusation de vénalité. Mais Chabot ne s'enthousiasmait plus autant à l'idée d'une grande expédition française en Amérique du Nord. Fort heureusement, le roi **prit connaissance de** la supplique que Jacques Cartier, très versé dans tous les secrets de l'art nautique de l'époque, adressa **sur ces entrefaites** à l'amiral de Chabot. Cet illustre prince, fin et lettré — l'un des plus grands que la France ait eu — préleva sur sa **cassette** personnelle les six mille **livres** nécessaires pour **défrayer** le coût de l'expédition projetée. Le 31 octobre 1533, Sa Majesté Très Chrétienne[13] autorisa Jacques Cartier à armer des navires « pour voyager, découvrir et conquérir à Neuve-France, ainsi que trouver par le nord le passage au Cathay »[14]. De plus, comme les îles et les pays d'Amérique contenaient, disait-on, une grande quantité d'or, la tâche **incombait au** Malouin de vérifier l'exactitude de pareils **propos**. Il ne fallait pas laisser Espagnols et Portugais, **forts de** l'appui que le Pape Alexandre VI leur avait donné **au lendemain** des découvertes de Colomb, se partager **à leur fantaisie** les continents nouveaux. Mais, à peine connus, les projets de François Ier poussèrent l'empereur et le roi de Portugal à réclamer une seconde intervention du Pape pour empêcher les Français d'explorer l'Amérique. Sans tenir compte des manœuvres de ses rivaux, le roi de France déclara en riant qu'il « désirait beaucoup voir le testament d'Adam pour apprendre comment celui-ci a partagé le monde ».

Muni de la commission royale qui lui reconnaissait la qualité de maître pilote et de capitaine de mer, *Jacques Cartier se heurta* d'autre part *à l'hostilité des marchands* et **bourgeois** de sa ville natale, *que, seules, les pêcheries de Terre-Neuve intéressaient.* Il fallut une nouvelle intervention personnelle du roi pour renverser les obstacles qui retardaient le départ. Enfin, le 20 avril 1534, deux petits navires de soixante

---

c'était à qui obtiendrait : *tous rivalisaient d'efforts pour obtenir*
tenir de : *ressembler à*. Le sens est figuré ici, *tenir de la féerie* : avoir quelque chose de fantastique
prendre connaissance de : *lire*. S'emploie pour un texte officiel, une lettre d'affaires, un document etc.
sur ces entrefaites : *à ce moment-là. Entrefaites*, formé sur le participe passé de *faire*, ne s'emploie que dans cette expression
cassette : *trésor personnel (d'un roi ou d'un prince)*
livre : *ancienne monnaie remplacée par le franc*. Une livre représentait à l'origine le poids d'une livre d'argent
défrayer : *prendre en charge les dépenses de quelqu'un, lui rembourser ses frais*. Dans ce sens, *défrayer* ne peut avoir pour objet direct qu'un nom de personne : *défrayer Cartier du coût. Défrayer le coût* : usage incorrect mais assez fréquent. (Au sens de *être l'objet de, défrayer* a un complément direct autre qu'un nom de personne : *défrayer la chronique, défrayer la conversation*)
incombait à : *revenait à*
propos : *paroles*
être fort de : *puiser sa force, son assurance, dans…*
au lendemain : *à la suite, peu après*
à leur fantaisie : *à leur gré, comme bon leur semblait*
bourgeois : à l'époque, *citoyens importants de la ville, jouissant de privilèges spéciaux*. Aujourd'hui, désigne une classe sociale

tonneaux, ayant à bord une soixantaine d'hommes, sortirent du port de Saint-Malo. Ils **firent voile vers** ces terres lointaines et mystérieuses que l'imagination des contemporains, exaltée par des récits fantastiques, transformait en autant de paradis terrestres.

Après vingt jours de traversée, les navires arrivèrent à Terre-Neuve, dont les **parages** étaient encore encombrés par les glaces, où la morue et le pingouin se trouvaient en abondance. Après une escale au cap Bonavista, **port d'attache** des pêcheurs, le Malouin franchit le détroit qui sépare l'île de la côte désolée du Labrador — « la terre que Dieu donna à Caïn », écrivait-il — puis s'arrêta au **havre** de Brest ainsi baptisé par des pêcheurs bretons et basques, aujourd'hui appelé Bonne-Espérance, peut-être en souvenir de la première messe qui y fut dite. Cinq jours plus tard, ayant fait voile au sud-ouest, Cartier apercevait une île à laquelle il donna le nom de Brion, en l'honneur de l'amiral de Chabot, seigneur de Brion ; île de bonne terre dont un **arpent**, disait Cartier, valait mieux que toute la Terre-Neuve. À l'ouest de Brion, il atteignit l'île du Prince-Édouard qu'il longea en remontant vers le nord. Et, le 3 juillet, il entra dans ce qu'il croyait être un détroit, et qu'il prit pour le fameux passage tant cherché vers la Chine. Le paysage et la bonté du sol le ravirent. Mais, après quelques jours de navigation, il lui fallut malheureusement **déchanter**. Le détroit était une baie qu'il appela baie des Chaleurs, parce qu'il y faisait très chaud à cette époque de l'année. **À regret**, il **rebroussa chemin**, *non sans avoir rencontré des sauvages Micmacs* dont c'était le pays. Puis une tempête l'obligea à se réfugier le long de la côte nord, dans une autre baie, plus étroite, surnommée Honguedo ou Gaspé, et où, le 16 juillet, **mouillaient** ses deux navires.

La venue des étrangers provoqua l'émotion des **naturels** du pays — des Hurons — sans toutefois les effrayer. Leur chef, vêtu d'une peau d'ours, échangea saluts et présents avec le pilote malouin qui se décidait finalement à **remettre à la voile**. Mais auparavant, en présence de ces Indiens **porte-croix** à qui les Islandais auraient parlé du christianisme, et malgré les protestations énergiques du chef, Jacques Cartier prenait, le 24 juillet, possession du territoire au nom de son maître François Ier. Suivant l'habitude d'alors, il plantait dans le sol une croix de trente pieds de haut, sur la pointe de l'entrée du dit havre ; « sous le croisillon de laquelle, écrit Cartier, mismes ung escusson en bosse, à trois fleurs de lys et dessus ung escriteau en boys en grosses lettres, où il y avait : Vive le Roy de France ! ... Et après qu'elle fust eslevée en l'air, nous mismes à genoux, les mains jointes, en adorant icelle devant eux... »[15]

Le lendemain, ayant pris à son bord deux des fils du chef huron qu'il promettait de ramener à leur père l'année suivante, Jacques Cartier faisait voile vers l'île

---

tonneau : *unité de la capacité de transport d'un navire, égale à 2,83 mètres cubes*
faire voile vers : *se diriger vers* (pour un bateau à voiles)
parages : (toujours au pl.) *espace déterminé de la mer* (avec un complément de nom indiquant la côte). Par extension : *les alentours, le voisinage*
port d'attache : *port qui sert de base aux bateaux*
havre : *port.* S'emploie surtout aujourd'hui dans des noms de lieux (la ville du Havre) ou au sens poétique de refuge
arpent : *ancienne mesure agraire qui valait 42,21 ares.* L'arpent canadien vaut environ 58 mètres, et l'arpent carré 3 400 mètres carrés.
déchanter : *rabattre de ses espérances* (par suite d'une déception)
à regret : *contre son désir*
rebrousser chemin : *retourner en arrière, faire demi-tour*
mouiller : *jeter l'ancre, s'arrêter* (dans un port ou une rade)
naturel : *indigène, personne originaire du pays, de la région*
(re)mettre à la voile : *(re)partir* (pour un bateau à voiles)
porte-croix : *qui portaient des croix.* Sans doute ornements qui leur avaient été donnés par les Islandais, qui, les premiers, avaient visité ces côtes

d'Anticosti. Après l'avoir longée du sud-est au nord, il repassait par le détroit de Belle-Isle, appelé jusque-là baie des Châteaux, et gagnait la France. Il était de retour à Saint-Malo le 5 septembre. Le Canada entrait dans l'histoire[16].

Jean Bruchesi. *Histoire du Canada pour tous*,
Montréal, Beauchemin, 1934, t. 1, p. 16-19

NOTES

1. **Chateaubriand** : célèbre écrivain français né à Saint-Malo en 1768, mort à Paris en 1848
2. **la bonne duchesse Anne de Bretagne** : la Bretagne était alors un duché. Elle fut unie à la couronne de France en 1491 par le mariage de la duchesse Anne, très aimée de son peuple, avec le roi de France Charles VIII
3. **corsaires** : capitaines de navires qui chassaient et rançonnaient les navires ennemis avec l'autorisation de leurs gouvernements (ne pas confondre avec les *pirates* qui écumaient les mers pour leur propre compte). Les corsaires de Saint-Malo se rendirent redoutables aux Anglais du XVIe au XIXe siècle
4. **secret de Terre-Neuve** : la route, jalousement tenue secrète, qui menait aux riches lieux de pêche de Terre-Neuve
5. **Pedro Cabral** : navigateur portugais qui prit possession du Brésil au nom du Portugal en 1500
6. **Giovanni de Verrazano** : navigateur florentin de l'époque de François Ier qui, au service d'un armateur français, explora la côte du Maine, l'estuaire de l'Hudson et Terre-Neuve. Il disparut au cours d'une expédition sur les côtes du Brésil
7. **les Cabot** : Jean Cabot, navigateur vénitien, dirigea une expédition pour découvrir le passage du Nord-Ouest pour le compte du roi d'Angleterre. Avec son fils Sébastien, il découvrit Terre-Neuve, et explora les côtes du Groenland, du Labrador et de la Nouvelle-Angleterre (1497). Sébastien explora ensuite le rio de la Plata pour le compte du roi d'Espagne
8. **les Indes Occidentales** : nom donné à l'Amérique lorsque Christophe Colomb découvrit ce qu'il crut être un prolongement de l'Inde
9. **Charles Quint** : (1500–1558) roi d'Espagne sous le nom de Charles Ier, et empereur du Saint Empire romain germanique sous le nom de Charles Quint (c'est-à-dire Charles V)
10. **Paix des Dames** : ainsi appelée parce qu'elle fut négociée entre Louise de Savoie, au nom de son fils François Ier, et Marguerite d'Autriche, au nom de son neveu Charles Quint
11. **François Ier** : roi de France de 1515 à 1547. Il avait tenté en vain de se faire élire empereur contre Charles Ier d'Espagne. Doué de brillantes qualités, il incarne l'idéal et l'humanisme de la Renaissance
12. **Vincennes** : château des environs de Paris qui servit un certain temps de prison d'État
13. **Sa Majesté Très Chrétienne** : le roi de France (*Sa Majesté Catholique* désignait le roi d'Espagne)
14. **Cathay** : nom donné par Marco Polo à la Chine du Nord. Le Cathay passait pour être un pays fabuleux aux montagnes de diamants. Les expéditions de Colomb, Verrazano, Cabot, Cartier, etc. avaient pour objet de découvrir un passage vers l'ouest pour atteindre cet Eldorado
15. **sous le croisillon...** : = sous le croisillon de laquelle (nous) mîmes un écusson en bosse, à trois fleurs de lys et dessus un écriteau en bois en grosses lettres, où il y avait : Vive le Roi de France ! ... Et après qu'elle fut élevée en l'air, (nous) nous mîmes à genoux, les mains jointes, en adorant celle-là (la croix) devant eux...
16. **le Canada entrait dans l'histoire** : jusqu'en 1760, le Canada était une partie du territoire de la Nouvelle-France qui comprenait également la vallée du Mississipi. D'origine iroquoise, le mot *Canada* signifiait *amas* ou *pays de cabanes*. Il désignait alors la région du Saint-Laurent comprise entre les villes de Québec et de Trois-Rivières. Plus tard il s'appliquera à tout le pays découvert et exploré par les Français

ÉTUDE ET EXPLOITATION DU TEXTE

1. « Jacques Cartier connut, dès son jeune âge, ce secret de Terre-Neuve que ses compatriotes se glorifiaient de posséder... » Expliquez le sens de cette phrase. Pourquoi était-ce un secret ?

2. Pourquoi les souverains européens s'intéressaient-ils aux voyages de découverte vers l'ouest ? Quels étaient les motifs de François Ier ?

3. Pourquoi les marchands et les bourgeois de Saint-Malo étaient-ils hostiles aux expéditions de Cartier ?

4. Les explorateurs du XVIe siècle furent-ils les premiers à fréquenter les côtes de Terre-Neuve ? Par qui avaient-ils été précédés ?
5. Expliquez l'expression « la terre que Dieu donna à Caïn ».
6. Quelle fut l'attitude des Indiens envers les nouveaux venus ?
7. Quels sont les divers facteurs qui ont contribué à éveiller l'intérêt du jeune Jacques Cartier pour les voyages et l'aventure ? L'historien et philosophe français Taine (XIXe siècle) explique les faits historiques, comme les faits littéraires, par la triple influence de la **race**, du **milieu** et du **moment** (ou du temps). Pouvez-vous appliquer cette théorie aux découvertes de Jacques Cartier ?

TEXTE II

Colomb, les morutiers et les Vikings

On est discret sur sa découverte, lorsqu'on ne peut pas se l'approprier, et l'on cherche alors, à défaut de sa possession, à en garder l'**usufruit**. C'était le cas pour les Terres-Neuves, mouillées dans des eaux poissonneuses, dont le rapport dépassait les frais[1] et les dangers encourus par une traversée océanique. Toute une industrie s'y était installée dans le secret. Leurs côtes, le roc plus que la terre, n'avaient rien d'accueillant, bonnes **tout au plus** à recevoir les **vigneaux** des pêcheurs. Comment aurait-on pu concevoir que ce pays était à l'entrée d'un continent ? On le rattachait plutôt aux îles de l'Atlantique Nord et de l'Islande.

Les pêcheurs y approvisionnaient **la chrétienté** qu'une agriculture insuffisante, les guerres, les nombreux jours de **jeûne** et d'**abstinence** disposaient au poisson. Le poisson ç'avait été d'abord le hareng. Le Moyen Âge avait fini avec lui. Un aliment marqué du sceau de la pénitence **en vient** toujours **à** être déconsidéré. Le hareng a du goût mais encore plus d'arêtes. Il ne pouvait rivaliser avec la morue. La morue, c'est la Renaissance[2] qui commence, une chair blanche qui s'enlève par lamelles et que ne dispute pas l'arête. *Elle finira, elle aussi, par dégoûter*, mais pour le moment, elle était toute nouvelle et l'on s'en contentait.

Pour fixer la date de la découverte de l'Amérique, il faudrait se rendre en France y surprendre l'arrivée de la **marée** et la conquête des halles par la morue. Mais je crois que les recherches les plus intéressantes devraient se trouver du côté des marais salants. Comme il y a une civilisation du blé, du bronze, du fer, il y a aussi une civilisation du sel. C'est dans cette civilisation que se situent nos origines. On salait le poisson. C'est même par le sel, dont ils disposaient en abondance, que s'explique la prédominance, dans les parages de Terre-Neuve, des pêcheurs français.

---

usufruit : (terme juridique) *droit de jouissance d'un bien qui appartient à un autre (et que l'on reçoit par testament par exemple)*
tout au plus : *à peine, tout juste*
vigneaux : (can.) *treillis sur lesquels on fait sécher les morues salées*
la chrétienté : *ensemble des pays chrétiens*
jeûne et abstinence : *règlements de l'Église catholique* qui ordonnait à ses fidèles de ne prendre que très peu de nourriture à certains jours de l'année (*jeûne*) et de s'abstenir de viande le vendredi et la veille de certaines fêtes religieuses (*abstinence*), d'où l'habitude de manger du poisson le vendredi
en venir à : (+ nom ou infinitif) indique le point extrême d'une évolution
marée : *poissons, crustacés, produits de la mer* (destinés à la consommation)

Ces pêcheurs étaient des empiriques, **pas géographes pour un sou**. *Eussent-ils voulu le devenir qu'ils fussent* ***restés court***, **faute des** principes de cette science, faute aussi d'écriture. La forme de la terre était le moindre de leurs soucis. **Ils se rapprochaient des barbiers** de leur temps, qui opéraient pour **la pierre** sans pouvoir décrire leur technique faute d'anatomie. Cette comparaison n'est pas **forcée** : l'homme se connaîtra en même temps que son habitat et l'anatomie se développera de pair avec la géographie pour les deux se parfaire à peu près à la même époque.

La somme des connaissances maritimes acquises par les morutiers constituaient un secret. C'était le secret d'un armateur, celui d'une ville ; c'était le secret de Saint-Malo, de Dieppe, de Brest, de La Rochelle. Il y avait dix, vingt, cinquante secrets de la sorte, concernant la même entreprise, qui équivalaient à des coutumes non codifiées ou encore, si l'on veut, à ces variantes nombreuses dont sort un jour une chanson unique. Chose certaine, les pêcheurs de Dieppe sont déjà à Terre-Neuve en 1540. Des documents **en font foi**. Ce qui, **étant donné** leur répugnance à **faire état de** leurs découvertes, leurs intérêts à les cacher, le long cheminement de leur mode de connaissance empirique vers l'écrit et la divulgation, les met en Amérique bien avant Christophe Colomb.

D'ailleurs celui-ci, en 1477, avait bourlingué dans les parages de l'Islande et même à cent **lieues** au-delà, ***fort*** *près par conséquent du Groenland où, l'année précédente, le roi de Danemark venait* ***justement*** *d'envoyer une expédition*. Il avait retrouvé ainsi la vieille route des Vikings. Son dessein sera de franchir comme eux l'Atlantique, mais plus bas, sous une latitude libre de glaces, et par une traversée sans escale, comme la pratiquaient sans doute déjà les **morutiers** de France. La seule différence entre lui et ces prédécesseurs, c'est qu'il avait une conception globale du monde où allait s'inscrire son exploit et qu'il concevait celui-ci comme la démonstration d'une théorie longuement élaborée, tandis que les prédécesseurs, indifférents à toute science, tournés vers l'aventure, poussés par des intérêts particuliers, avaient plutôt suivi la proue de leurs bateaux. C'est la différence qu'il y a entre Vésales[3] et les plus habiles barbiers de son temps.

Colomb n'a jamais su qu'il avait découvert l'Amérique, pas plus que les Vikings, les morutiers ou les Basques, chasseurs de baleines. Cela importe peu quoiqu'en ait écrit Ringuet[4]. Le génie humain est essentiellement collectif et la participation de l'individu minime, sinon anonyme. La gloire de Colomb aura été d'avoir obéi à la poussée de son siècle, **désabusé** de la théologie, du latin, du ciel et de l'enfer, avide de connaître l'habitat réel de l'homme, de le mesurer avec exactitude et de **faire** ainsi **acte de propriétaire**. Dans cette prise de possession, l'Amérique fut

---

pas (géographes) **pour un sou** : *pas le moins du monde, absolument pas*
rester court : *ne pas savoir que faire. Court* est ici un adverbe et donc invariable
faute de : *par manque de*
ils se rapprochaient des barbiers : *ils étaient comparables aux barbiers*. Le barbier rase la barbe de ses clients. Ce métier a disparu dans la plupart des pays. Ne pas confondre avec le *coiffeur pour hommes*, qui coupe les cheveux
la pierre (ou **la gravelle**) : *maladie produite par la formation de corps durs dans les organes (la vessie, les reins etc.)*
(comparaison) **forcée** : *exagérée*
en font foi : *le prouvent*
étant donné : *vu, attendu, en raison de*. Exprime la cause et est le plus souvent invariable
faire état de : *mettre en avant, s'appuyer sur*
lieue : *ancienne unité de distance valant environ 4 kilomètres*
fort : (adverbe de quantité) *beaucoup, extrêmement* (langue écrite)
justement : *précisément, à ce moment même*
morutier : *pêcheur de morue* (s'applique aussi au bateau)
désabusé : *déçu, désillusionné, détrompé*
faire acte de propriétaire : *exercer sa qualité de propriétaire*

une avant-dernière étape, la plus longue et la plus rude. Le reste se fit facilement. La traversée de l'Atlantique était **à la portée du** barbare hardi ou du pêcheur entreprenant. La découverte de l'Amérique, imprévisible, ne pouvait être qu'un accident. On la cueillera en passant pour l'ajouter au reste de la terre. Comme on ajoutera l'Australie et l'Antarctique. On ne **s'arrête** pas tellement **au détail. On n'en est pas à un continent près.** On ne vise qu'à la découverte de la planète. C'est à cette œuvre de mise en place de l'habitat humain qu'a participé Colomb avec l'avantage sur ses devanciers de savoir ce qu'il faisait. Il s'est trompé plus qu'un autre. Il avait entrepris pour dix. 5

Jacques Ferron. *Historiettes*, Montréal,
éd. du Jour, 1969, p. 38–42

NOTES

1. **dont le rapport dépassait les frais** : la pêche à la morue était très lucrative. Un bâtiment de 100 tonneaux, dont l'armement coûtait dans les 2 200 livres, pouvait ramener une cargaison de morues, huile de baleine et huile de morue, qui valait jusqu'à 4 325 livres
2. **la Renaissance** : vaste mouvement culturel européen qui débute au XVe siècle et se poursuit pendant une partie du XVIe. L'Europe abandonne les valeurs médiévales et s'éveille au bon goût, à l'élégance, au raffinement. Le passage du hareng à la morue symbolise cette « renaissance » du goût que connaissait l'Antiquité.
3. **Vésales** : anatomiste du XVIe siècle, un des premiers à avoir pratiqué la dissection du corps humain
4. **Ringuet** : pseudonyme du Dr. Philippe Panneton, auteur du célèbre roman *Trente Arpents* (ch.VII, texte II), de contes et d'ouvrages historiques (ch.II, texte I)

ÉTUDE ET EXPLOITATION DU TEXTE

1. Expliquez la première phrase, à la lumière de la suite du premier paragraphe.
2. Quelle métaphore voyez-vous dans la deuxième phrase ? Par quel mot s'exprime-t-elle ? Cette métaphore vous paraît-elle valable ?
3. Quel est l'aspect des côtes de Terre-Neuve ?
4. Étudiez le ton du deuxième paragraphe (le ton peut être, par exemple, tragique, plaisant, sérieux, ironique, grave, solennel...).
5. Expliquez l'analogie entre les morutiers et les barbiers.
6. Expliquez la comparaison que fait l'auteur entre les « secrets » des morutiers concernant Terre-Neuve et les variantes d'une chanson.
7. À la suite de quel raisonnement Jacques Ferron conclut-il que les pêcheurs français connaissaient l'Amérique bien avant Christophe Colomb ? (5e paragraphe)
8. Quelle était la théorie que Colomb allait tenter de démontrer ?
9. Que veut dire l'auteur par : « les prédécesseurs ... avaient plutôt suivi la proue de leurs bateaux » ?

à la portée de : *dans les possibilités de*
s'arrêter au détail : *s'occuper des détails*
on n'en est pas à (un continent) **près** : *un de plus ou de moins, ça n'a pas d'importance*

10. Expliquez la différence entre l'observation et la méthode expérimentale.

11. À la fin de l'avant-dernier paragraphe, l'auteur reprend une analogie déjà vue plus haut. Expliquez en quoi cette reprise complète l'analogie et en constitue en quelque sorte le deuxième volet.

12. Comment l'auteur montre-t-il, dans le dernier paragraphe, le peu d'importance que l'on attachait à l'époque à la découverte des terres nouvelles ?

13. Dans ses *Historiettes*, Jacques Ferron s'attaque aux historiens pour leur vision manichéenne de l'histoire (fondée sur les deux principes opposés du bien et du mal). Il s'indigne des « croix sinistres » plantées par Cartier qui, d'autre part, s'emparait perfidement des chefs indiens qu'il emmenait mourir en France, et traitait les « Canadiens » (c'est-à-dire les indigènes) avec la supériorité du blanc, civilisé et chrétien. Montrez comment, dans ce texte, l'auteur renverse le mythe de l'histoire et du héros historique.

14. Le premier texte de ce chapitre est écrit par un historien, le deuxième par un polémiste. Comparez les deux textes, en dégageant les caractères de chacun de ces genres.

Remarques de style

« ... une humble maisonnette de Saint-Malo qui aurait, paraît-il, occupé l'emplacement de l'hôtel... »

On emploie le conditionnel pour présenter un fait douteux, dont on ne veut pas se porter garant. Cette intention est ici renforcée par *paraît-il*, qui insiste sur le doute. Cet emploi du conditionnel est particulièrement fréquent dans la presse pour indiquer qu'il s'agit d'informations non confirmées. C'est le conditionnel conjectural. Trouvez-en un autre exemple dans l'avant-dernier paragraphe.

« ... un enfant naissait à Jamet Cartier et à Jesseline Gensart. »

Notez l'emploi de l'imparfait à la place du passé simple pour exprimer un seul fait déterminé du passé. C'est l'imparfait pittoresque ou historique. Le plus souvent accompagné d'une indication précise de temps, il a pour effet de présenter le procès* dans son déroulement, et rend donc le récit plus vivant. Comparez la phrase ci-dessus et : « Au cours de l'année 1491, entre le 7 juin et le 23 décembre, un enfant *naquit...* »

* Par **procès** on entend les divers signifiés que peut exprimer un verbe :
action : partir, voyager
existence, état ou changement d'état : être, paraître, devenir
sentiments : aimer, désirer
opérations de l'esprit : penser, se rappeler

« Ayant signé, avec son redoutable cousin, Charles Quint, une trêve qui ramenait la paix entre la France et l'Espagne..., François Ier...voulut reprendre les expéditions interrompues après l'échec de Verrazano. »

Séparé du nom auquel il se rapporte (apposition ou proposition participe), le participe passé composé exprime un procès antérieur, souvent accompagné d'une relation de cause. Dans la phrase ci-dessus, le participe *ayant signé*, en apposition au nom *François Ier* exprime l'antériorité (= après avoir signé...).

« Jacques Cartier se heurta... à l'hostilité des marchands... que, seules, les pêcheries de Terre-Neuve intéressaient. »

Notez la mise en valeur de l'adjectif *seules*, détaché par la ponctuation. Quelle autre place pourrait-il occuper dans la phrase ? L'effet serait-il le même ?

« ... non sans avoir rencontré des sauvages Micmacs... »

Deux négations valent une affirmation. Remplacez cette proposition par une proposition affirmative.

« Elle finira, elle aussi, par dégoûter... »

Le procès est exprimé par l'infinitif *dégoûter*. *Elle finira par* indique la manière dont ce procès s'est effectué. *Finir par* est un auxiliaire d'aspect ou semi-auxiliaire (voir p. 25).

« Eussent-ils voulu le devenir, qu'ils fussent restés court... »

= *même s'ils avaient voulu le devenir, ils seraient restés court.* Le plus-que-parfait du subjonctif remplace le conditionnel passé (voir p. 29).

« ... fort près du Groenland où, l'année précédente, le roi de Danemark venait justement d'envoyer une expédition... »

Venait de exprime un aspect du verbe : la proximité dans le passé. *Venir de* est un auxiliaire d'aspect ou semi-auxiliaire. *Justement* insiste sur la coïncidence des faits.

Exercices de style

1. *Dans les phrases suivantes, dites s'il s'agit ou non du conditionnel conjectural* :

a. Pour fixer la date de la découverte de l'Amérique, il **faudrait** se rendre en France y surprendre l'arrivée de la marée.

b. On sait que Cartier est né à Saint-Malo. Dans sa jeunesse, il **aurait fait** partie des expéditions de pêche aux « bancs » de Terre-Neuve.

c. D'après les historiens, l'Amérique **aurait été découverte** bien avant Christophe Colomb, par des pêcheurs entreprenants.

d. Même si les pêcheurs de l'époque avaient voulu devenir géographes, ils n'y **seraient** pas **arrivés**.

e. Le roi dit à Cartier qu'il **prélèverait** sur sa cassette personnelle la somme nécessaire pour couvrir les frais de l'expédition projetée.

2. *Refaites les phrases suivantes en indiquant qu'il s'agit d'un fait non confirmé ou dont on doute, au moyen du conditionnel conjectural* :

a. En présence de ces Indiens à qui, dit-on, les Islandais avaient parlé du christianisme, Cartier prenait possession du territoire en plantant une croix de trente pieds de haut.

b. Christophe Colomb, dit-on, n'a jamais su qu'il avait découvert l'Amérique.

c. D'après Jacques Ferron, c'est dans la civilisation du sel que se trouvent nos origines.

d. À en croire certains commentaires, Jacques Cartier avait déjà été au Brésil et en avait exploré les côtes.

e. D'après les sondages, la popularité du président est en baisse.

3. *Relevez plusieurs exemples d'imparfaits pittoresques dans le texte I. Remplacez-les par des passés simples, et comparez.*

4. *Refaites les phrases suivantes en exprimant le rapport d'antériorité ou de cause au moyen d'un participe passé composé :*

   a. Le lendemain, il prenait à son bord deux des fils du chef huron et faisait voile vers l'île d'Anticosti.

   b. Après quelques jours de navigation il lui fallut malheureusement déchanter.

   c. Comme il avait entrepris pour dix, il s'est trompé plus qu'un autre.

   d. Après avoir longé les côtes de Terre-Neuve, Cartier pénétra dans le golfe du Saint-Laurent.

   e. Ces Indiens n'avaient jamais fait de commerce avec les Européens ; ils n'apportaient donc pas de fourrures...

Traduction

Traduisez les phrases suivantes en employant le vocabulaire et les expressions des textes :

1. Although the first voyage of Columbus will always stand out as one of the most heroic efforts of all time, it was not this but his subsequent voyages that were to give direction to the Spanish effort.
2. Some of the fishermen sought beaches for drying and curing their fish, and had contact with the Indians of the localities in which they set up their fishing stages.
3. Towards the close of the 16th century, the possibilities of this trade attracted the interest of a number of rich ship owners. They vied with each other to obtain from the king the monopoly of the fur trade.
4. Anxious to establish colonies in the new regions if the land and the climate would permit it, the king gave the Florentine navigator Giovanni de Verrazano the command of a flotilla, which set sail for America in 1524.
5. The soil is good, game is abundant, and if the Indians can live there, surely so can the French!
6. It is certain that accidental discovery and casual exploration had preceded colonization itself by more than a century, but this is not very important.
7. When the king read Cartier's petition, he agreed to pay the expenses of the proposed expedition out of his own privy purse.
8. Yet it was not until 1524 that the French king, François I, became involved in North Atlantic exploration.
9. Unfortunately he soon had to abandon hope and turn back, not without having planted a fairly large number of crosses, as attested by the documents of that period.
10. On May 6, 1536, Cartier and his companions set sail towards France, taking with them six natives, among whom was Chief Donnacona. Meanwhile, Charles V had invaded France, and the Canadian Indians aroused, at the most, mild curiosity.

11. Jacques Cartier was born in Saint Malo, in a modest house that, apparently, stood on the very spot where Chateaubriand was to be born, some three hundred years later.

12. Cod was favoured more than herring because it had fewer bones and its flesh was rich without being fat. Moreover, it was plentiful and easy to catch.

Étude de vocabulaire

Les doublets

Le lexique français est constitué en grande partie par des mots issus du latin qui, après la conquête de la Gaule par les Romains (52 avant Jésus-Christ), prirent peu à peu la place des mots gaulois. Transmis oralement, ces mots ont subi au cours des siècles des transformations phonétiques et parfois sémantiques.

À partir du XIVe siècle, et surtout au XVIe, les savants reprennent des mots latins déjà adoptés et transformés par le peuple, pour en tirer des termes nouveaux, plus proches par la forme des mots latins dont ils sont issus, mais différents par le sens des mots populaires déjà en usage.

On appelle **doublets** deux termes qui proviennent d'un même mot latin, l'un étant de formation populaire, l'autre de formation savante.

ex. : *hospitalem* a donné *hôtel* (populaire) et *hôpital* (savant)

1. *Trouvez dans la liste B les doublets populaires correspondant aux mots savants de la liste A* :

A		B	
ministère	captif	terroir	vouer
aspérité	territoire	blâmer	usine
cantatrice	voter	rançon	métier
rigide	prédicateur	hanter	prison
ponctuer	préhension	âpreté	raide
blasphémer	récupérer	chétif	pointer
habiter	rédemption	recouvrer	chanteuse
officine	séparer	prêcheur	sevrer

2. *En vous basant sur le mot latin donné, trouvez le doublet savant des mots populaires ci-dessous et indiquez la différence de sens* :

navigare	: nager	*pensare*	: peser
auscultare	: écouter	*potionem*	: poison
nativus	: naïf	*confidentia*	: confiance
masticare	: mâcher	*seniorem*	: sieur
vigilia	: veille	*collum*	: cou
scala	: échelle	*strictus*	: étroit
caput	: chef	*armature*	: armure
liberare	: livrer	*modulus*	: moule
rigidum	: raide	*charta*	: carte
examen	: essaim	*mobilis*	: meuble

3. *Choisissez parmi les doublets donnés entre parenthèses celui qui convient au sens de la phrase :*

a. Les fonctionnaires sont ______________ tous les trois ans. (mués, mutés)

b. Cet enfant est ______________ de nombreuses qualités. (doué, doté)

c. La ______________ du plomb a lieu à 327° C. (fusion, fonte)

d. La maison a été ______________ d'un étage. (exhaussée, exaltée)

e. Tout(e) le (la) ______________ du bateau a été saisi(e) par les douaniers. (cargaison, chargement)

f. Colomb avait-il des ______________ marines pour se diriger ? (cartes, chartes)

g. Le nez collé au (à la) ______________, il regardait tomber la pluie. (vitre, verre)

h. Jacques Cartier était ______________ de Saint-Malo, en Bretagne. (natif, naïf)

i. Pour votre ______________ vous êtes priés d'attendre l'arrêt complet de l'appareil. (sûreté, sécurité)

j. La ______________ du pain se faisait une fois par mois. (cuisson, coction)

La dérivation

De nombreux mots français se sont formés par dérivation, c'est-à-dire au moyen de suffixes que l'on ajoute à un radical pour en modifier la signification : tribu — trib**ale**.

Certains suffixes n'ont qu'un sens et qu'un emploi :

ex. : **-aie** s'ajoute à un nom d'arbre pour désigner *un lieu planté de...* : châtaignier — châtaigner**aie**.

Certains suffixes ont des sens divers :

ex. : **ier** (**ière**) a produit, en s'ajoutant à des noms, à des adjectifs ou à des verbes, quantité de mots qui indiquent :

- la profession, l'occupation : chapel**ier**
- un arbre qui produit un certain fruit : pomm**ier**
- un lieu planté d'arbres : érabl**ière**
- une qualité : hospital**ier**
- un contenant, un réceptacle : bénit**ier**

Tous les suffixes commencent par une voyelle : bavard**age**. Quand la racine se termine par une voyelle, on intercale une consonne entre la racine et le suffixe : bijoutier.

REMARQUE : *Clou* a donné *clouer*, mais aussi *clouter*.

Parfois le radical subit une modification :

ex : ***peuple*** a donné ***peupler***, ***peuplement***, mais aussi ***populaire***, ***population*** etc.

4. *Dites quelle est la valeur du suffixe dans les mots suivants* :

aventurier	cachottier	banquier	barbier
cafetier	sucrier	cafetière	dépensier
olivier	bonbonnière	morutier	poudrier

Les suffixes diminutifs

Une **maisonnette** est une petite maison. Le suffixe **-ette** est un suffixe diminutif. Les suffixes diminutifs peuvent être :

- savants : **-ule** (veinule), **-ole** (artériole), **-cule** (opuscule)
- populaires : **-eau, -elle** (souriceau, prunelle)
  -isseau (arbrisseau)
  -et, ette (garçonnet, maisonnette)
  -elet, elette (mantelet, goutelette)
  -on (cabanon)
  -elon (chamelon)
  -eron (chaperon)
  -ille (ramille)
  -illon, -illonne (moinillon, négrillonne)
  -ot (vieillot)
  -in (fortin)
  -otin (diablotin)

5. *Complétez* :

une boul**ette** est	une petite boule	un louvet**eau** est	______
une besti**ole** est	______	un ang**elot** est	______
un mouch**eron** est	______	un chi**ot** est	______
un monti**cule** est	______	un ruiss**eau** est	______
un pet**on** est	______	un laper**eau** est	______

6. *Trouvez le diminutif des mots suivants* :

peau	brin	fille
porc	île	livre
ours	lion	chat
tarte	hache	ver
veine	histoire	côte
roi	ruisseau	arbre

7. Dans certains mots, le suffixe a perdu sa valeur de diminutif. *Parmi les mots suivants, distinguez ceux qui ont un sens diminutif et ceux où le suffixe a perdu sa valeur* :

drapeau	traîneau	dentelle
livret	casquette	tableau
cornichon	miette	vésicule
clavicule	globule	chaton
ourson	menotte	croisillon

demain / le lendemain / hier / la veille / etc.

Le lendemain, dans un contexte passé ou futur, correspond à *demain* dans un contexte présent :

> **Demain**, mon frère se marie. (le jour qui suit aujourd'hui)
>
> Le 23 juillet, Cartier rencontra des Hurons. **Le lendemain**, il prenait possession du territoire. (le jour après le jour dont on parle)

8. *Trouvez les termes qui, dans un contexte passé ou futur, correspondent aux mots suivants (ex. : aujourd'hui : ce jour-là)* :

hier
avant-hier
samedi dernier
l'année dernière
il y a deux jours
il y a quarante-huit heures

demain
après-demain
samedi prochain
le mois prochain
dans deux jours
dans vingt-quatre heures

frais

9. *Expliquez le sens des expressions idiomatiques suivantes, formées au moyen du mot* ***frais*** *= coût, argent que l'on dépense* :

a. en être pour ses frais
b. rentrer dans ses frais
c. voyager aux frais de la princesse
d. se mettre en frais
e. faire des frais
f. faire les frais de la conversation
g. faire quelque chose à grands frais, à peu de frais
h. être condamné aux frais
i. faire ses frais
j. faire quelque chose à ses frais

Le suffixe numéral *-aine*

Le suffixe numéral **-aine** s'ajoute à certains adjectifs numéraux pour former des noms de nombre qui :

- désignent un ensemble d'objets de même espèce : une douz**aine** d'œufs
- indiquent une quantité approximative : une soixant**aine** d'hommes
- ont un sens particulier : une diz**aine** de chapelets

Le suffixe **-aine** peut s'adjoindre aux numéraux suivants : huit, neuf, dix, douze, quinze, vingt, trente, quarante, cinquante, soixante, cent.

10. *Quel est le sens des noms de nombre dans les phrases suivantes* :

a. Nous devons nous revoir dans une **huitaine**.
b. Elle a fait une **neuvaine** à son saint préféré.

c. Pendant la **quinzaine commerciale**, les magasins sont ouverts jusqu'à neuf heures.

d. Tous les animaux qui arrivent en Angleterre sont mis en **quarantaine**.

e. Un élève qui cafarde est mis en **quarantaine** par ses camarades.

f. Elle approche de la **quarantaine**.

g. Des fautes, il en fait à la **douzaine**.

h. Ces ouvriers sont payés à la **quinzaine**.

i. Ils passent une **quinzaine** à la montagne.

j. Nous avons invité une **douzaine** de personnes.

11. L'idée de quantité approximative peut s'exprimer de diverses autres façons. *Trouvez au moins cinq façons de dire* ***une soixantaine d'hommes***.

Les synonymes

Les vrais synonymes, de sens identique, sont très rares. On appelle généralement **synonymes** des mots de sens voisin, qui expriment les nuances d'une même idée. Dans les séries suivantes, un des termes représente le concept le plus simple, le plus neutre. Chacun des autres termes présente une variante du terme simple, une précision dans le sens.

12. *Dans chacune de ces séries, distinguez le terme simple, puis précisez le sens de chacun des termes* :

a. prendre connaissance, lire, parcourir, examiner, éplucher

b. défrayer, payer, rembourser, indemniser, dédommager, désintéresser

c. découvrir, discerner, deviner, voir, apercevoir, distinguer

d. bourlinguer, naviguer, croiser, voyager, voir du pays, courir le monde

e. émerger, déboucher, faire surface, apparaître, percer, faire irruption

f. propos, discours, conversation, paroles, entretien, colloque, conciliabule

g. indigènes, sauvages, aborigènes, autochtones, naturels, natifs

h. guerre, conflit, hostilités, combat, offensive, croisade

i. environs, voisinage, parages, alentours, région, zone

j. fleuve, cours d'eau, ruisseau, rivière, torrent, affluent, ru

13. *Choisissez le mot qui convient dans la liste ci-dessus* :

a. Le professeur ______________ les compositions de ses élèves pour ne laisser passer aucune faute.

b. Prête-moi 50 dollars, je te ______________ demain.

c. Après vingt jours de traversée, ils ______________ une côte désolée.

d. Le capitaine avait ______________ un peu partout dans le monde.

e. Il ______________ chez moi, en réclamant à grands cris l'argent que je lui devais.

f. J'ai demandé au directeur de m'accorder un(e) ______________.

g. Ils rencontrèrent plusieurs tribus de (d') ______________, avides de faire du commerce.

h. Après quelques jours de trêve, les ______________ ont repris.

i. Les industries sont en général groupées hors du centre, dans un(e) ______________ industriel(le).

j. Il y a quatre ______________ en France : la Seine, la Loire, la Garonne et le Rhône.

Les prépositions devant les noms de lieux

A. Pour indiquer la **situation** ou la **destination**, on emploie *en, au, aux* ou *dans* selon l'usage.

- noms de pays :

  en devant un nom féminin :
  en Italie, en Inde*

  en devant un nom masculin commençant par une voyelle ou un **h** muet :
  en Afghanistan

  au devant un nom masculin commençant par une consonne ou par un **h** aspiré :
  au Liban

  aux devant un nom pluriel :
  aux États-Unis

* L'Inde est souvent appelée *les Indes* (*l'empire des Indes* était le nom donné à l'ensemble des possessions britanniques de l'Inde, de 1877 à 1947), et on dit encore *aux Indes*, aussi bien qu'*en Inde*.

NOTE : — sont **féminins** les noms de pays, régions, provinces, états, terminés par **e** (excepté le Caucase, le Cambodge, le Maine, le Mexique, le Mozambique, le Tennessee, le Zaïre)
— sont **masculins** les noms terminés par une consonne ou par une voyelle autre que **e** (excepté la Haute-Volta, la Réunion, la Saskatchewan)

Lorsque le nom de pays est déterminé, on emploie *dans* suivi de l'article sauf si le déterminant fait partie du nom du pays ou de la région et n'est plus interprété séparément :

dans la France moderne, dans l'Europe du Sud

mais : en Amérique du Nord, en Afrique du Sud

- noms de provinces françaises :

  en devant un nom féminin singulier :
  en Provence

  en devant un nom masculin commençant par une voyelle ou un **h** muet :
  en Anjou

  en ou *dans le* devant un nom masculin commençant par une consonne ou par un **h** aspiré :
  en Poitou, dans le Poitou

  dans les devant un nom féminin pluriel :
  dans les Landes

- noms de provinces, de régions, de circonscriptions étrangères :
  - *en* devant un nom féminin :
    en Virginie, en Colombie-Britannique
  - *au* (le plus souvent) devant un nom masculin :
    au Québec
  - *dans les* devant un nom féminin pluriel :
    dans les Marches
- pour les États masculins des États-Unis, on emploie :
  - *au* ou *dans le* si le nom commence par une consonne :
    au Texas, dans le Texas
  - *dans le* si le nom commence par une voyelle :
    dans l'Illinois

  On dit : dans l'État de New York, dans l'État de Washington
- noms d'îles :
  - *à* devant les noms d'îles qui ne sont jamais précédés de l'article :
    à Chypre, à Rhodes, à Madagascar, à Cuba, à Terre-Neuve, à Tahiti, à Sri Lanka, à Fiji, à Hawaii...
  - *à* devant les noms d'îles qui sont toujours précédés de l'article :
    à la Martinique, à la Guadeloupe, à la Jamaïque...
  - *en* devant les noms d'îles qui sont normalement précédés de l'article, mais qui peuvent s'employer sans article (ex. : après la préposition *de*) :
    en Sicile, en Corse, en Sardaigne, en Nouvelle-Zélande, en Nouvelle-Calédonie...
  - *aux* devant les noms pluriels :
    aux Antilles, aux Seychelles
  - *à* ou *dans* si le nom est précédé de *l'île de* :
    à (dans) l'île de Ré

B. Pour indiquer le **point de départ**, l'**origine**, on emploie :

- *du* devant un nom masculin commençant par une consonne ou par un **h** aspiré
- *de* devant un nom féminin
- *d'* devant un nom commençant par une voyelle ou par un **h** muet
- *de l'* pour les noms des états américains qui commencent par une voyelle et pour les noms de pays étrangers commençant par un **i** ou par un **y**
- *des* devant un nom pluriel

On dit : de l'État de New-York, de l'État de Washington

C. Avec les noms de **villes** on emploie :

- *à* pour indiquer la destination ou la situation :
  à Saint-Malo, à la Nouvelle-Orléans
- *de* pour indiquer la provenance (*d'* si le nom commence par une voyelle) :
  de Paris, d'Avignon

Si le nom de ville comprend un article masculin ou pluriel, on emploie la forme contractée (*au*, *aux*, *du*, *des*) : au Havre, du Havre

14. *Complétez au moyen de* **en, au, dans le,** *etc.* :

Il va (il habite) :

____ Japon	____ Brésil	____ Allemagne de l'Ouest
____ Alberta	____ Chine	____ Île du Prince Édouard
____ Tahiti	____ Libye	____ Nouvelle-Calédonie
____ Malte	____ Guadeloupe	____ Afrique du Sud
____ Tennessee	____ Zimbabwé	____ Nouvelle-Écosse
____ Islande	____ Normandie	____ Terre-Neuve
____ Corse	____ Océanie	____ Californie
____ Ohio	____ Texas	____ Arizona
____ Bretagne	____ Floride	____ Mexique
____ Danemark	____ Saskatchewan	____ Nouvelle-Zélande

15. *Complétez au moyen de* **du, de la** *ou* **des** :

Il arrive :

____ Espagne	____ Manitoba	____ Le Havre
____ Labrador	____ Chicago	____ Nouveau-Brunswick
____ Paris	____ Indianapolis	____ Alabama
____ La Haye	____ Bretagne	____ Colombie-Britannique
____ Ottawa	____ Cuba	____ Zaïre
____ Québec	____ Portugal	____ Amérique
____ Groenland	____ Italie	____ Australie
____ États-Unis	____ Mexique	____ Danemark

Distinctions

se marier / épouser / marier / être marié

se marier

- s'unir par les liens du mariage, contracter mariage. Il s'emploie sans complément :

  Mon ami **se marie** la semaine prochaine.

se marier avec ou épouser

- prendre pour mari ou pour femme. Ils sont toujours suivis d'un complément :

  Mon ami **a épousé** une amie d'enfance.

  Mon ami **s'est marié avec** une amie d'enfance.

marier

- célébrer un mariage, unir deux personnes en mariage. Le sujet est une personne qui a l'autorité nécessaire (prêtre, maire, adjoint au maire, etc.) :

  C'est son oncle qui est évêque qui va les **marier**.

- établir quelqu'un dans l'état de mariage. Le sujet est en général les parents, la famille. Il est toujours suivi du complément d'objet direct :

  Il **a marié** ses trois filles la même année.

être marié

- indique un état :

  Il **était marié** depuis six ou sept ans quand il partit explorer les côtes du Brésil.

1. *Traduisez les phrases suivantes :*

a. She married a rich shipowner from Saint Malo.

b. Scarcely was he married when he started roaming around the world.

c. When you are married, where will you live?

d. My aunt never married.

e. Whom did the king marry?

f. He married his daughter to a fisherman from Maine.

g. Francis the First had married his cousin's daughter, Claude de France.

h. They were married the day after he came back from America.

i. Having married one of the richest girls in his home town, he left for Brazil.

j. Whom do you want to marry?

savoir / connaître

A. *Savoir* ne s'applique qu'aux choses.

Connaître s'applique aux choses et aux personnes.

Lorsqu'il s'agit de choses, *savoir* et *connaître* peuvent s'employer indifféremment. Il y a cependant une différence :

Je **connais** cette chanson = je l'ai déjà entendue.

Je **sais** cette chanson = je suis capable de la chanter.

EXCEPTION : *savoir* peut s'employer lorsqu'il s'agit de personnes, avec un sens particulier :

J'ai parlé à la personne que vous **savez** = je ne veux pas nommer la personne, l'interlocuteur sait de qui il s'agit.

Je **sais** quelqu'un qui pourra vous dépanner = il y a quelqu'un qui pourra vous dépanner, je peux vous l'indiquer.

B. *Savoir* ne s'applique qu'à des choses abstraites.

Connaître s'applique à des choses abstraites et à des choses concrètes

EXCEPTION : *savoir* peut s'employer avec des choses concrètes, avec un sens particulier :

Je **sais** une petite boutique pas chère = il existe une petite boutique pas chère, je peux vous l'indiquer.

REMARQUE 1 : Aujourd'hui, *savoir* s'emploie rarement avec un complément déterminé, même indiquant une chose abstraite. C'est l'usage seul qui en détermine l'emploi. Dans le doute, on emploiera *connaître* :

Il **connaissait** l'art nautique. (plutôt que *il savait*)

REMARQUE 2 : *Savoir* s'emploie toujours lorsque la construction correspond à une proposition subordonnée complément d'objet :

Je **sais** le mal que vous vous êtes donné = Je sais que vous vous êtes donné beaucoup de mal.

C. Seul *savoir* peut introduire une proposition :

Je **sais** que Jacques Cartier est né à Saint-Malo.

D. Seul *savoir* peut s'employer avec un infinitif :

Je **sais** faire la cuisine.

CONSEILS PRATIQUES :

- Si le complément est un nom, on emploie le plus souvent *connaître* :

  sauf :

  — s'il s'agit d'un texte appris par cœur

  — si la construction correspond à une subordonnée complément d'objet :

  Je **connais** M. Blanc, la France, cette chanson...

  mais : Je **sais** la table de multiplication.

  Je **sais** le mal que vous vous êtes donné.

- avec une subordonnée d'objet ou un infinitif, on emploie *savoir* :

  Je **sais** que J. Cartier est né à Saint-Malo.

  Je **sais** faire la cuisine.

- avec une relative, on emploie *savoir* :

  Vous ne **savez** pas ce que vous voulez.

2. *Complétez les phrases suivantes au moyen du verbe* ***savoir*** *ou* ***connaître*** :

a. ______________-vous la personne dont je parle ?

b. Jacques Cartier ______________ la route des Indes Occidentales.

c. Il ______________ bien son métier.

d. Je ______________ bien ce dont vous parlez.

e. Je ______________ de quoi vous parlez.

f. ______________-vous l'histoire de la découverte de l'Amérique ?

g. ______________-tu quelle est la capitale du Canada ?

h. Où en est l'affaire que vous ______________ ?

i. Je ne ______________ pas New York. Et vous ?

j. Tiens, vous voilà ? Je ne vous ______________ pas de retour !

k. Je ne lui ______________ aucun défaut.

l. Je ne ______________ pas si je pourrai venir.

m. Si tu ______________ le mal que ça m'a donné !

n. Je ______________ vaguement ce morceau de musique.

o. Je ______________ un petit restaurant pas cher.

p. ______________ que je ne me laisserai pas faire !

q. Vous n'êtes pas infirme, que je ______ !

r. La mécanique, ça me ______.

s. Pour cueillir les champignons, il faut bien les ______.

t. Est-ce qu'il ______ conduire ?

3. *Traduisez les phrases suivantes* :

a. I don't know Saint Malo. Do you?

b. Do you know where Jacques Cartier was born?

c. I know him by sight.

d. I don't know how to swim.

e. Columbus never knew that he had discovered America.

f. I didn't know she was getting married. Did you?

g. You were in the hospital? I didn't hear about it or I would have come to visit you.

h. He is the best sailor I know.

i. Nobody knows the problems we have had.

j. If only I had known, I would not have confided in you know who!

k. Have they delivered the wood yet? — Not that I know.

l. He met his wife when they were both students.

pas avant / pas jusqu'à / ne que

Pas avant indique le début du procès (au présent, passé ou futur) :

Nous ne partirons **pas avant** cinq heures = nous partirons à cinq heures, ou après.

Le sens de la phrase est positif. *Cinq heures* indique le début de l'action.

Pas... jusqu'à exprime la négation d'une action présentant une durée :

Je n'attendrai **pas jusqu'à** midi = j'attendrai un peu, mais pas jusqu'à midi.

Le sens de la phrase est négatif.

Si le sens est restrictif, et que l'action ait lieu précisément au moment indiqué, on emploiera plutôt *ne... que* :

Il **n'**a commencé à travailler **qu'**à l'âge de trente ans = il a commencé seulement à trente ans.

4. *Complétez (ajoutez les prépositions nécessaires)* :

a. Il avait été décidé que nous ne partirions ______ l'été.

b. Décide-toi ! Ne réfléchis ______ demain !

c. Ce n'est ______ 1522 que le roi de France se rendit compte des avantages qu'il y aurait à poursuivre les explorations.

d. Tu peux voyager, mais ______ d'avoir fini tes études.

e. Il promit de lui ramener ses fils, mais ______ l'année suivante.

f. Il ne restera ______ l'hiver.

g. Ne sors ________________ de m'avoir téléphoné.

h. Il n'est arrivé ________________ cinq heures.

seul / seulement / ne que

Seul/seulement/ne que expriment la restriction.

L'expression adverbiale *ne... que* est synonyme de *seulement*. Elle doit être suivie du mot (ou des mots) sur lequel porte la restriction :

Ils **n'**avaient **que** deux petits navires.

Ils avaient **seulement** deux petits navires.

L'adverbe *seulement* s'emploie toujours là où *ne... que* n'est pas possible :

- s'il n'y a pas de verbe :

  Qui est là ? — **Seulement** moi !

- si la restriction porte sur le verbe :

  N'écrivez pas, écoutez **seulement**.

- s'il y a déjà un *que* dans la phrase :

  Je veux **seulement** que vous me disiez ce qui s'est passé.

L'adjectif *seul* remplace *seulement* lorsque la restriction porte sur le sujet :

Seules, les pêcheries les intéressaient.

ou : Les pêcheries **seules** les intéressaient.

5. *Refaites les phrases suivantes en faisant porter la restriction sur les mots indiqués :*

a. **Les pêcheurs** connaissaient Terre-Neuve.

b. Il avait besoin d'**une soixantaine d'hommes**.

c. Les « bancs » étaient connus des **Malouins** depuis le XVIe siècle.

d. Les « bancs » étaient connus des Malouins **depuis le XVIe siècle.**

e. Quand il a entendu cela, il **a souri**.

f. Comme **il** avait compris, il a expliqué aux autres.

g. Il savait que **le roi** pouvait lui procurer la somme nécessaire.

h. **Les devoirs** tapés à la machine seront acceptés.

i. N'écrivez pas au crayon ; **à l'encre**.

j. Ils **nous** ont invités.

plus petit / moindre ; plus mauvais / pire

Les adjectifs *petit* et *mauvais* ont deux comparatifs et deux superlatifs :

	comparatif	**superlatif**
petit	plus petit	le plus petit
	moindre	le moindre
mauvais	plus mauvais	le plus mauvais
	pire	le pire

Moindre s'emploie dans des expressions en nombre limité :

Une question de **moindre** importance.

De deux maux choisissons le **moindre**.

C'est la **moindre** des choses.

Précédé d'une négation, il a le sens de *aucun* :

Je n'en ai pas la **moindre** idée.

Moindre ne s'emploie qu'avec des choses abstraites, ou des choses qui peuvent s'évaluer qualitativement :

Le **moindre** vent fait pencher le roseau.

Au sens concret, on emploie toujours *plus petit* :

Vous êtes **plus petit** que moi.

C'est la **plus petite** ville de la province.

Pire s'emploie surtout dans des expressions toutes faites :

Le remède est **pire** que le mal.

Il n'est **pire** sourd que celui qui ne veut pas entendre.

ou avec une nuance morale :

C'est un escroc de la **pire** espèce.

Pire s'emploie pour indiquer un degré supérieur de caractérisation :

Michel est paresseux, mais son frère est encore **pire** que lui.

REMARQUES : Il faut éviter de confondre *pire* (comparatif de *mauvais*) et *pis* (comparatif de *mal*). *Pis* ne s'emploie plus que dans des expressions ou des locutions adverbiales :

Tant **pis** pour vous !
Aller de mal en **pis**.
Dire **pis** que pendre de quelqu'un.

Dans la langue courante, on emploie *pire* à la place de *pis* (sauf dans les expressions ou locutions) :

Il a fait **pire** que cela.
Ce qu'il y a de **pire**...
En mettant les choses au **pire**...

6. *Complétez les phrases suivantes au moyen de* :

plus petit ou *moindre* :

a. La nuit, il s'éveillait au ______________ bruit.

b. Ma maison est ______________ que la vôtre.

c. C'est une bague de ______________ valeur.

d. Est-ce qu'il va faire beau ? — Pas la ______________ chance !

e. La forme de la terre était le ______________ de leurs soucis.

f. Il n'y avait pas le ______________ nuage dans le ciel.

pire, pis ou *plus mauvais* :

g. Au ______________ aller, j'aurai fini dans une huitaine.

h. C'est bien la ______________ idée que tu aies jamais eue !

i. Le hareng est ______________ que la morue, il a un goût trop fort.

j. De l'alcool ou de la drogue, lequel est ______________ ?

k. Sa vue est de ______________ en ______________ mais elle refuse de porter des lunettes.

l. Il fait froid, mais ça pourrait être ______________.

Étude de langue

Les aspects

Le procès exprimé par le verbe peut être envisagé non seulement du point de vue du moment auquel il a lieu (présent, futur, passé), mais encore du point de vue de son développement, suivant par exemple qu'il commence ou se termine, qu'il est instantané ou exige une certaine durée, qu'il est achevé ou non, qu'il est continu ou intermittent, qu'il aboutit à un résultat ou non, etc. C'est ce que l'on appelle les **aspects** du procès. Les aspects peuvent s'exprimer :

- par **le verbe** lui-même : *s'endormir* marque le début de l'action, tandis que *dormir* marque une certaine durée. (Cette nuance peut s'appliquer à d'autres parties du discours que le verbe : les noms *soirée, journée, matinée* impliquent également une idée de durée ; certains verbes, dits **perfectifs**, comportent en eux-mêmes une idée d'achèvement *naître, mourir, tuer*, etc.)
- par **le temps** du verbe : le présent et l'imparfait peuvent exprimer une idée de durée, un aspect imperfectif, alors que les temps composés expriment l'accompli du procès
- par un **préfixe** ou un **suffixe** : ***re**lire, touss**oter**, saut**iller*** expriment la répétition, la façon dont l'action se fait
- par un **semi-auxiliaire** : *être en train de* exprime l'aspect duratif, *ne faire que* l'aspect duratif ou restrictif, *faillir* et *manquer (de)* expriment qu'un fait a été tout près de se produire, *aller* suivi d'un participe présent marque la progression, la continuité, *venir à* indique un événement fortuit, imprévu, *se mettre à* exprime l'aspect inchoatif (début de l'action), *faire* l'aspect causatif, etc.
- par un **adverbe** ou une **locution adverbiale** : *sans cesse* exprime la continuité, etc.

1. *Déterminez les aspects exprimés dans les phrases suivantes et dites sur quels indices vous vous basez* :

a. Jacques Cartier commença à voyager dès son jeune âge.

b. Le bâtiment est en voie de construction.

c. Ils ne font que manger.

d. Il va falloir refaire ce devoir.

e. Ça y est ! J'ai trouvé !

f. Elle se plaignait du matin au soir.

g. Cette remarque fit rire le roi.

h. Nous venons à peine de commencer.

i. Le roi venait d'envoyer une expédition au Groenland.

j. J'ai lu ce livre.

Les semi-auxiliaires

On appelle **semi-auxiliaires** un certain nombre de verbes qui, construits avec un autre verbe, perdent leur signification propre et servent à exprimer certaines nuances de temps, de mode ou d'aspect du verbe avec lequel ils sont construits. Ils expriment, par exemple :

- le futur proche : il **va** partir
- le passé récent : je **viens** de lire ce chapitre
- le développement de l'action : je **suis en train** de lire
- l'obligation : nous **devons** arriver à l'heure
- la possibilité, la probabilité, le souhait, la prière, la volonté, le désir, le début de l'action, la fin de l'action, l'aboutissement, l'habitude, etc.

2. *Dites quel aspect du procès expriment les semi-auxiliaires dans les phrases suivantes* :

a. Ce n'est pas le Brésil qui **devait** faire la gloire du Malouin.

b. Les navigateurs européens **ne cessaient de** parcourir la route des Indes Occidentales.

c. Il avait une conception globale du monde où **allait** s'inscrire son exploit.

d. Alors, elle **se remit à** pleurer.

e. Certains enfants **peuvent** recevoir l'enseignement en anglais, s'ils remplissent certaines conditions.

f. C'était Edmond qui **venait de** lancer le mot.

g. Elle **avait fini par** lui découvrir au moins une qualité.

h. Un aliment marqué du sceau de la pénitence **en vient** toujours à être déconsidéré.

i. Oui, mais tout ça **est en train de** changer.

j. On les **faisait** travailler comme des esclaves.

k. Ils **ont failli** réussir.

l. Les barbiers **avaient l'habitude** d'opérer pour la pierre.

m. Je **tiens à** savoir ce qui s'est passé.

n. Christophe Colomb **passe pour** avoir découvert l'Amérique.

o. Il lui **fallut** rebrousser chemin.

p. Les recherches les plus intéressantes **devraient** se trouver du côté des marais salants.

3. *Refaites les phrases suivantes en exprimant l'aspect indiqué à l'aide d'un semi-auxiliaire ou d'un préfixe* :

a. *aspect inchoatif* (début de l'action) :

Les pêcheurs français avaient exploré les côtes de Terre-Neuve bien avant Christophe Colomb.

b. *aspect duratif* (durée) :

Quand le chef indien arriva, les Français plantaient une croix.

c. *aspect progressif* (continuité, progression) :

Il rit constamment.

d. *proximité dans le futur* :

Bientôt ils partiraient pour découvrir le fameux passage du Nord-Ouest.

e. *nécessité* :

Pour armer ses navires, il s'adresserait au roi.

f. *aspect itératif* (répétition) :

Le roi lut la supplique de Jacques Cartier.

g. *probabilité* :

Le loup était très proche.

h. *aspect incidentel* (fortuit) :

Au bout de cinq à six semaines, les vivres manquèrent.

i. *cause* :

Il la berça doucement pour qu'elle se taise.

Accord du participe passé

A. Le participe passé des verbes conjugués avec l'auxiliaire *avoir* s'accorde avec le **complément d'objet direct** si ce dernier précède le verbe. S'il suit le verbe, il n'y a pas d'accord :

... les côtes du Brésil **que** Pedro Cabral avait abordé**es** en 1500.

mais : Pedro Cabral avait abordé **les côtes du Brésil** en 1500.

ATTENTION aux verbes qui ne suivent pas le même régime en anglais et en français :

Il nous a regardé**s** : accord avec l'objet direct *nous*

Il nous a téléphoné : pas d'accord (*nous* est indirect)

B. Le participe passé des verbes conjugués avec l'auxiliaire *être* s'accorde avec le **sujet** :

Eussent-ils voulu le devenir qu'**ils** fussent resté**s** court.

4. *Faites accorder les participes passés s'il y a lieu, et expliquez l'accord ou l'absence d'accord* :

a. Si les pêcheurs avaient voulu_____ devenir géographes, ils seraient resté_____ court.

b. C'était une théorie qu'il avait longuement élaboré_____.

c. Ses prédécesseurs avaient plutôt suivi_____ la proue de leurs bateaux.

d. Le rapport dépassait les dangers qu'ils avaient encouru_____.

e. Il voulut reprendre les expéditions qu'il avait interrompu_____ après l'échec de Verrazano.

f. Le lendemain, il faisait voile vers l'île d'Anticosti. Après l'avoir longé_____, il repassait par le détroit de Belle-Isle.

g. Pour dîner, nous avons une morue que j'ai pêché____ hier.

h. Je vous ai écrit____ et je vous ai téléphoné____ plusieurs fois.

ATTENTION à ne pas confondre le complément d'objet direct, qui exprime **l'objet** de l'action, et le complément circonstanciel, qui exprime **une circonstance** (temps, lieu, but, cause, moyen, prix, quantité, mesure, poids, etc.) :

Il avait abordé **les côtes du Brésil**. (objet direct)

Ils avaient navigué **vingt jours**. (complément circonstanciel de temps)

Ce livre coûte **dix dollars**. (complément circonstanciel de prix)

Le participe passé des verbes *courir, coûter, valoir, peser, vivre, régner*, etc. suit la règle normale d'accord s'il est accompagné d'un complément d'objet direct, ce qui est le cas quand le verbe est pris au **sens figuré**. Il est invariable lorsqu'il est accompagné d'un complément circonstanciel de prix, de durée, de distance, de poids, etc., c'est-à-dire quand le verbe est pris **au sens propre** :

la distance qu'il a couru (complément circonstanciel)

les dangers qu'il a couru**s** (complément d'objet direct)

les soixante années qu'il a vécu (complément circonstanciel)

les années qu'il a vécu**es** en exil (complément d'objet direct)

5. *Faites accorder le participe passé s'il y a lieu* :

a. Je regrette les 30 dollars que m'a coûté____ce livre.

b. ... les reproches que lui ont valu____ ses actions...

c. ... les heures que j'ai marché____...

d. ... les années que j'ai vécu____ à Paris...

e. Où est la lettre que j'ai pesé____ ?

f. Combien d'efforts m'a coûté____ ce travail !

g. Sa foi, elle l'a vraiment vécu____.

h. ... la gloire que lui a valu____ sa victoire...

i. ... les soixante-six ans qu'a vécu____ Jacques Cartier...

j. Quelles mauvaise heures nous avons vécu____ !

k. Ma maison ne vaut plus la somme qu'elle a valu____ autrefois.

l. ... les derniers cent mètres que j'ai couru____...

m. ... les trente ans qu'a régné____ François Ier...

n. Combien d'heures as-tu dormi____ ?

o. Combien de voitures as-tu conduit____ ?

Accord du participe passé suivi d'un infinitif

A. Le participe passé conjugué avec *être* s'accorde avec le sujet :

Où sont les journaux que **vous** êtes allé**s** chercher ?

B. Le participe passé conjugué avec *avoir* s'accorde avec l'objet direct qui précède le verbe si cet objet direct est également **le sujet** de l'action exprimée par l'infinitif. Le participe passé ne s'accorde pas si l'objet direct du verbe conjugué est aussi **l'objet** de l'action exprimée par l'infinitif* :

Les bateaux **qu'**il a vu**s** partir : **qu'** (= les bateaux) objet direct de *a vus*, sujet de *partir* : accord

mais : Les bateaux **qu'**il a vu armer : **qu'** (= les bateaux) objet direct de *a vu*, objet de *armer* : pas d'accord

ATTENTION: l'infinitif peut être sous-entendu :

Il a engagé tous les marins qu'il a voulu (= qu'il a voulu engager)

REMARQUE : Suivi d'un infinitif, le participe passé des verbes *faire, devoir, pouvoir* et *vouloir* reste invariable.

* L'arrêté ministériel du 26-2-1901 mettait fin à cette distinction en admettant l'invariabilité de tout participe passé suivi d'un infinitif, alors que l'arrêté du 28-12-1976 autorise l'accord ou l'absence d'accord dans les deux cas (il s'agit d'une tolérance applicable aux corrections d'examens et de concours).

6. *Faites accorder le participe passé s'il y a lieu, en appliquant la règle ci-dessus* :

a. C'est une histoire que j'ai souvent entendu_____ raconter.
b. Voici la maison que nous avons fait_____ construire.
c. Quand elle a vu_____ partir les bateaux, elle s'est mise à pleurer.
d. Ce sont vos chevaux que nous avons vu_____ courir ?
e. Qui sont les amis que tu as invité_____ à dîner ?
f. Il les a fait_____ partir.
g. Nous avons fait tous les exercices qu'on nous a demandé_____.
h. Leurs amis, leurs parents, ils les ont tous vu_____ partir.

Accord du participe passé avec *que* antécédent

... l'un des plus grands que la France ait *eu*... ou ait *eus* ?
Lorsque le participe passé a pour objet direct le pronom relatif *que* en rapport avec *un*(*e*) *de*(*s*), l'accord du participe passé se fait soit avec *un*(*e*) soit avec le nom pluriel selon que l'action porte sur l'individu ou sur tous les composants du groupe dont il s'agit :

Un des marins, **que** le capitaine avait **engagé** à Saint-Malo, ... (parmi les marins, il y en avait un que le capitaine avait engagé à Saint-Malo. C'est de celui-ci qu'il s'agit. Notez la virgule devant *que*).

Un des **marins que** le capitaine avait **engagés** à Saint-Malo... (le capitaine avait engagé plusieurs marins à Saint-Malo. Il s'agit d'un de ceux-ci).

Quand l'antécédent contient un superlatif (ou une expression analogue formée au moyen de *seul, unique, premier, dernier*, etc.), l'action porte le plus souvent sur tous les composants du groupe. Dans ce cas, l'accord se fait avec le nom pluriel, mais on trouve aussi l'accord avec *un* :

C'est un des plus grands que la France ait **eus** (ou : ait **eu**).

REMARQUE : On emploie généralement le subjonctif, soit qu'il reste un certain doute dans l'esprit, soit qu'on veuille atténuer l'affirmation trop absolue de la principale. Mais s'il s'agit d'un fait réel et non d'une opinion, on emploie l'indicatif :

C'est un des plus grands que j'**ai** connu (j'en ai connu un, et c'était un des plus grands, non un des plus petits).

7. *Complétez les phrases suivantes au moyen du verbe donné* :

a. — Est-ce que ce livre est intéressant ?
— Oui, c'est un des plus intéressants que ______________. (lire)

b. — Que savez-vous de François Ier ?
— Que ce fut un des plus grands rois que la France ______________. (connaître)

c. — Quel journal voulez-vous ?
— Donnez-moi un des derniers que vous ______________. (acheter)

d. — Quel gâteau a-t-il choisi ?
— C'est un des plus gros qu'il ______________. (prendre)

e. — Qui fut chargé de l'expédition ?
— Un des capitaines que le roi ______________ à cause de ses connaissances nautiques. (choisir)

Le conditionnel passé 2e forme

A. Dans le style littéraire soutenu, le plus-que-parfait du subjonctif peut remplacer le conditionnel passé. On l'appelle alors **la deuxième forme du conditionnel passé** :

*Rodrigue qui l'**eût cru** ?* (= qui l'aurait cru)

*Chimène qui l'**eût dit** ?* (= qui l'aurait dit)

Corneille, *Le Cid*, III.4

B. Après *si* marquant un fait irréel dans le passé, le plus-que-parfait du subjonctif peut s'employer dans les deux propositions ou dans l'une d'elles seulement. Ainsi on pourrait substituer à la phrase ci-dessous n'importe laquelle des phrases a), b) ou c)

S'il **avait su** lire, il **aurait appris** la géographie.

a) S'il **eût su** lire, il **eût appris** la géographie.

b) S'il **avait su** lire, il **eût appris** la géographie.

c) S'il **eût su** lire, il **aurait appris** la géographie.

C. Le plus-que-parfait du subjonctif s'emploie également dans une proposition d'opposition. Dans ce cas il est toujours en tête de la proposition et on fait l'inversion du sujet :

Eussent-ils voulu le devenir qu'ils fussent restés court = Même s'ils avaient voulu le devenir ils seraient restés court.

8. *Récrivez les phrases suivantes en style courant* :

a. Eût-il su qu'il avait découvert l'Amérique, Christophe Colomb eût été fier.

b. Eussent-ils su la géographie, ils ne se seraient pas souciés de la forme de la terre.
c. Si Cartier n'avait pas promis de les ramener l'année suivante, le chef huron ne lui eût pas confié ses fils.
d. Il eût planté la croix, eût-il dû la planter de force.
e. Fût-il né ailleurs, Jacques Cartier n'eût sans doute pas découvert le Canada.

Adjectifs employés comme adverbes

Un bon nombre d'adjectifs courants peuvent être employés adverbialement. Ils restent alors invariables :

Il parle **haut**.

Elle chante **juste**.

Dans le cas d'adjectifs composés, le premier reste invariable s'il a une valeur adverbiale :

des enfants **mort-nés**

des personnes **haut placées**

REMARQUE 1 : Dans les mots composés, **nouveau** s'accorde si le composé a la valeur d'un nom (sauf dans *nouveau-né*) :

des **nouveaux** mariés
une **nouvelle** riche
mais : une fillette **nouveau**-née

Il reste invariable si le composé est employé adjectivement :

des vins **nouveau** tirés (= nouvellement tirés).

REMARQUE 2 : Certains adjectifs employés adverbialement s'accordent néanmoins avec l'adjectif ou le participe qui les suit. C'est le cas de *bon, large, grand, frais* :

La porte est **grande** ouverte.
Ils sont arrivés **bons** premiers.

9. *Faites accorder les adjectifs et les participes passés s'il y a lieu* :

a. Elle avait les cheveux coupé_____ court_____.
b. Ils ont les yeux grand_____ ouvert_____.
c. Ne prenez pas les virages trop court_____.
d. Les quilles sont posé_____ droit_____.
e. Où allez-vous, si légère_____ et court_____-vêtu_____ ?
f. Elle portait une robe de toile frai(s)_____ repassé_____.
g. Ils furent pendu_____ haut_____ et court_____.
h. C'est une erreur que j'ai payé_____ cher_____.
i. Faites asseoir les nouveau_____ arrivé_____.

j. Il a laissé les grand_____ fenêtres large_____ ouvert_____.
k. La nouve(au)_____ mariée est arrivée bon_____ premier_____.
l. Les coups pleuvaient sec_____ et dru_____.
m. La pluie dru_____ tombait sans cesse.
n. Le jardinier a semé les graines trop clair_____.
o. Mettez des fin_____ herbes haché_____ menu_____.

quelque

Quelque peut être :

- **adjectif indéfini** (donc variable) qui se rapporte à un nom, même précédé d'un adjectif qualificatif, et il signifie *un certain nombre de* :

  quelques années plus tard

  quelques habiles barbiers

- **adverbe** qui se rapporte à un adjectif qualificatif, à un participe passé, à un adjectif numéral ou à un adverbe :

  quelque habiles qu'ils soient (= bien qu'ils soient habiles)

  quelque trois cents ans plus tard (= environ...)

10. *Faites accorder* ***quelque*** *si c'est nécessaire* :

a. Quelque_____ hardis pêcheurs allaient à Terre-Neuve chaque année.
b. Il mit à voile avec deux petits navires et quelque_____ soixante hommes.
c. Quelque_____ pacifiques que fussent les Indiens, ils ne virent pas d'un bon œil la prise de possession de leur territoire.
d. Il repartit, emmenant avec lui quelque_____ naturels du pays, qu'il promit de ramener l'année suivante.
e. Il y avait quelque_____ cinquante secrets de Terre-Neuve.
f. Quelque_____ rapidement que vous conduisiez, je doute que vous arriviez à temps.

même

Même peut être :

- **adjectif** ou **pronom**. Il prend la marque du pluriel et signifie *semblable, identique* :

  C'étaient sans doute les **mêmes** Indiens à qui les Islandais avaient parlé du christianisme. (adjectif)

  C'étaient sans doute les **mêmes**. (pronom)

- **adverbe**. Il est invariable et signifie *aussi, jusqu'à* :

  Même les armateurs durent s'incliner.

Lorsque *même* est joint par un trait d'union à un pronom personnel pluriel :

- il se met au pluriel si le pronom représente plusieurs personnes :

  Elles sont venues elles-**mêmes**.

- il reste au singulier si le pronom représente une seule personne :

  comme nous l'avons écrit nous-**même** dans notre dernier article (nous = je)

  Mais Madame, vous me l'avez dit vous-**même** !

11. *Mettez **même** au pluriel lorsque c'est nécessaire* :

a. Ce sont les paroles même____ du roi.

b. « Nous prélèverons nous-même____ la somme nécessaire sur notre cassette personnelle », lui dit le roi.

c. Même____ les enfants connaissaient le fameux « secret ».

d. Cartier et Verrazano n'avaient pas les même____ objectifs.

e. Il aborda sur les même____ côtes que les pêcheurs fréquentaient depuis bien longtemps.

f. — Bonjour cher ami. Comment allez vous ?

— Bien, merci. Et vous-même____ ?

g. Ils aperçurent des îles, mais ce n'étaient pas les même____.

h. Ceux même____ qui lui étaient d'abord hostiles, finirent par accepter l'inévitable.

i. Les chirurgiens même____ ne connaissaient guère l'anatomie.

j. Nous viendrons vous chercher nous-même____ pour vous conduire à la gare.

Stylistique comparée

Locutions verbales et verbes simples

Certaines locutions verbales dans la langue de départ* se traduisent par des verbes simples dans la langue d'arrivée* :

to sail (*towards*) : faire voile (vers)

prendre connaissance (de) : *to read*

Pour traduire une locution verbale, il existe parfois dans la langue d'arrivée un verbe simple et une locution verbale. Le choix est alors question de style ou d'usage :

to take a walk : se promener, faire une promenade

*On appelle **langue de départ** la langue que l'on traduit, et **langue d'arrivée** celle dans laquelle on traduit.

1. *Traduisez les locutions verbales suivantes par des verbes simples si cela est possible. Dans le cas contraire, ou s'il existe une locution dans la langue d'arrivée, donnez également la locution verbale* :

a. to make a speech

b. to quench one's thirst

c. to come into view

d. to fall asleep

e. to make up one's mind

h. to make a mistake

i. to make a turn

j. to be content with

k. to give birth

l. to take flight (bird)

f. to take an interest (in)

g. to vie with each other

m. to blow one's nose

n. to become tired

a. faire peur

b. rebrousser chemin

c. faire la cuisine

d. prêter l'oreille

e. faire une demande

f. faire halte

g. avoir besoin

h. faire une dissertation

i. fermer à clef

j. faire bon accueil

k. apprendre par cœur

l. donner un pourboire

m. monter à cheval

n. aller à pied

La proposition infinitive

La proposition infinitive anglaise (un sujet qui est complément d'objet du verbe principal et un verbe à l'infinitif) se traduit par :

- **le subjonctif** après les verbes qui expriment la volonté, le désir, le goût, la préférence :

  I want ***you to come***
  Je veux **que vous veniez**.

  He would like ***me to go***
  Il aimerait **que je parte**.

- **l'infinitif** (le sujet de l'infinitif anglais conserve alors sa fonction et sa place de complément d'objet du verbe principal) ou **le subjonctif** après les verbes qui expriment la demande, l'ordre, le conseil, la permission, etc. :

  I don't allow ***the children to go out*** *at night.*
  Je ne permets pas **aux enfants de sortir** le soir.
  Je ne permets pas **que les enfants sortent** le soir.

- **le subjonctif** après les verbes impersonnels :

  It is time ***for you to go*** *to bed.*
  Il est temps **que tu ailles** te coucher.

- **l'infinitif** avec *il est facile, difficile, possible, impossible* :

  It will be easy ***for me to answer.***
  Il **me** sera facile de **répondre**.

  It is not possible ***for me to come.***
  Il ne **m'**est pas possible de **venir**.

ATTENTION : ne pas confondre :

I may come : il est possible que je vienne (= je viendrai peut-être)
It is possible for me to come : il m'est possible de venir (= je peux venir)

2. *Traduisez (si deux traductions sont possibles, donnez les deux)* :

a. I wish you to succeed.

b. The king expected Cartier to find a passage to Asia.

c. It is not for me to decide.

d. Is it necessary for my son to attend a French school ?
e. I am sorry, but it won't be possible for us to make a decision.
f. For her to obtain the job, she would have to have more experience.
g. My parents don't like me to be late.
h. They want me to get married within a couple of years.
i. They would like me to become bilingual.
j. What do you expect me to do ?
k. We all like people to be nice to us.
l. The Europeans wanted the Indians to trade with them.

La transposition

La transposition est le procédé de traduction qui consiste à remplacer une partie du discours (verbe, adjectif, adverbe, etc.) par une autre, sans pour cela changer le sens du message. Certaines transpositions sont obligatoires, d'autres permettent d'obtenir une amélioration du style :

__early__ next week : **au début** de la semaine prochaine (adverbe/nom) (transposition obligatoire)

The day __he was born__ : le jour de sa **naissance** (verbe/nom) (transposition stylistique)

3. *Traduisez les phrases suivantes en effectuant les transpositions indiquées* :

a. The European navigators had **constantly** travelled the northern route. (adverbe/verbe)
b. They reached Newfoundland in **late** May. (adjectif/nom)
c. As soon as he **arrived**, he planted a thirty-foot cross. (verbe/nom)
d. ... in the **early** 16th century... (adjectif/nom)
e. Cod was new, and they were **content** with it. (adjectif/verbe)
f. ... when they **were first married**... (adverbe/nom, verbe/nom)
g. Saint Malo is a well-known **French** port. (adjectif/nom)
h. **Born** in Saint Malo, Cartier had probably sailed to the Grand Banks. (participe/adjectif)

Texte à traduire

Jacques Cartier's Three Voyages

Verrazano's successor was Jacques Cartier, a mariner from the wealthy port of Saint Malo in Brittany, *northwestern France**. Fishermen from Saint Malo and other *northern French* ports had already sailed to the Grand Banks and inshore Newfoundland. Cartier probably *gained his first* maritime *experience* on these runs. Comments in his reports also imply that he had already been to Brazil. The French Crown expected *the expedition* of 1534 *to find* a passage to Asia *and to reveal* lands rich in gold and other precious *commodities*. Cartier left Saint Malo in *late* April 1534, with two ships and sixty-one men; they reached the Strait of Belle-Isle between

Labrador and Newfoundland in *late* May. Unimpressed with the area, Cartier called it "the land God gave Cain."

After skirting the shores of Newfoundland and surveying the coastline, Cartier entered the Gulf of St. Lawrence. He passed by *the Magdalen Islands* and Prince Edward Island *to land* at Chaleur Bay, which today divides Quebec from New Brunswick. Here the French met the Micmac Indians, members of the *Algonquian* linguistic family. Cartier's reference in his journal is the first written record (and the first reference since the *Vinland Sagas*) to a trading exchange between Indians and Europeans — *one* initiated by the Indians themselves, who from the shore, "set up a great clamour and made frequent signs to *us to come* on shore, holding up to us some furs on sticks." Before Cartier's arrival, European fishermen had no doubt previously traded with these Indians, who brought furs to exchange for the newcomers' iron knives, kettles, and hatchets.

When the French *moved northward* to Gaspé they encountered another large group of Indians who had come from the interior to fish. These Iroquoian Indians *differed* greatly from the Micmacs. Inexperienced in trading with Europeans, they brought no furs with them. The French gave the Indians "knives, glass beads, combs, and other trinkets of small value" to win their friendship. To serve as guides for their next voyage and to gain information about the country the French also kidnapped two sons of the Chief, Donnacona, and took them back to France for the winter to learn French.

Francis, Jones and Smith. *Origins : Canadian History to Confederation*, Toronto, Holt, 1988, p. 26-27

*Les mots en italique font l'objet d'une note ci-dessous. Lire les notes avant de traduire.

NOTES

northwestern France : attention à la préposition : le nom de pays est déterminé
northern French : effectuer des transpositions (adjectif/nom)
gain his first experience : *faire son apprentissage*
the expedition... to find... and to reveal : attention : propositions infinitives
commodities : employer un terme plus précis (il s'agit d'or, d'argent etc.)
late : transposition (adjectif/nom)
after : de quel temps *après* est-il suivi ?
the Magdalen Islands : *les îles de la Madeleine*
to land : aborder
Algonquian : les Algonquins (ou Algonkins) forment une vaste famille linguistique à laquelle appartiennent de nombreuses tribus d'Amérique du Nord
Vinland Sagas : *Vinland* (région découverte à l'ouest de l'Amérique du Nord par Leif Erikson, chef des Vikings, vers l'an mille. Cette découverte est chantée dans les *sagas* — récits scandinaves)
one : reprendre le mot **exchange** en apposition
us to come : proposition infinitive
moved northward : employer un verbe simple qui indique le mouvement vers le nord
differed : transposition (verbe/adjectif)

Composition : le résumé de texte

Un résumé est :

- **une image concentrée** du texte. Il supprime l'accessoire pour ne garder que l'essentiel, mais tout l'essentiel doit s'y trouver. Il est important de distinguer ce qui peut être supprimé, sans nuire à l'intelligence du texte. Il renferme les pensées dans le moins de mots possible;
- **une image fidèle** du texte. Il suit le développement du texte, il présente les idées dans le même ordre et suivant le même enchaînement. Il ne modifie ni

n'ajoute rien. Résumez le texte comme si vous étiez l'auteur. Employez la même personne, le même temps que l'auteur. Pas d'indications comme *dans ce texte, il s'agit de...* , *l'auteur dit que...*, etc.;

- **un développement soigneusement rédigé dans un style personnel**. Pas de plan schématique, de notes, de titres. Pas de phrases entières empruntées directement au texte (il est évident qu'on se sert souvent des mêmes mots). Éviter les citations. S'il est indispensable de citer, le faire entre guillemets.

Pour faire un résumé, il faut :

- **bien comprendre le texte** : en dégager le sens général, chercher l'idée principale autour de laquelle est construit le texte, noter la phrase (ou les phrases) qui l'exprime. Éclairer les difficultés de vocabulaire ou de construction que l'on peut y trouver;
- **étudier la composition** : le titre, les diverses parties, les paragraphes. Rechercher des points de repère qui jalonnent les diverses étapes du développement. Lire la première phrase de chaque paragraphe. Donne-t-elle des indications sur le contenu du paragraphe ? Comporte-t-elle des éléments de liaison avec ce qui précède ? des mots repris ? etc. ;
- **chercher les idées essentielles** : dans chaque paragraphe, dégager l'idée principale. Y a-t-il des idées complémentaires qui la développent, l'expliquent ? Y a-t-il des exemples, des comparaisons qui l'expliquent ou la précisent ?

Préparation (orale)

1. *Condensez les phrases suivantes* :

a. Le roi prit connaissance de la supplique que lui avait fait parvenir Jacques Cartier.

b. Ni les Portugais ni les Espagnols n'avaient renoncé, en dépit des guerres dont l'Europe était le théâtre, aux entreprises commerciales et coloniales qui étaient à la mode depuis la découverte de l'Amérique.

c. Les côtes, le roc plus que la terre, n'avaient rien d'accueillant, bonnes tout au plus à recevoir les vigneaux des pêcheurs.

d. Ayant signé, avec son redoutable cousin, Charles Quint, une trêve qui ramenait la paix entre la France et l'Espagne...

e. Ils firent voile vers ces terres lointaines et mystérieuses que l'imagination des contemporains, exaltée par des récits fantastiques, transformait en autant de paradis terrestres.

2. *Analyse du* TEXTE II :

a. Quelle est l'idée principale ? Quelles sont les phrases qui l'expriment ? Peut-on diviser le texte en plusieurs grandes parties ? Quelle est l'introduction ? Quelle est la conclusion ?

b. Quelle est l'idée principale de chaque paragraphe ? Quelles sont les idées complémentaires ? Y a-t-il des comparaisons, des explications utiles à la compréhension ? Comment chaque paragraphe est-il relié à celui qui précède et à celui qui suit ? Étudiez la première et la dernière phrase de chaque paragraphe. Quels éléments peuvent être éliminés sans nuire au texte ?

Rédaction (écrite)

Résumez le TEXTE II *(500 mots environ) en vous basant sur l'analyse du texte.*

CHAPITRE DEUX

Les premiers habitants

TEXTE I
L'Europe à l'assaut du nouveau monde

Une jeune femme indigène, la peau nue offerte comme un **bronze votif** aux douceurs du soleil levant et de la brise matinale, descendit sur la plage de sable doux immensément vide. L'alizé froissait doucement les palmes dans le ciel pur des tropiques. 5

Ses yeux étaient sombres et calmes *comme la nuit que venait de vaincre le matin* et ses cheveux noirs ruisselaient sur ses épaules. Elle avait le type des femmes de la race antillaise des Arawaks[1], la taille moyenne, les pommettes un peu saillantes, le nez fin. 10 15

Et voilà que**, soudain, elle s'arrête, **interdite.

Se découpant sur l'horizon où triomphait le soleil glorieux, trois masses bizarres apparaissaient là où jamais elle n'avait vu autre chose que mer et ciel sauf, à certains jours d'épouvante, les pirogues **caraïbes** se précipitant avec des hurlements de cannibales. 20

Au moment où, n'en croyant pas ses yeux, elle cherchait à reconnaître ces objets étranges que le contre-jour rendait indistincts, elle vit s'en détacher trois barques qui venaient vers la rive **à force de** rames. **Clouée** par la terreur, elle n'eut pas le temps de jeter l'alarme que déjà les proues faisaient crier le sable et que des êtres étonnants, qui n'étaient pas des hommes quoiqu'ils en eussent la stature, 25 couverts de tissus multicolores et dont la poitrine jetait des éclairs, en descendirent puis, se jetant à genoux sur la grève, se mirent à chanter. Au-dessus de leur tête, au bout de longues perches, ils agitaient au vent trois pièces d'étoffe bigarrée.

---

bronze votif : *objet d'art en bronze offert comme gage d'un vœu, d'une promesse faite à Dieu*
(Et) voilà que : présente une circonstance nouvelle qui produit un changement dans une situation
interdit : *déconcerté* (pour une personne)
caraïbe : rappelons que les adjectifs de nationalité ne prennent pas de majuscule, alors que les noms en prennent une
à force de : (+ nom ou infinitif) exprime à la fois la manière et l'intensité ou la répétition. Ici, *en ramant vigoureusement*
cloué : *immobilisé*

D'autres indigènes curieux mais **défiants** s'étaient approchés, en gardant à la main leurs armes prêtes à toute **éventualité.** Mais les Fils du Soleil au visage si étrangement pâle venaient vers eux les mains tendues et leur offraient en cadeaux joyeux des boutons rouges, des perles de **verroterie**, des lambeaux de tissus éclatants. Alors les naturels, qui prudemment jusque-là serraient leur **sagaie** et leur **casse-tête**, les laissèrent tomber, inutiles. Quelques-uns même les donnèrent en échange de ces richesses **inouïes** qui étincelaient à la lumière accrue, tout comme ils cédèrent ce qu'ils avaient connu jusque-là de plus précieux ; des perruches domestiques au plumage iridescent, des **fils** de coton, des aliments frais. Mais tous ces hommes — car visiblement c'en étaient — ces hommes étrangers, venus du ciel ou d'ailleurs dans leurs immenses canots à voile, parlaient un langage incompréhensible où sans cesse revenait un même mot : « Indias... ! Indias... ! »

Soudain l'un d'entre eux poussa un cri ; un chef indigène venait de descendre du village ; il était comme les autres vêtu de peu ; mais ce que l'un des nouveaux venus avait remarqué, c'était un banal ornement, une petite pépite de métal jaune, perçant le nez !

Pendant deux jours ce fut une fête continue où les réjouissances et le **troc** se mêlaient ; où les homme cuivrés pouvaient toucher les longues barbes et la peau blême des hommes de la mer ; un certain nombre de jeunes femmes avaient même cédé aux **demi**-dieux qui sans doute allaient bientôt disparaître pour toujours, laissant entre les mains de la tribu fortunée tant de joyaux extraordinaires et qui serviraient plus tard à prouver la véracité du miracle et la bienveillance des visiteurs divins.

Le matin du troisième jour repartirent les caravelles, brusquement. Mais quand les indigènes américains se comptèrent, ils s'aperçurent que, trahissant l'amitié, on avait enlevé **cinq des leurs**, les plus beaux, les plus jeunes. Des pirogues lancées à la mer, les Antillais tentèrent vainement de faire entendre leurs supplications. Le vent fraîchissant gonfla les voiles ; *bientôt les vaisseaux de Colomb eurent disparu* par-delà l'horizon du sud.

Et sur la grève il ne resta plus, parmi les débris du dernier festin, qu'une jeune femme indigène qui, écrasée sur le sol, pleurait son époux emporté vers, sans doute, quelque repas cannibale.

Ringuet. *Un monde était leur empire*, © 1943 Ringuet, p. 225-227.

NOTES

1. **Arawaks** : Indiens d'Amérique comprenant de nombreuses tribus disséminées du Sud de la Floride aux Antilles et jusqu'au Pérou. Très pacifiques, ils n'avaient de contacts guerriers qu'avec leurs voisins les Caraïbes qui venaient de temps en temps faire des incursions sur leur territoire

défiant : *qui se méfie, qui n'a pas confiance*
éventualité : *événement qui se produira peut-être, sans que cela soit certain.* En grammaire, l'éventualité est généralement exprimée par une phrase conditionnelle
verroterie : *petits ornements de verre coloré*
sagaie, casse-tête : armes de guerre primitives
inouï : *extraordinaire* (préfixe négatif *in-* + *ouï*, p.p. du verbe *ouïr* = *entendre*)
fils : pluriel de *fil*, le *s* ne se prononce pas, tandis que dans *fils* (enfant mâle) on fait sonner le *s*
troc : *commerce qui consiste à échanger des objets ou des produits, sans paiement d'argent*
demi : placé devant le nom, *demi* est invariable
cinq des leurs : le pronom possessif s'emploie au masculin pluriel au sens de *membres de sa famille* (plus rarement *amis* ou *partisans*). Ex. : *elle vivait parmi les siens, nous craignons pour les nôtres*, etc.

ÉTUDE ET EXPLOITATION DU TEXTE

1. À travers quel observateur est vue l'arrivée des hommes blancs ? Quels sont les mots, les détails qui l'indiquent ?
2. Relevez les détails vestimentaires. Ont-ils une signification qui dépasse la simple description ? Qu'indiquent-ils ?
3. En quoi les « richesses » des Indiens diffèrent-elles des richesses que venaient chercher les Européens ? Qu'est-ce qui fait la valeur d'un objet ou d'un produit ?
4. Comparez la scène du début avec celle de la fin. Comment ce contraste annonce-t-il la direction que va prendre la colonisation ?
5. Expliquez les mots indiqués et étudiez-en l'effet :

    l'alizé *froissait* doucement les palmes (lig. 6-7)

    la nuit que venait de *vaincre le matin* (lig. 11)

    l'horizon où *triomphait* le soleil glorieux (lig. 17)

    que déjà les proues faisaient *crier* le sable (lig. 24)

6. Qu'est-ce que le texte vous apprend sur les premiers habitants des Antilles ? Décrivez les Arawaks, leur aspect physique et leur personnalité.
7. On a parfois tendance à attribuer certaines caractéristiques stéréotypées aux habitants (originaires) d'un pays ou d'une province. Pensez-vous que cela se justifie dans l'ensemble ? Comment les étrangers jugent-ils les habitants de votre pays (de votre province, votre État ou votre ville) ? L'opinion qu'ils ont de vous vous paraît-elle juste ?
8. Les jugements que nous portons sur les autres peuples, ou sur les personnes originaires d'une autre partie de notre propre pays, sont souvent basées sur des idées toutes faites, qui sont parfois fort loin de la réalité. Choisissez deux ou trois nationalités différentes, et trouvez :

    a. quatre ou cinq caractéristiques physiques ou morales des habitants,

    b. quelques caractéristiques du pays, circonstances historiques ou économiques qui vous paraissent expliquer les caractéristiques des habitants. Donnez des exemples précis, et expliquez votre choix.

TEXTE II
Agaguk

Épris de liberté, Agaguk a quitté son village pour s'installer sur la toundra où il mène, avec sa femme Iriook, une vie primitive et solitaire au cœur d'une nature implacable. Leur fils Tayaout fait ses premiers pas quand ses parents s'aperçoivent qu'un gigantesque loup blanc vient rôder la nuit autour de leur hutte. Inquiet pour son fils qu'il adore, Agaguk guette jour et nuit et finit par traquer l'animal qu'il tue au cours d'une lutte épique.

L'été n'allait pas durer bien des semaines encore.

À peine venu que déjà il céderait au froid du nord. Viendrait le court automne. Puis l'hiver.

Au soleil de minuit ferait place la quasi-pénombre du jour mat, grisâtre, rarement brillant, toujours froid, et parfois sauvage comme une horde de carnassiers affamés.

Déjà la lumière des jours et des nuits n'était plus la même. La bande d'or à l'horizon perdait de son éclat et n'était plus qu'un trait terne, à peine lumineux.

Et dans la brise du jour venait du froid ; des **sautes** glaciales, sortes de poussées, de rafales qui inquiétaient les bêtes et jaunissaient les mousses.

Le sol n'avait plus son élasticité des couches humides et tièdes. Et le gel de surface rejoindrait bientôt la glace de fond et se souderait au permafrost pour de longs mois à venir.

La nuit surtout, il n'était plus aussi bon de s'étendre **par terre**, de dormir là, marié au sol, vautré dans la mousse.

Le caribou **se faisait** plus rare et le pelage des visons commençait à s'enrichir, à devenir plus soyeux. La veille, Agaguk avait vu un lièvre. Il avait déjà les flancs **tout** blancs. C'était la **mue** et le signal certain des froids proches.

Le temps de la bonne vie s'achevait.

Pointait à l'horizon le temps de la misère.

Et ainsi, dans un vent froid, Agaguk chemina. Parti de la hutte sans suivre une piste précise, il allait un peu au hasard, décrivant un grand cercle. Il comptait entièrement sur ses yeux, sur l'instinct qu'il avait d'une présence vivante sur la toundra.

Il pouvait s'arrêter et, sans se retourner, sans y apporter le moindre effort, sentir au loin derrière lui la présence de la hutte, des deux êtres qui l'habitaient. Même **dans le noir**, alors que la nuit tombait sur la plaine en écrasant le reste du jour, en le comprimant pour ne laisser autour qu'un faible ruban lumineux, quelque chose, une alerte intérieure, un rythme nouveau dans le sang, **un rien** l'avertissait de la présence.

Ce serait, cette nuit-là, son arme la plus efficace. Il **saurait**, en même temps que le loup, la proximité du danger. **Autant** la bête le devinerait à distance, **autant** lui percevrait la présence de la bête.

C'était simple, cela découlait d'une faculté physique venue de générations multiples. Mais Agaguk n'aurait pas su expliquer comment fonctionnait le mécanisme, ni où se situait en lui ce sens qui donnait l'alerte. **Maintes fois** déjà il s'était arrêté sur la toundra, conscient tout à coup de la présence d'un animal. Il n'avait pas besoin de le voir pour posséder en lui la certitude qu'il était là, non loin.

Et le guet d'ensuite, la patience. *Surgissait l'animal et Agaguk mangeait pendant*

---

saute : *changement brusque* (dans la direction du vent, *saute de vent* ; dans la température, *saute de température* ; dans l'humeur, *saute d'humeur*). S'emploie surtout au pluriel

par terre : *à terre, sur le sol* (notez l'emploi de la préposition *par*). *Par terre* est d'un usage plus familier que *à terre*

se faire : *devenir, commencer à être* (*tard, froid, rare, vieux*, etc...)

tout : (adverbe invariable) *tout à fait, entièrement*

mue : (verbe *muer*) *changement de peau (de pelage, de plumage) qui affecte certains animaux une fois par an.* Aussi : *changement de timbre dans la voix des jeunes garçons vers l'âge de douze ou treize ans*

pointait : c'est ici le verbe *poindre* (= *commencer à paraître*) qui conviendrait et non pas *pointer. Poindre* cependant, ne s'emploie qu'à l'infinitif, à la troisième personne du singulier de l'indicatif présent et futur et du conditionnel présent, et aux temps composés. On a tendance à lui substituer le verbe *pointer*, surtout aux autres temps.

dans le noir : *dans l'obscurité*

un rien : *très peu de chose, quelque chose d'infime*

saurait : notez l'emploi inhabituel de *savoir*

autant... autant : insiste sur la relation d'égalité

maintes fois : *souvent, de nombreuses fois* (littéraire)

quelques jours de plus, ou se vêtait, ou augmentait encore le ballot de peaux brutes à troquer au poste de traite.

Il chemina.

Combien de temps, il n'aurait pu le dire. Il connaissait seulement sa direction et savait qu'à cause du chemin pris en partant de la hutte, ce ne serait pas droit 5 par derrière qu'il retournerait à Iriook et au petit, mais bien plutôt à bras gauche, ainsi étendu, tout droit, vers la grosse étoile qui se balançait dans le ciel.

Mais **point** de loup blanc.

De fait, aucun loup.

Si une meute avait hurlé plus tôt, puis jappé, voici qu'elle était désormais silencieuse. 10 Elle avait sans doute traqué un caribou, l'avait abattu. Maintenant elle **se repaissait** et ne recommencerait la chasse silencieusement que plus tard, *une fois la lune couchée.*

Mais le loup blanc ?

Hurlait-il celui-là ? Chassait-il avec **le pack** ?

S'il errait en solitaire sur la toundra, où le découvrir ? Tache blanche contre 15 le noir ? Silhouette peut-être ? S'il était **tapi** quelque part, attendant, ce serait facile. Agaguk saurait sa présence, se dirigerait droit sur lui.

Il avait armé son fusil.

Le couteau à la lame fine lui pendait le long de la jambe. Un autre couteau, à lame large et courte et terriblement épaisse était glissé dans la ceinture. *Que ce* 20 *soit avec cette arme ou les autres, le loup blanc périrait.*

Une heure durant, puis deux. La lune disparut, et la toundra s'assombrit encore. Debout, immobile, Agaguk scrutait le vaste tombeau. Rien ne bougeait. *Il n'y avait même pas le bruit d'un insecte.*

Un serrement au ventre l'alerta. Il sentait la présence d'un animal non loin. 25 Il n'aurait pu dire encore dans quelle direction, ni à quelle distance, mais une bête, une bête assez grosse, sûrement pas un blaireau ou un vison, l'observait.

Il glissa lentement à terre, s'accroupit, le fusil armé presqu'**en joue**. Il lui fallait du temps. Ce serait simple d'identifier les directions et la longueur du saut vers l'animal, mais il avait besoin d'être tout contre terre, de se laisser porter le vent 30 aux narines, d'attendre et d'écouter.

Une rafale vint, bruissa contre la mousse, s'enfuit et ce fut l'accalmie. Les yeux **au ras du sol**, Agaguk regarda lentement autour de lui.

En direction de la hutte, à cet endroit où la bande d'horizon **achevait**, il vit une ombre par-dessus l'ombre. Il n'y avait qu'un reflet de lumière, à peine **de quoi** 35 découper une silhouette.

Il fixa le point d'ombre qui lui parut comme une proéminence sur le plateau de mousse. Il vit aussi que l'ombre bougeait. Comme en rampant. Vers lui.

Il attendit.

Quelques minutes plus tard, **il était fixé.** 40

---

point : *pas, aucun*
de fait : confirme ce qui vient d'être dit
se repaître : *se rassasier, manger à sa faim* (pour les animaux)
le pack : mot anglais. En français : *la meute*
tapi : (participe passé de *se tapir*) *blotti pour se cacher*
une heure durant : placé après le nom, *durant* insiste sur la continuité. Cet emploi est limité à quelques expressions (avec *vie* ou des expressions de temps)
en joue : *en position de tir, ajusté contre la joue.* Plus loin, **la bête bien en joue** : *visée avec l'arme*
au ras du sol : *au niveau du sol*
achevait : *s'arrêtait.* S'emploie plus souvent à la forme pronominale *s'achever*
de quoi : *assez pour*
il était fixé : *il savait à quoi s'en tenir, il n'avait plus de doute*

L'odeur sur le vent, c'était celle du loup. *Et la tache n'était plus sombre, mais grisâtre.*

***Or**, il n'y avait qu'un seul animal capable de créer ce tableau. Le Grand Loup Blanc ? Le seul qui pouvait **faire tache** pâle sur l'ombre.*

5 Agaguk, rivé au sol, complètement immobile, mais le fusil bien en joue, attendit que l'animal vînt encore plus près. Bientôt l'odeur en fut si forte qu'il en ressentit de la nausée. Et ce n'était plus une tache mais la forme bien identifiée d'un loup rampant sur le ventre. Lui aussi **à l'affût** de sa proie, cherchant à retrouver la silhouette d'Agaguk maintenant écrasée sur le sol, comme fondue dans la nuit.

10 L'homme en face de la bête : deux ruses s'affrontant.

Si le loup venait assez proche, Agaguk lâcherait le coup, la balle tuerait l'animal. Et s'il le manquait ?

Une hélée de distance. Puis la distance d'un lancer, et finalement cent pas, cinquante... Le loup était presque **à portée** de la main. Seulement, il se dirigeait 15 droit sur Agaguk, une cible étroite, difficile à déterminer dans le noir.

Agaguk colla l'œil sur la mire, la bête bien en joue contre le soleil de minuit à l'horizon.

Dix pas. C'était alors le temps ou jamais. Tout dépendait d'un geste, la pression rapide sur la gâchette, le coup, la balle... L'instant d'une seconde, et moins encore. 20 Un destin fixé. La mort du loup. La mort de l'homme ?

Agaguk pressa la détente.

La balle fut un ouragan qui jaillit du canon. Mais elle ne tua pas le loup. *Elle ne fit que l'égratigner* au passage. Il roula par terre et se retrouva dix pas plus loin. Il fut aussitôt sur ses pattes.

25 Agaguk était debout aussi, mais son couteau au poing.

Le loup bondit.

Une masse **fantomesque**, sorte de bolide lancé des airs s'abattait sur Agaguk. L'homme et la bête basculaient dans le noir. La gueule du loup s'ouvrait, baveuse de rage, et mordait avec un grondement diabolique l'être qui se débattait furieusement 30 entre ses pattes.

C'était entre les deux une lutte horrible, une gymnastique macabre. À chaque **gueulée** de la bête, le cri de l'homme s'enflait **en vrille** et crevait la nuit. Le loup en furie l'agrippait, le labourant à grands coups de griffes, puis l'homme saisissait la seconde propice — celle où l'animal s'arc-boutait pour foncer à nouveau — et 35 repliait son bras pour plonger le couteau dans le cuir de la bête. Alors celle-ci s'esquivait, mais pour bondir de nouveau sur l'homme qui se raidissait contre la torture.

De grands lambeaux de chair pendaient entre les dents de l'animal.

Un combat terrible, mêlé de cris et de rugissements où, tour à tour, l'homme 40 et la bête, égaux en puissance ou en fureur, dominaient. Soudain la lame du couteau

---

or : conjonction déductive, toujours placée en tête de phrase. Dans le cours d'un raisonnement déductif, introduit la proposition intermédiaire

faire tache : sans article s'emploie généralement au sens figuré. Ici, équivalent de *faire une tache* (sens propre)

à l'affût : *en train de guetter, d'attendre le moment favorable pour attaquer*

une hélée de distance : (formé sur le verbe *héler* : *appeler de loin*) *à une distance où pourrait se faire entendre un cri, à portée de voix*

à portée : *accessible*

fantomesque : (formé sur *fantôme*) *fantomatique, comme un fantôme, indistinct comme un spectre*

gueulée : (formé sur *gueule*) ici : *coup de dents.* Plus couramment employé au sens de *cri* (populaire)

en vrille : *perçant comme une vrille* (outil de perçage en forme de tire-bouchon)

brilla. Le poing partit comme une flèche, s'abattit. Une fois, une autre et une autre fois encore.

Agaguk avait, dans la bouche, un goût sucré de sang qui lui redonnait **des nerfs et de la poigne**. Maintenant, **à cheval** sur le loup qui se démenait en hurlant, il frappait **à tour de bras**, toute vigueur retrouvée, toute douleur assoupie. 5

Puis il se releva, passa le bras sur sa figure ensanglantée et mesura en lui les forces restantes.

Le loup blanc, éventré, **gisait** à ses pieds.

Agaguk défit la corde qui lui **servait de** ceinture, **en** noua une extrémité autour des pattes d'arrière du loup, s'attela au fardeau et le traîna sur la toundra. 10

Quand il arriva devant la hutte, Iriook qui n'avait pas dormi se tenait là, frémissante. Sa voix ne fut qu'une plainte légère, à peine un murmure.

— Agaguk ? ...

L'homme redressa l'échine.

— Tayaout ? ... demanda-t-il. 15

— Il est **sauf**. Le loup n'est pas venu ici.

Agaguk montra la dépouille.

— Je l'ai tué.

Iriook pleurait silencieusement.

— Je vais allumer la lampe, dit-elle, panser tes plaies. 20

D'où elle était, elle voyait le sang d'Agaguk faire une tache noire qui s'agrandissait sur la mousse. Sa **parka** était en lambeaux. Le loup avait arraché de larges plaques de chair sur les cuisses, dans le dos, aux épaules. Mais il y avait plus encore qu'Iriook aperçut lorsque, dans la hutte, la lueur de la lampe éclaira pleinement son homme.

Alors elle se remit à pleurer, **un geignement en long**, triste comme la mort, 25 et se laissa tomber sur le sol.

— Qu'est-ce qu'il y a ? demanda Agaguk. Qu'est-ce qu'il y a ?

Elle ne pouvait que relever la tête, montrer du doigt le visage de l'homme. Un geste que lui cherchait à comprendre. Il porta la main à son visage.

À la place du nez il n'y avait qu'un immense trou. 30

D'une gueulée le loup avait arraché du visage d'Agaguk le nez et une partie des joues. Il se pencha, comme s'il allait toucher doucement Iriook à l'épaule, mais au lieu de cette caresse elle sentit le corps de son homme tomber comme une masse sur le sol à ses côtés. Vaincu par la fatigue et la souffrance, Agaguk s'écrasait, inconscient. 35

Dehors, la patte d'arrière du loup tremblait encore, spasmodiquement, malgré la langue qui pendait de la gueule et malgré les yeux vitreux.

Un oiseau — un **engoulevent** et son cri lugubre — passa dans le ciel. À l'horizon, une meute recommença à hurler.

Tayaout s'éveillait en pleurnichant dans la lumière de la hutte. 40

---

des nerfs et de la poigne : *de la vigueur et de la force*
à cheval : *à califourchon, assis une jambe pendant de chaque côté*
à tour de bras : *avec de grands gestes et de toutes ses forces*
gisait : verbe *gésir* (rare) : *être couché, étendu* (avec un sujet abstrait : *se trouver, résider*). Ne s'emploie qu'à l'indicatif présent et imparfait et au participe présent, ainsi que dans *ci-gît*, précédant le nom du défunt dans les inscriptions funéraires
servir de : *servir à un autre usage que celui qui lui est propre*
en : marque la possession avec un possesseur autre qu'une personne
sauf : ne s'emploie guère que dans les expressions *avoir la vie sauve, être sain et sauf*. Autrefois, *sauf* s'employait seul, comme c'est le cas ici (emploi archaïque)
parka : mot américain employé au féminin en France (Petit Robert), au masculin au Canada (Bélisle)
un geignement en long : *une plainte légère et inarticulée qui semble se prolonger comme une ligne continue*
engoulevent : *espèce d'oiseau nocturne*

— Le chef est mort, murmura Iriook.

Soudain elle se sentit fière.

— Le chef de tous les loups, continua-t-elle, de tous les loups de la terre et du dos de la terre, et c'est mon homme, le père de Tayaout qui l'a tué.

Yves Thériault. *Agaguk*, Paris, Bernard Grasset, 1958, p. 190-196

ÉTUDE ET EXPLOITATION DU TEXTE

1. Relevez les signes qui annoncent la venue de l'hiver. Expliquez pourquoi l'hiver est le temps de la misère, alors que l'été est celui de la bonne vie.

2. Relevez les détails qui montrent la ressemblance de l'homme et de l'animal.

3. Étudiez le rapport de l'homme avec la nature. Relevez des exemples précis ainsi que le vocabulaire qui expriment ce rapport.

4. Que symbolise le Grand Loup Blanc ?

5. Quels renseignements trouvez-vous dans ce chapitre sur la vie et les coutumes des Esquimaux ? Les Inuit (nom officiel du peuple esquimau) d'aujourd'hui ont-ils conservé ce genre de vie ?

6. Pourquoi la lumière semble-t-elle avoir une telle importance ? Que savez-vous de l'alternance du jour et de la nuit près du cercle arctique ?

7. En quoi peut-on dire que ce chapitre est un véritable morceau épique ? Comment se définit l'épique ?

8. Le style de Thériault est surtout poétique. Analysez la poésie dans ce passage (disposition des phrases, choix du vocabulaire, particularités sémantiques et syntaxiques, etc.) en donnant des exemples précis.

Remarques de style

« **... comme la nuit que venait de vaincre le matin...** »

Notez l'inversion verbe/sujet, fréquente en français écrit, dans une proposition relative dont le sujet est un nom, pourvu que le verbe ne soit pas accompagné d'un assez long déterminant :

comme la nuit que venait de vaincre le matin

mais : comme la nuit que le matin venait de vaincre de ses chauds rayons

« **Et voilà que, soudain, elle s'arrête, interdite.** »

Le présent peut s'employer dans un récit au passé pour rendre le récit plus vivant, lorsqu'il n'y a nul besoin de situer le procès par rapport au « maintenant » du narrateur. C'est le présent historique.

« **... bientôt les vaisseaux de Colomb eurent disparu...** »

Employé en dehors de tout rapport d'antériorité, le passé antérieur remplace le passé simple lorsqu'on veut exprimer non l'action elle-même, mais son achèvement, son aspect accompli (voir p. 100) avec, le plus souvent, une nuance de rapidité.

« Le sol n'avait plus son élasticité... »

La tournure négative est aussi un procédé descriptif. Elle peut exprimer un changement d'état (phrase ci-dessus), l'idée d'immobilité (*rien ne bougeait*), la sensation de silence (plus loin : **il n'y avait même pas le bruit d'un insecte**), etc.

« Surgissait l'animal et Agaguk mangeait pendant quelques jours de plus... »

Surgissait l'animal exprime une éventualité, d'où l'inversion et l'imparfait *mangeait* (= *si l'animal surgissait, Agaguk mangeait...*).

« Si une meute avait hurlé plus tôt, puis jappé, voici qu'elle était désormais silencieuse. »

La proposition introduite par *si* n'a ici aucune valeur de conditionnel, elle marque l'opposition, la concession. Le verbe exprime un fait réel.

« ... une fois la lune couchée... »

Proposition participe (voir p. 249). L'emploi de la proposition participe allège le style. Comparez : *une fois la lune couchée* et *une fois que la lune serait couchée.*

« Que ce soit avec cette arme ou les autres, le loup blanc périrait. »

Périrait n'a pas ici valeur de conditionnel mais de futur dans le passé. *Soit* est un subjonctif d'alternative (voir p. 99).

« Et la tache n'était plus sombre, mais grisâtre. Or, il n'y avait qu'un seul animal capable de créer ce tableau. Le Grand Loup Blanc ? Le seul qui pouvait faire tache pâle sur l'ombre. »

Un syllogisme est un raisonnement déductif qui contient trois propositions dont la dernière (souvent introduite par *donc*), qui constitue la conclusion, est la conséquence de la première, par l'intermédiaire de la seconde (souvent introduite par *or*).

ex. : i) Tous les hommes sont mortels.
ii) Or, Pierre est un homme.
iii) Donc, Pierre est mortel.

Dans la citation ci-dessus, les propositions ne sont pas dans l'ordre normal, et la conclusion n'est pas nettement formulée. Distinguez les trois parties du raisonnement, et rétablissez le syllogisme.

« Elle ne fit que l'égratigner... »

Le semi-auxiliaire *ne faire que* marque ici l'idée de restriction. Il peut marquer aussi l'idée de continuité :

La balle ne fit que l'égratigner = la balle l'égratigna seulement. (restriction)

Pendant deux jours ils n'avaient fait que boire = ils avaient bu sans cesse. (continuité)

Exercices de style

1. *Terminez les phrases suivantes en effectuant l'inversion verbe/sujet* :

a. C'est dans la civilisation du sel que ______________.

b. Elle descendit sur la plage où ______________.

c. Pendant deux jours ce fut une fête continue où ______________.

d. Toute la nuit elle pensa à ce que ______________.

e. Quelle était la théorie que ______________?

2. *Refaites les phrases suivantes en employant le* **si** *de concession* :

a. Sans doute la bête l'avait deviné à distance. Lui, de son côté, avait perçu la présence de la bête.

b. Le caribou se faisait plus rare ; mais aussi le pelage du vison devenait plus soyeux.

c. Les Indiens avaient cru à la bienveillance de leurs visiteurs. Cependant ceux-ci avaient trahi l'amitié en enlevant cinq des leurs.

d. Les pêcheurs avaient suivi la proue de leurs bateaux. Par contre Colomb avait, lui, une conception globale du monde.

e. L'or était très précieux pour les Européens, mais il n'avait aucune valeur pour les indigènes.

3. *Composez trois phrases déductives qui constituent des syllogismes.*

4. *Dans les phrases suivantes, dites si* **ne faire que** *marque une idée de restriction ou de continuité. Refaites ces phrases sans employer les semi-auxiliaires et en variant les tours à chaque fois (adverbe, locution adverbiale, verbe, locution verbale...)* :

a. Ils **ne faisaient que** répéter : « Indias ! Indias ! »

b. Toute la nuit, Tayaout **n'avait fait que** pleurnicher.

c. Les barbiers de l'époque **ne faisaient que** couper les cheveux et raser la barbe.

d. La vieille institutrice **ne faisait que** se plaindre de tout, des moustiques, de la chaleur, du bruit...

e. On croit parfois que la cuisine canadienne **n'a fait qu'**adapter à un nouvel environnement les recettes héritées de France.

5. « Elle n'eut pas le temps de jeter l'alarme que déjà les proues faisaient crier le sable. » (p. 37, lig. 23-24)

Sur ce modèle, composez deux phrases indiquant qu'une action n'a pas eu le temps de se produire ou de s'achever au moment où une autre a lieu.

Traduction

Traduisez les phrases suivantes en employant le vocabulaire et les expressions des textes :

1. Her eyes were dark as the night; her long black hair was falling on her shoulders. Her cheekbones were prominent, her nose delicate, her chin round and small.

2. Hardly had they landed, when they started shouting, "Indias! Indias!"

3. However miserable the West Indian villages may have been, no one had contested their ownership until the arrival of the Europeans.

4. For three days she did nothing but weep for her lost husband.

5. The festivities were not yet over when the caravels left, taking away five of their people.
6. What we know of the Arawaks comes in part from the reports of the 16th century Spanish writers, and in part from what has been found in caves.
7. The Caribs were small in stature, with well-developed muscles and well-proportioned. Their complexions were copper-coloured, their foreheads wide and flat and they wore their hair long, tied at the nape of the neck.
8. The next evening, as he had done many times before, Agaguk started on his way as soon as the moon was up.
9. He could hear the rustling of the wind against the moss, carrying the nauseating smell of the wolf.
10. When he is tired, he lies down on the ground for a short nap, sprawled on the moss, wrapped in caribou skins.
11. The child had not stopped whimpering all night long. He sounded like a small frightened animal.
12. By sheer force of will he dragged the load over the tundra.
13. Agaguk waited for the wolf to come closer. Soon, its scent became very strong, so that Agaguk felt nauseated.
14. Whether it is cod or herring, fish is better than meat.
15. Few people are aware of the fact that, prior to the arrival of Columbus, the Indians were much taller than the Europeans because their diet was healthier.

Étude de vocabulaire

Les suffixes péjoratifs

Les suffixes péjoratifs servent à déprécier la personne ou la chose désignée, en ajoutant une nuance de dégoût, d'hostilité, de mépris, etc.

1. *Indiquez le sens des dérivés suivants formés à l'aide d'un suffixe péjoratif* :

la popul**ace**
un chauff**ard**
une figure rouge**aude**
une voix cri**arde**
rim**ailler**
viv**oter**
des cheveux fil**asse**
une mar**âtre**
un goût fad**asse**
une eau douce**âtre**
rêv**asser**
marm**aille**

Le suffixe **-âtre** s'emploie avec certaines couleurs pour exprimer l'approximation ou bien la dépréciation :

ex. : *grisâtre* signifie - *qui tire sur le gris, un peu gris*
- *d'un gris terne, sale*

2. *Formez un dérivé des couleurs suivantes au moyen du suffixe* **-âtre** :

blanc
jaune
vert
bleu
rose
brun
olive
violet
noir
rouge

3. *Trouvez un nom (n), un adjectif (a) ou un verbe (v) d'expression péjorative correspondant aux mots suivants (au moyen des suffixes péjoratifs* ***-ache, -aille(r), -ard, -asse(r), -âtre****)* :

manger (n)	______________	papier (n)	______________
bon (a)	______________	homme (a)	______________
brave (n a)	______________	faible (a)	______________
traîner (v)	______________	pantoufle (a)	______________
riche (n)	______________	crier (v)	______________
pleurer (v)	______________	pleurer (a)	______________
rêver (v)	______________	vin (n)	______________

Les couleurs et les lumières

La notation des couleurs et des lumières joue un rôle important dans la description, surtout dans la description du paysage. Avant même les formes, ce sont les couleurs et la luminosité qui frappent d'abord l'œil.

4. *Dans le* TEXTE II, *relevez* :

a. les adjectifs de couleur proprement dite

b. les adjectifs exprimant la luminosité ou bien le manque de luminosité ou de couleur

c. l'action de la lumière

Quelle impression d'ensemble ces notations produisent-elles ?

5. Les mots *coloris, coloration, nuance, teint, teinte, ton, carnation* sont tous synonymes de *couleur* (terme général), mais ils ont des emplois différents. *Complétez les phrases suivantes au moyen de celui qui convient le mieux et faites les accords nécessaires* :

a. La gamme des rouges comprend de nombreux______________.

b. Certains peintres emploient toujours de riches______________.

c. Je préférerais un bleu d'un______________plus foncé.

d. Les______________de ce tableau sont trop froids.

e. Vous avez le (la)______________pâle.

f. Ils ont conservé le (la)______________de la jeunesse sur les parties du corps qui ne sont pas exposées à l'air.

6. L'intensité des couleurs se marque par des adjectifs et par des participes : *clair, foncé, vif, pâle*, etc. *Employez les adjectifs et participes donnés dans des phrases qui en éclairent le sens* :

passé
chatoyant
criard
frais
chaud

Pour nommer les couleurs, le français dispose :

- de termes indiquant une couleur proprement dite :
  rouge, vert, violet, bleu, jaune
- de termes techniques utilisés en peinture pour indiquer les nuances :
  ombre, terre de Sienne
- de comparaisons par :
  - la juxtaposition d'un nom de couleur et d'un objet qui sert de comparaison :
    rouge sang, vert pomme
  - l'emploi du nom de l'objet de comparaison seulement :
    un visage brique, un chapeau paille
  - la formation d'adjectifs à partir du nom de comparaison :
    des cheveux argentés, un teint cuivré

7. *Dites à quelle couleur et à quelle nuance correspondent les termes suivants* :

pain brûlé
gorge-de-pigeon
feuille-morte
lie-de-vin
fraise-écrasée
café au lait

8. *Exprimez au moyen d'adjectifs composés diverses nuances des couleurs indiquées* :

ex. : rose : rose bonbon, rose saumon

jaune
gris
rouge
vert
bleu
noir

9. *Caractérisez les nuances au moyen de noms ou de locutions* :

ex. : rouge : des cheveux carotte

vert
gris
marron
blanc
jaune
rouge

10. La façon dont les couleurs sont disposées s'exprime par des noms et par des adjectifs. *Complétez suivant la définition donnée, en choisissant un des mots de la liste* :

bariolé
bigarré
chiné
irisé
marbré
moiré
moucheté
multicolore
panaché
pommelé

a. un parasol ______________ (aux couleurs vives, sans harmonie)

b. un tissu ______________ (à reflets changeants)

c. un pelage ______________ (marqué de petites taches)

d. une jupe ______________ (aux couleurs ou dessins irréguliers)

e. un bouquet ______________ (composé de fleurs de couleurs variées)

f. un ciel ______________ (taché de petits nuages ronds)
g. une veste ______________ (tissée de fils de différentes couleurs)
h. un tapis ______________ (de plusieurs couleurs variées)
i. un visage ______________ (avec des marques longues et étroites)
j. un plumage ______________ (qui a les couleurs du prisme)

La caractérisation des lumières

Les lumières sont caractérisées par :

- leur intensité (vive, moyenne, faible ou nulle)
- leur quantité
- l'aspect du rayonnement, forme (rectiligne, circulaire, etc.) et constance plus ou moins grande
- leur couleur

11. *Classez les mots suivants par ordre croissant d'intensité* :

aveuglant	éclatant	luisant
brillant	étincelant	mat
éblouissant	flamboyant	scintillant

12. *Complétez les phrases suivantes au moyen d'un des verbes donnés* :

aveugler	éblouir	irradier	refléter
brasiller	étinceler	luire	reluire
briller	flamboyer	miroiter	réverbérer
chatoyer	fulgurer	rayonner	rutiler
clignoter	illuminer	réfléchir	scintiller

a. Les étoiles ______________ dans le ciel.
b. Le lac ______________ au soleil.
c. La neige ______________ les rayons du soleil.
d. La soie ______________ à la lumière.
e. Les cuivres ______________ sur le mur de la cuisine.
f. Soudain, un éclair ______________ la chambre.
g. Ses yeux ______________ comme des charbons ardents.
h. Le miroir ______________ les images.
i. Les feux de signalisation ______________ rapidement.
j. Les cristaux ______________ à la lumière des lustres.
k. Ses yeux ______________ de colère.
l. Frottez les meubles jusqu'à ce qu'ils ______________.

13. *Complétez les phrases suivantes d'après le sens donné entre parenthèses* :

a. Déjà, le soleil avait commencé à ______________. (become pale)
b. L'aube allait bientôt ______________. (to break)
c. Le soleil ______________ les couleurs. (fades)

d. Si elle n'est pas entretenue, l'argenterie finit par ______________. (become tarnished)

e. Le ciel ______________. (is clouding over)

f. Ajoutez un peu de blanc pour ______________ la teinte. (lighten)

g. La pièce était ______________ par deux grandes fenêtres. (lit)

h. Il portait un vieux chapeau de feutre, tout ______________ par l'usure. (made shiny)

i. La peinture ______________ toujours en vieillissant. (becomes darker)

j. Ce papier peint ______________ votre appartement. (darkens)

k L'été, les gens se font ______________ sur les plages. (tan)

l. De gros nuages ______________ la campagne. (plunged in darkness)

m. Le soleil ______________ ses rayons sur la terre accablée. (casts)

n. La campagne était ______________ de soleil. (streaming)

o. La pièce est ______________ de lumière. (flooded)

Locutions contenant le mot *œil* (*yeux*)

14. *Ne pas en croire ses yeux* signifie *être très surpris, très étonné de ce que l'on voit.* Toutes les locutions qui suivent contiennent le mot *œil* (ou *yeux*). *Trouvez le sens correspondant dans la colonne de droite* :

A. ne pas avoir froid aux yeux	a. rougir violemment
B. les yeux fermés	b. regarder avec étonnement
C. être tout yeux tout oreilles	c. ne rien craindre
D. jeter un coup d'œil (à, sur)	d. être très attentif
E. à vue d'œil	e. ne pas pouvoir dormir
F. coûter les yeux de la tête	f. regarder rapidement
G. en un clin d'œil	g. être évident
H. faire de l'œil à quelqu'un	h. se tromper
I. faire les gros yeux (à quelqu'un)	i. valoir très cher
J. faire les yeux doux (à quelqu'un)	j. favorablement (défavorablement)
K. ne pas fermer l'œil	k. faire semblant de ne pas voir
L. fermer les yeux sur quelque chose	l. regarder quelqu'un sévèrement
M. ouvrir de grands yeux	m. très rapidement
N. sauter aux yeux, crever les yeux	n. de façon perceptible
O. à l'œil	o. faire des avances à quelqu'un
P. avoir bon pied bon œil	p. en toute confiance
Q. rougir jusqu'au blanc des yeux	q. gratuitement
R. se mettre le doigt dans l'œil	r. regarder quelqu'un amoureusement
S. d'un bon œil (d'un mauvais œil)	s. être très observateur
T. ne pas avoir les yeux dans sa poche	t. être encore leste et avoir bonne vue.

Locutions exprimant l'intensité

15. *Frapper à tour de bras* signifie *frapper de toutes ses forces* (idée d'intensité). *Complétez les locutions suivantes formées au moyen d'un des mots donnés* :

bras	jambe
cœur	membre
tête	œil

a. courir ______________

b. crier ______________

c. taper sur quelqu'un ______________

d. trembler ______________

e. aimer quelqu'un ______________

f. regarder ______________

Groupements d'animaux

16. *Une meute de loups* est *une troupe, un groupe de loups. Formez des expressions analogues en complétant les noms suivants* :

un essaim ______________

un troupeau ______________

une couvée ______________

un vol ______________

un banc ______________

une harde ______________

une compagnie ______________

une volée ______________

une portée ______________

une nichée ______________

Suffixes verbaux

17. « L'enfant avait pleurniché toute la nuit. »
Pleurnicher : verbe *pleurer* + suffixe *nicher* = *pleurer un peu* (avec idée de répétition et de réprobation). *Employez les verbes suivants dans de courtes phrases qui en feront ressortir le sens* :

voleter

chantonner

mâchonner

toussoter

tâtonner

trottiner

Idée de nécessité

L'idée de nécessité peut s'exprimer de diverses façons :

- par un verbe impersonnel : *il est nécessaire, il faut...*
- par le verbe *devoir*
- par une locution verbale : *avoir besoin de, être obligé de...*

L'absence de nécessité s'exprime par :

- un verbe impersonnel au négatif, à l'exception de *falloir*
- une locution verbale au négatif
- la locution *ce n'est pas la peine de...*

Falloir et *devoir* à la forme négative expriment une interdiction, une nécessité portant sur le verbe qui suit (la négation porte en réalité sur le verbe qui suit) et non l'absence de nécessité (voir p. 96) :

Il ne faut pas (on ne doit pas) écrire au crayon.

Il ne fallait pas (on ne devait pas) manquer le loup (= il fallait **ne pas manquer** le loup).

REMARQUE : Les verbes impersonnels et les locutions impersonnelles sont suivis :

- de l'**infinitif** s'il n'y a pas de sujet exprimé :

  Il faut partir. Ce n'est pas la peine de venir.

- du **subjonctif** si le sujet est exprimé :

  Il faut qu'il parte. Ce n'est pas la peine que Jean vienne.

18. *Composez de courtes phrases à l'aide des expressions données.*

a. Il me faut ________________.

b. Ce n'est pas la peine de ________________.

c. Vous n'avez pas besoin de ________________.

d. Il ne faut pas qu'il ________________.

e. Je dois ________________.

f. Il est indispensable que ________________.

g. Tu n'es pas obligé de ________________.

h. Vous ne devez pas ________________.

L'idée de rencontrer

L'idée de *rencontrer* peut s'exprimer de diverses façons :

- *rencontrer* : — trouver sur son chemin par hasard
  — trouver quelqu'un à un rendez-vous fixé pour avoir un entretien avec lui
  — se trouver opposé en compétition sportive
  — faire la connaissance de
- *croiser* : rencontrer quelqu'un qui vient dans l'autre sens
- *retrouver* : rencontrer de nouveau (sans idée de hasard)
- *rejoindre* : aller vers quelqu'un pour le retrouver
- *aller chercher* : aller prendre quelqu'un pour l'emmener avec soi
- *aller au-devant, à la rencontre* (*de*) : aller vers quelqu'un qui arrive
- *avoir rendez-vous* (*avec*) : avoir convenu de se retrouver à un certain endroit et à un certain moment

19. *Traduisez les phrases suivantes* :

a. I know he has left; I met him on the stairs as I was coming up.

b. Don't take a cab; I'll meet you at the airport.

c. I haven't seen her for a long time. Has she moved away?
d. We were supposed to meet here at 5 o'clock.
e. Start without me; I'll meet you in the park.
f. I'll meet you in front of the library after class.
g. Her husband is an ethnologist. She met him in the North.
h. In the North, you never meet anybody.
i. I am very pleased to meet you!
j. I'll leave the office at four. Come and meet me, we'll walk home together.

Distinctions

de fait / en effet / en fait

De fait marque la conformité avec ce qui vient d'être dit :

Mais point de loup blanc. **De fait**, aucun loup.

En effet introduit une preuve ou une explication à l'appui de ce qui vient d'être dit, ou confirme la véracité de ce qui vient d'être dit. Dans une réplique on emploie toujours *en effet*, et non pas *de fait* :

Le caribou se faisait rare ; **en effet** l'hiver arrivait.

Tiens ! il n'est pas là ! — **En effet.**

En fait introduit une proposition qui *s'oppose* à ce qui précède :

On le croyait mort ; **en fait**, il n'était que blessé.

1. *Complétez les phrases suivantes au moyen de* ***en fait, en effet*** *ou* ***de fait*** :

a. Il crut apercevoir le loup. ______ ce n'était qu'un caribou.
b. Ils crurent que c'étaient des demi-dieux ; ______ c'étaient des aventuriers à la solde du roi d'Espagne.
c. Il y a beaucoup de francophones en Louisiane. — ______, ce sont les descendants d'anciens Acadiens.
d. Ce n'était pas le fameux passage, ______ ce n'était qu'une baie.
e. Agaguk était presque mort ; ______ le loup lui avait arraché la moitié du visage et il avait perdu beaucoup de sang.

servir / se servir de / servir à / servir de

- Cette voiture **sert** depuis longtemps. (est employée)
- Ce dictionnaire **me sert** beaucoup. (m'est utile)
- Agaguk **se servirait de** son couteau pour tuer le loup. (utiliserait, emploierait)
- Un harpon **sert à** pêcher les gros poissons. (c'est son usage habituel)
- Agaguk défit la corde qui lui **servait de** ceinture. (qu'il utilisait en guise de ceinture)

2. *Complétez les phrases suivantes :*

a. ____ quoi ____________-on pour pêcher les gros poissons ?

b. Cette corde est usée. Il doit y avoir longtemps qu'elle ____________.

c. Sa fille lui ____________ secrétaire.

d. Ce canif me ____________ appointer mon crayon.

e. Son couteau lui ____________ lime à ongles.

f. Cela ne ____________ rien de pleurnicher.

g. Le livre que vous m'avez prêté me ____________ beaucoup.

h. Ne ____________ pas de ce couteau, il ne coupe pas.

commencer à / se mettre à

Commencer à et *se mettre à* suivis d'un infinitif ont le même sens, mais on emploie de préférence *se mettre à* lorsqu'il s'agit d'une action précise faite à un moment donné :

En voyant son homme, Iriook **se mit à** pleurer.

mais : Le pelage des visons **commençait à** s'enrichir.

Il **s'est mis à** travailler dès le lever du jour.

mais : Il **a commencé à** travailler à la banque il y a trois ans.

3. *Complétez les phrases suivantes avec* ***se mettre à*** *ou* ***commencer à*** :

a. Vous devriez ____________ faire un peu de gymnastique.

b. Ne ____________ courir chaque fois que tu vois un chien !

c. Quand le roi entendit cela, il ____________ rire.

d. D'après Jacques Ferron, on ____________ manger de la morue après la fin du Moyen Âge.

e. Après la mort de sa femme, il ____________ courir le monde.

f. Je crois que je ____________ comprendre !

g. Je ne ____________ jamais ____ travail avant neuf heures.

h. Il sortit le papier de sa poche et ____________ lire.

i. Les hommes descendirent de la barque, puis, se jetant à genoux sur la grève, ils ____________ à chanter.

j. Arrête ! Tu ____________ à m'agacer !

Les homophones

Les homophones sont des homonymes qui se prononcent de la même façon sans avoir nécessairement la même orthographe. Notez ci-dessous les différences d'orthographe et de sens des homophones :

Il était une **fois**, un marchand de **foie** qui vendait du **foie** dans la ville de **Foix**. Il dit : « Ma **foi**, c'est la première **fois** et la dernière **fois** que je vends du **foie** dans la ville de **Foix.** »

4. Les mots indiqués ci-dessous ne diffèrent que par l'accent de leurs homophones (aigu, grave, circonflexe, ou pas d'accent). *Ajoutez un accent si vous le jugez nécessaire* :

a. Il faisait une **tache** pâle sur l'ombre.

b. On ne mange pas de viande les jours de **jeune** et d'abstinence.

c. Il déjeunait d'un morceau de pain **sur** et amer.

d. Sa **tache** achevée, il se mit à fumer sa pipe.

e. Seuls les **pecheurs** qui se repentent seront pardonnés.

f. La **peche** à la morue était très lucrative.

g. Voulez-vous une **peche** ou une poire ?

h. Une **jeune** indigène...

i. La mauvaise herbe **croit** toujours bien.

j. Les raisins ne sont pas **murs.**

5. *Complétez les phrases suivantes au moyen d'un des homophones donnés* :

a. Son ______________ était de retrouver l'ancienne route des Vikings. (dessin, dessein)

b. Tout contrevenant sera frappé d'une ______________. (amande, amende)

c. La pluie s'abattit comme une ______________ qui s'écrase. (tante, tente)

d. On présume qu'il fit ______________ des expéditions aux « bancs ». (parti, partie)

e. Ils allaient se marier... les ______________ avaient été publiés. (bans, bancs)

f. Mettez cette phrase à la ______________ passive. (voie, voix)

g. Le ______________ s'appelle ici *chevreuil.* (cerf, serf)

h. Sans ______________ d'urbanisme, les villes se développent un peu au hasard. (plant, plan)

i. C'était l'emplacement même de l' ______________ où Chateaubriand devait voir le jour quelque trois cents ans plus tard. (autel, hôtel)

j. Faites une ______________ après chaque phrase. (pose, pause)

6. *Trouvez deux homophones de chacun des mots donnés* :

fumer	cou
sceau	sain
cour	penser

quelques (-uns) / plusieurs / beaucoup / certains

Quelques (*-uns*) et *plusieurs* marquent d'une façon indéterminée un nombre pas très élevé :

Il manque **quelques** étudiants aujourd'hui.

Plusieurs personnes m'ont dit...

Beaucoup marque d'une façon indéterminée un grand nombre, une grande quantité :

Beaucoup avaient le type pur de la race des Arawaks.

Certains ne renferme pas d'idée de nombre, mais plutôt d'imprécision ou de sélection :

Certaines femmes avaient même cédé aux demi-dieux.

7. *Traduisez les phrases suivantes* :

a. Some people say that the discovery of America was an accident.

b. Some of the natives were wearing gold nuggets in their noses.

c. Cartier visited America several times.

d. There were a few women crying on the beach.

e. Some tried to justify European greed by painting the Indians as inferior people.

intéresser / s'intéresser (à)

intéresser :

- L'histoire du Canada m'**intéresse**. (retient mon attention, me captive, a de l'importance pour moi)
- Le chapitre VIII de la Charte de la langue française **intéresse** tous les enfants scolarisés au Québec. (s'applique à, concerne)
- Ce patron **intéresse** le personnel aux bénéfices de l'entreprise. (les fait participer aux bénéfices)

s'intéresser à :

- Je **m'intéresse à** la politique. (j'y prends de l'intérêt, je me tiens au courant)
- Ce patron **s'intéresse à** ses ouvriers. (leur manifeste de la sympathie, se préoccupe de leur bien-être, de leurs conditions de vie, etc.)

intéressé (adjectif) :

- C'est un homme très **intéressé**. (il est très attaché à son propre intérêt, il n'a en vue que son intérêt personnel)
- Le conseil qu'il vous a donné était **intéressé**. (égoïste, il servait ses propres intérêts)
- Les ouvriers sont **intéressés** aux bénéfices. (ils y ont part)
- Il a l'air très **intéressé** par ce que vous dites. (captivé)

intéressé (adjectif ou adjectif employé comme nom) :

- Les (élèves) **intéressés** doivent se présenter d'urgence au bureau des inscriptions. (concernés)

8. *Traduisez les phrases suivantes* :

a. Don't tell me about it. I am not interested.

b. The French kings were not interested in the fate of their colonies.

c. The burghers were interested only in the fisheries.

d. They were greedy men, who worked only for their own benefit.

e. Jacques Cartier wrote a detailed account of his travels. Everything interested him: the soil, the climate, the flora, the fauna, the natives...

f. Since she fell ill, she doesn't care about anything.

g. The interested parties are requested to identify themselves as soon as possible.
h. It is a period in history in which I am greatly interested.
i. His father interested him in the family business.
j. Beware of him. His friendship is not unselfish.
k. After his first voyage, he took no further interest in the route to the East, and decided to explore the St. Lawrence River.
l. They were looking at me with an interested look.

Étude de langue

Accord des adjectifs de couleur

Les adjectifs de couleur suivent les règles d'accord ci-dessous :

A. S'ils sont simples, ils **s'accordent** normalement avec le nom qu'ils qualifient :

des cheveux noir**s**, des hommes cuivr**és**

Mais si le mot désignant la couleur est un nom commun qui sert d'adjectif, il est en principe **invariable** :

des chapeaux marron (de la couleur du marron)

des jupes jonquille (de la couleur de la jonquille)

Cependant *écarlate*, *fauve*, *incarnat*, *mauve*, *pourpre* et *rose* sont considérés comme de véritables adjectifs et s'accordent normalement.

La violette a donné l'adjectif *violet* qui s'accorde en genre et en nombre.

La châtaigne a donné l'adjectif *châtain* qui s'accorde au masculin pluriel, mais plus rarement au féminin où l'usage moderne préfère *châtain(s)* à *châtaine(s)*.

B. Ils sont **invariables** :

- quand ils sont qualifiés par un autre adjectif ou complétés par un nom :

  des yeux bleu-vert, des rubans rose pâle (d'un rose pâle)

  une jupe gris de fer

  Notez le trait d'union qui unit deux couleurs mais non une couleur et un adjectif ni une couleur et un nom.

- quand plusieurs adjectifs sont réunis pour indiquer que l'objet (ou les objets) dont il s'agit (ont chacun) plusieurs couleurs :

  des cravates blanc et noir (les cravates sont bicolores),

  mais : des cravates blanches et noires (des cravates blanches et des cravates noires).

1. *Faites accorder l'adjectif s'il y a lieu* :

des reflets vert _____émeraude	de la soie cramoisi_____
des uniformes kaki_____	des chapeaux mauve_____
des étoffes rouge_____sang	des parkas bleu_____ciel
des barbes poivre_____et sel_____	des yeux noisette_____

des tons bleu____verdâtre____
des blés doré____
des bérets marron____
des juments alezan____
des chevaux bai____foncé____
des chevelures brune____et
blonde____

une jupe marron____
une blouse mastic____
des vaches pie____
des dentelles beige____
des rubans orangé____
une paire de chaussures blanc____
et noir____

2. *Traduisez* :

brown eyes
brown hair
brown shoes
a chocolate brown dress
a maroon tie
ash blond hair

a purple dress
red hair
a reddish brown hat
a navy blue jacket
scarlet ribbons
rose curtains

Le passé simple et l'imparfait

Le **passé simple,** parfois appelé **passé défini,** s'emploie dans la langue écrite (sauf, en français moderne, aux 1re et 2e personnes du pluriel) pour indiquer un procès envisagé dans ses limites temporelles à un certain moment du passé. C'est le temps de la narration.

L'imparfait, comme son nom l'indique, c'est le temps du passé inachevé. Le procès est considéré dans son déroulement, sans limitation explicite par rapport au repère envisagé. C'est le temps de la description. Il s'ensuit que :

- le **passé simple** exprime un procès accompli à un moment précis :

    Alors, il chemina.

  l'**imparfait** s'emploie pour décrire une situation, une circonstance :

    La lumière n'était plus la même.

- le **passé simple** désigne des procès successifs :

    Une rafale vint, bruissa contre la mousse, s'enfuit...

  l'**imparfait** désigne des procès simultanés :

    Le caribou se faisait plus rare et le pelage des visons commençait à s'enrichir.

- le **passé simple** désigne un procès inscrit dans ses limites temporelles :

    Parti de la hutte, il chemina. (début de l'action)

    Il chemina cinq heures. (début et fin)

    Il chemina jusqu'au soir. (fin)

  l'**imparfait** présente un aspect duratif, sans limitation temporelle :

    Il sentait la présence des deux êtres qui habitaient la hutte.

- le **passé simple** peut exprimer une répétition déterminée :

    Le poing partit comme une flèche. Une fois, une autre et une autre fois encore.

l'**imparfait** peut exprimer une répétition indéterminée ou une habitude :

À chaque gueulée de la bête, le cri de l'homme s'enflait en vrille et crevait la nuit.

Tous les matins, elle descendait sur la plage.

- le **passé simple** désigne un procès qui vient interrompre un procès en cours, qui est, lui, à l'**imparfait :**

Au moment où elle cherchait à reconnaître ces objets étranges elle vit s'en détacher trois barques...

3. *Analysez tous les passés simples et tous les imparfaits du* TEXTE *I.*

4. *Mettez les verbes donnés au passé (imparfait ou passé simple)* :

Un jour, un groupe d'indigènes ______________ (camper) sur le rivage. Les hommes ______________ (travailler) autour des huttes. Ils ______________ (réparer) les pirogues. Les femmes ______________ (coudre) les peaux qui ______________ (servir) de vêtements. On ______________ (attendre) le retour de neuf hommes partis sur la mer depuis quelques heures. Or, voici que soudain un enfant qui ______________ (jouer) sur la plage ______________ (pousser) un cri. Les indigènes accourus ______________ (voir) une pirogue qui ______________ (revenir) avec un seul occupant. Tous ______________ (se précipiter) vers lui. Il ______________ (aborder) lorsque les rangs ______________ (s'écarter) pour laisser passer le chef. Alors, l'arrivant ______________ (raconter) une incroyable histoire. « Nous ______________ (dormir), fatigués par la chaleur, ______________ (raconter)-il, quand en s'éveillant, l'un d'entre nous ______________ (voir) une apparition extraordinaire. Il ______________ (croire) à un rêve, mais ces demi-dieux à forme d'homme ______________ (être) réels. Ils ______________ (se jeter) sur nous pour nous massacrer. Alors, je ______________ (se sauver). » Inquiets, le chef et quelques braves ______________ (partir) à la découverte. Et voilà que, en effet, ils ______________ (trouver) les cadavres avec, autour, des pistes bizarres qu'ils ______________ (suivre) avec prudence, car ils ne ______________ (vouloir) pas être surpris par les étrangers.

La supposition

La condition présente la réalisation d'un fait préliminaire comme nécessaire à la réalisation d'un fait subséquent, tandis que la supposition situe le fait préliminaire sur le plan du potentiel, de l'éventuel ou de l'irréel :

S'il réussit à ses examens, il passera dans la classe supérieure. (condition)

Si vous le voyez, dites-lui de me téléphoner. (supposition)

Les suppositions peuvent souvent être considérées comme des conditions ; cela dépend du point de vue. Dans de nombreux cas, elles sont confondues.

La supposition présente un fait comme :

- possible :

Si elle est venue, je n'en ai rien su. (potentiel)

Elle viendra si vous l'invitez. (éventuel)

- contraire à la réalité :

    Si vous faisiez attention, vous feriez moins de fautes. (irréel)

Elle peut être exprimée :

- par une conjonction (*si*, *que*) ou par une locution conjonctive (*au cas où*, *en admettant que*, *à supposer que*, etc.)

    Le choix du mode et du temps dépend :

    i) du sens :

    elle **vient** si vous l'**invitez**
    (quand, toutes les fois que)

    elle **viendra** si vous l'**invitez**
    (il est très possible que vous l'invitiez)

    elle **viendrait** si vous l'**invitiez**
    (il est douteux que vous l'invitiez)

    elle **viendrait** si vous l'**aviez invitée**
    (mais vous ne l'avez pas invitée, donc elle ne viendra pas)

    elle **serait venue** si vous l'**aviez invitée**
    (mais vous ne l'avez pas invitée, donc elle n'est pas venue)

    si vous l' **avez invitée**, elle ne me l'**a** pas **dit**
    (potentiel)

    si vous l' **invitez**, dites-le-moi
    (potentiel)

    ii) de la conjonction :

    indicatif après : *si*, *selon que*, *suivant que*
    conditionnel après : *au cas où*, *dans l'hypothèse où*
    subjonctif après : *en admettant que*, *en supposant que*, *à supposer que*, *soit que*, *pour peu que*, *soit que*, *à moins que*, *que*

    REMARQUE : La conjonction *et que* entraînant le subjonctif s'emploie dans une supposition introduite par *si* et contenant deux verbes dont le premier est à l'indicatif :

    Si un animal surgit **et qu'il réussisse** à le tuer...

- par un adverbe ou par une locution adverbiale : *peut-être*, *probablement*, *sans doute*, *apparemment*, *vraisemblablement* :

    Écrasée sur le sol, elle pleurait son époux emporté vers, sans doute, quelque repas cannibale.

    REMARQUE : Lorsque *sans doute* ou *peut-être* est placé en tête de la proposition, on fait l'inversion du sujet :

    Peut-être avez-vous raison.
    Sans doute votre père saura-t-il cela.

- par un verbe de supposition : *supposer, admettre, considérer, présumer, conjecturer, imaginer, mettre*, etc. :

  Admettons que vous ayez raison...

  À supposer que ce soit vrai...

- par un impersonnel : *il faut que, il est possible que, il se peut que, il est probable que*, etc. :

  Il s'est endormi ? Il faut qu'il soit bien fatigué !

- par le verbe *devoir* :

  Le loup se retourna ; il avait dû sentir l'homme.

- par le futur conjectural ou le conditionnel conjectural :

  Il n'est pas arrivé ? Il se sera encore perdu !

  Des soucoupes volantes auraient été aperçues hier soir...

- et par une grande variété de tournures :

  Si tu continues, tu seras puni.
  Continue et tu seras puni.

  Si tu continuais, tu serais puni.
  Ne continue pas, tu serais puni !

  S'il avait fait un pas de plus, il était mort.
  Un pas de plus et il était mort.

  S'il n'était pas venu, cela m'aurait fait de la peine.
  Cela m'aurait fait de la peine qu'il ne vienne (vînt) pas.

  Si tu fumes trop, tu finiras par tomber malade.
  À trop fumer tu finiras par tomber malade.

  Si tu étais plus attentif, tu comprendrais mieux.
  En étant plus attentif tu comprendrais mieux.

  Si j'avais su qu'elle était là, je ne serais pas venu.
  Sachant qu'elle était là je ne serais pas venu.

  Si quelqu'un l'avait vu, il l'aurait cru fou.
  Quelqu'un qui l'aurait vu l'aurait cru fou.

  (Même) si je l'avais su, ça n'aurait rien changé.
  Je l'aurais su que ça n'aurait rien changé.
  L'aurais-je su (que)...
  L'eussé-je su,... (style littéraire soutenu)
  Quand (même, bien même) je l'aurais su,...

5. *Dans les phrases suivantes, indiquez la valeur de* **si**. *Donnez un équivalent de chacune de ces phrases* :

a. Si les Arawaks sont pacifiques, ils se défendent avec courage quand ils sont attaqués.

b. Si je suis absent, dites-lui de m'attendre.

c. Excusez-moi si je ne vous ai pas répondu plus tôt.
d. Si seulement vous m'aviez écouté !
e. Si le loup venait assez proche, Agaguk lâcherait le coup.
f. Et s'il le manquait ?
g. Si vous me le dites, je vous crois.
h. Si vous faites un pas de plus, je tire.
i. Si j'obtiens une promotion, je pourrai prendre des vacances.
j. Si on allait au cinéma ? — Si vous voulez.
k. S'il avait tiré plus tôt, le loup n'aurait pas bondi sur lui.

6. *Refaites les phrases suivantes selon les indications données* :

a. Même s'ils avaient voulu le devenir, ils seraient restés court. (plus-que-parfait du subjonctif)
b. Jacques Cartier n'aurait pas exploré le Canada si le roi ne l'avait pas défrayé du coût de l'expédition. (locution conjonctive)
c. S'il ne répond pas, c'est sans doute qu'il s'est endormi. (futur conjectural)
d. Même si tu me l'avais dit, je ne l'aurais pas cru. (deux conditionnels)
e. S'il s'était accroupi plus vite, il serait passé inaperçu. (gérondif)

Rapport de possession : *en*

Pour exprimer un rapport de possession avec un possesseur* inanimé ou avec un animal** on emploie de préférence l'article et le pronom *en* pourvu que les deux noms (le possesseur et ce qui est possédé) ne se trouvent pas dans la même proposition :

La toundra est magnifique ; j'**en** admire la beauté.

mais : J'aime la toundra et **son** implacable beauté.

Ce livre est intéressant ; **en** connais-tu l'auteur ?

mais : Je n'aime pas ce livre ni **son** auteur.

* Les termes *possesseur* et *possédé* sont pris au sens large. Si l'on peut concevoir que la toundra *possède* une beauté, il est évident qu'un livre ne *possède* pas d'auteur. Ces termes ont une valeur grammaticale et non sémantique.

** On emploie toujours l'adjectif possessif quand le possesseur est une personne, un animal familier, une chose personnifiée ou comparée à un être animé :

Quand Agaguk arriva à la hutte **sa** femme l'attendait.

La ville s'étend comme une pieuvre ; **ses** rues sont des tentacules envahissantes...

On emploie *en* quand le possédé est :

- sujet du verbe *être* ou d'un verbe qui pourrait se remplacer par *être* :

Je n'aime pas cette robe ; les couleurs **en** sont trop vives.
(la robe a des couleurs, ces couleurs sont trop vives)
(possédé : *les couleurs*, sujet de *sont*)

- attribut :

  Il s'est fait embaucher à l'auberge, et il **en** est vite devenu le patron.
  (l'auberge a maintenant un patron, il est devenu le patron)
  (possédé : *le patron*, attribut du sujet *il*)

- complément d'objet direct :

  Il a ouvert la lettre, et **en** a lu le contenu.
  (la lettre a un contenu, il a lu ce contenu)
  (possédé : *le contenu*, complément d'objet direct de *a lu*)

On emploie **le possessif** :

- si le possesseur et le possédé se trouvent dans la même proposition :

  J'aime la toundra et **son** implacable beauté.

- si le possédé est précédé d'une préposition :

  Je connais bien le Nord ; je ne me lasse pas **de ses** paysages.

- si le possédé est sujet d'un verbe d'action :

  La lune parut ; **sa** lueur blafarde **blanchit** la campagne.

Dans l'usage moderne, l'emploi du possessif en relation avec un nom de chose est de plus en plus fréquent. L'emploi du pronom *en* est cependant préférable dans la langue écrite.

On emploie toujours *en* si l'on veut exprimer l'idée de rapport plutôt que celle de possession, et dans tous les cas où la possession ne saurait se concevoir. Si l'on peut dire, par exemple, en parlant de fleurs : *admirez leurs couleurs*, parce que les fleurs **ont** des couleurs, on dira : *j'en ai pris une photo* (et non *leur photo*) parce que les fleurs n'**ont** pas de photo.

7. *Refaites les phrases suivantes en remplaçant les mots entre parenthèses par un possessif ou la tournure avec* ***en*** :

a. La maison était en ruine ; le toit (de la maison) s'était effondré, et les ronces avaient recouvert les tuiles (du toit).

b. J'ai bien envie d'acheter ce livre, mais le prix (du livre) est trop élevé.

c. Jacques Cartier est né dans une humble maisonnette, mais l'emplacement (de la maisonnette) est devenu célèbre.

d. Il promit au chef huron de ramener les fils (du chef huron) l'année suivante.

e. Jacques Cartier avait beaucoup entendu parler de Terre-Neuve ; il connaissait le secret (de Terre-Neuve).

f. Ses deux navires mouillèrent dans la baie de Gaspé et il marqua la prise de possession (de la baie) en érigeant une croix, suivant l'habitude d'alors.

g. Le roi se fit donner la supplique du jeune capitaine et prit connaissance du contenu (de la supplique).

h. Le jour mat allait succéder au soleil de minuit. La quasi-pénombre (du jour) était grisâtre, toujours froide.

i. Agaguk connaissait bien la toundra : il avait parcouru toutes les pistes (de la toundra).

j. Un oiseau — un engoulevent et le cri lugubre (de l'engoulevent) — passa dans le ciel.

k. Les loups n'ont plus de chef. Le chef (des loups) est mort.
l. Je connais cette chanson, mais je ne sais pas tous les couplets (de la chanson).
m. Quand on coupe les arbres, il reste les souches (des arbres).
n. C'est une jolie légende. Qu'est-ce qui est à l'origine (de cette légende) ?

Mode avec *de sorte que*

La locution conjonctive *de (telle) sorte que* se construit :

- avec **l'indicatif** pour marquer la conséquence constatée (résultat) :

  Il s'accroupit de sorte que le loup ne le **vit** pas.

- avec **le subjonctif** pour marquer la conséquence souhaitée (but) :

  Il s'accroupit de sorte que le loup ne le **vît** (**voie**) pas.

Il en est de même pour les locutions *de (telle) manière que, de (telle) façon que, au (à tel) point que*, qui peuvent marquer un fait acquis aussi bien que le but à atteindre. Les locutions *de manière à ce que* et *de façon à ce que*, fréquentes en français parlé, introduisent toujours une conséquence souhaitée et sont donc suivies du subjonctif.

8. *Traduisez les phrases suivantes en employant les locutions conjonctives ci-dessus* :

a. She had never seen anything there but the sky and the sea so that she remained rooted to the spot.
b. Agaguk wanted to kill the wolf so that the child would be safe.
c. The summer was coming to an end, thus the time of want was dawning on the horizon.
d. "Lie down," she told her husband, "so that I can dress your wounds."
e. He was so overcome by weariness and pain that he fell on the ground like a log.

Article ou adjectif possessif avec parties du corps, facultés de l'esprit, vêtements

A. Pour les parties du corps ou les facultés de l'esprit, on emploie **l'article** :

- avec les noms employés seuls, lorsqu'il ne peut pas y avoir d'équivoque :

  J'ai mal à **la** tête.

  Il perd **la** mémoire.

  Elle leur a lavé **les** mains.

- lorsqu'il s'agit d'une attitude :

  Il marche **la** tête baissée.

On emploie le **possessif** :

- pour éviter l'équivoque :

  Il regarda **sa** jambe ; de grands lambeaux de chair pendaient...

- si le nom est accompagné d'une détermination (sauf *droit* ou *gauche*) :

  On lui a coupé **ses** beaux cheveux.

  On lui a coupé **ses** cheveux de bébé.

  mais : On lui a coupé **la** main gauche.

- avec un sens particulier (mais jamais si la partie du corps nommée est unique) :

  Ne remue pas **tes** pieds comme ça ! (tu fais un bruit agaçant)

  Elle a mal à **son** poignet (celui qui lui fait souvent mal)

B. Pour les **vêtements**, on emploie normalement le possessif :

Enlevez **votre** imperméable.

On emploie l'article s'il s'agit de l'aspect ou de l'attitude, et dans certaines constructions où il ne peut y avoir d'équivoque :

Il travaille **les** manches retroussées.

Il a **la** cravate de travers.

C. Dans la construction *avoir + article + nom qualifié*, on emploie :

- l'article défini ou indéfini avec les parties du corps (toujours indéfini si le nom est précédé d'un adjectif) :

  Elle a **les** (**des**) cheveux noirs.

  Elle a **de** longs cheveux.

- l'article indéfini avec les vêtements :

  Elle a **un** imperméable jaune.

L'emploi de l'article défini ou indéfini permet également de différencier entre :

J'ai **les** cheveux blancs. (tous mes cheveux sont blancs)

et : J'ai **des** cheveux blancs. (j'ai quelques cheveux blancs)

9. *Complétez les phrases suivantes au moyen d'un article ou d'un possessif* :

a. Il était remarquable par ____ longue taille et ____ gros yeux.

b. C'était un homme dont ____ joues creuses, ____ chevelure rare et ____ triste physionomie trahissaient le mauvais état de santé.

c. ____ boucles de ____ cheveux noirs s'échappaient de sa casquette.

d. Il avait ____ cheveux tout blancs et ____ barbe poivre et sel.

e. Il partit, ____ mains dans ____ poches, ____ cigarette à ____ bouche...

f. J'ai déchiré ____ chemise.

g. Il portait ____ imperméable de plastique rouge.

h. Vous souffrez toujours de ____ hanche ?

i. Il avait ____ cheveux coupés droit sur le front.

j. Tu as encore mal à ____ gorge ?

k. Elle portait sur ____ cheveux châtains une coiffe de dentelle...

l. Elle remarqua que plusieurs femmes n'avaient pas ôté ____ gants.

10. *Traduisez les phrases suivantes* :

a. When the French meet, they shake hands. Sometimes they kiss on the cheek.

b. He was a man of medium height.

c. His complexion was grey and his nose aquiline.
d. Her face was long and pale with a small turned-up nose.
e. Who is the girl with the long straight hair and the hazel eyes?
f. He still had his coat on, but he had removed his hat.

Stylistique comparée

Singulier ou pluriel avec objets possédés

Quand chacun de plusieurs individus possède un objet de la même espèce, l'anglais emploie généralement le pluriel ; le français suit l'usage ci-dessous :

- s'il s'agit de **noms concrets**, on peut employer aussi bien le pluriel que le singulier :

  Put on your coats : Mettez **vos** manteaux (**votre** manteau).

- s'il s'agit de **noms abstraits**, on emploie toujours le singulier :

  He saved their lives : Il leur sauva **la** vie.

- s'il s'agit d'une **partie du corps**, on emploie le singulier ou le pluriel selon le sens :

They raised their hands.	Ils ont levé **la** main. (chacun a levé une main) Ils ont levé **les** mains. (chacun a levé les deux mains)
Their noses are red.	Ils ont **le** nez rouge. (chacun n'a qu'un nez)

1. *Traduisez* :

a. Those of you who will not be here tomorrow, raise your hands.
b. They go out every day in spite of the cold, their hands in their pockets, their heads wrapped in heavy woollen mufflers.
c. We all shook our heads to show that we did not want to do as we were told.
d. You will open your books and read what I tell you!
e. The children lined up two by two and entered the classroom hand in hand.
f. The school will be built in time for the arrival of the new teacher.
g. He entered the room and washed his hands before sitting at the table.
h. They dropped their assagais and their truncheons.

L'étoffement

L'étoffement est le procédé par lequel un mot qui se suffit à lui-même dans la langue de départ doit, dans la langue d'arrivée, être renforcé, « étoffé », par d'autres mots. C'est souvent le cas pour la préposition qui, en anglais, peut exprimer à elle seule une certaine idée, alors que le français exige, pour exprimer la même idée, l'emploi d'un ou de plusieurs autres mots qui étoffent, amplifient la préposition, ou la remplacent. Par exemple, dans la phrase *he went for the doctor*, la préposition *for* suffit à exprimer l'idée de *to get*, tandis qu'en français, on aura obligatoirement :

il est allé chercher le médecin.

On peut étoffer la préposition (ou la postposition) :

- par un infinitif :

  They went to America ***in hope of*** *gold and precious stones.*
  Ils allaient en Amérique **dans l'espoir de trouver** de l'or et des pierres précieuses.

- par un gérondif :

  She flew to his side ***with*** *a cry of joy.*
  Elle se précipita vers lui **en poussant** un cri de joie.

- par un participe présent :

  There was a board ***with*** *the following inscription...*
  Il y avait un panneau **portant** l'inscription suivante...

- par une locution prépositive (contenant souvent un nom) :

  Give him this letter ***from*** *me.*
  Donnez-lui cette lettre **de ma part**.

- par un adjectif :

  an army ***of*** *thirty thousand men*
  une armée **forte de** trente mille hommes

- par un participe passé :

  visitors ***from*** *Europe*
  des visiteurs **venus** d'Europe

- par une proposition relative :

  the possibilities ***of*** *this trade*
  les possibilités **qu'offrait** ce commerce

REMARQUE : L'étoffement de la préposition ne se fait pas lorsqu'elle introduit un complément déterminatif :

la route de la Nouvelle-Orléans
un sirop pour (contre) la toux
un livre sur les Indiens

Par contre l'étoffement est nécessaire quand le segment de phrase introduit par la préposition est en position d'adjectif :

a man with a letter
un homme portant une lettre

2. *Traduisez en étoffant la préposition suivant les indications données* :

a. He is on the committee. (locution prépositive)

b. The minister intervened for him. (locution prépositive)

c. Say hello to her for me. (locution prépositive)
d. The man under the tree was Louis, her fiancé. (participe passé)
e. Without the pain in his leg, he could have walked much longer. (proposition relative)
f. We were all surprised at his return. (infinitif)
g. A man came in with a heavy suitcase. (participe présent)
h. For more information, write to... (infinitif)
i. This is a passage from a history book. (participe passé)
j. They chatted over breakfast. (gérondif)

3. *Étoffez la préposition si vous le jugez nécessaire* :

a. Les « sauvages » autour de lui étaient des Micmacs dont c'était le pays.
b. Il est venu pour l'argent que vous lui devez.
c. Un courrier arriva avec une dépêche du roi.
d. Il y avait beaucoup de monde devant nous.
e. La distance entre eux n'avait pas affaibli son amour pour lui.
f. Ils furent embarqués sur les navires dans le port.
g. Il a écrit un livre sur l'histoire des Acadiens.
h. La croix sur le rivage témoignait de la prise de possession du territoire au nom du roi de France.
i. Qui est la dame à côté de vous?
j. Il partit avec une soixantaine d'hommes.
k. Passez-moi le livre sur la table.
l. Il a acheté une maison sur une falaise au bord de la mer.
m. Il ramassa soigneusement les miettes à côté de son assiette.
n. Elle sortit pour du pain et des œufs.
o. Sa joie de vivre faisait plaisir à voir.

L'étoffement se fait également avec les adverbes (ou locutions) de temps et de lieu employés en anglais avec fonction d'adjectif :

... after the death, last week, of...
... the December 22nd, 1988, disaster.

L'étoffement peut se faire au moyen d'un participe passé ou d'une proposition relative :

... après la mort de... , survenue la semaine dernière.
... la catastrophe qui s'est produite le 22 décembre 1988.

mais : *Last week, 325 people lost their lives...*
La semaine dernière, 325 personnes ont trouvé la mort...
(la locution modifie le verbe : pas d'étoffement)

4. *Traduisez en étoffant si besoin est* :

a. Smith has been charged with attempted murder in the February 1st, 1988, stabbing of a family friend.

b. On May 6, 1536, Cartier set sail towards France.

c. H.P. faces the charge in connection with a December 31 incident at a house on Church Street.

d. In a story in Le Monde Tuesday, X said...

e. Special safety measures were taken in 1903, following a catastrophic fire caused by an electrical short-circuit.

f. Special safety measures were taken following a catastrophic fire in 1903, caused by an electrical short-circuit.

g. Demonstrators sat blocking the street in front of the clinic for four hours Saturday.

Texte à traduire

Consider the Past

Consider the past. At one time we were independent, self-reliant nations. We lived in peace and harmony amongst ourselves and with our environment. Our *early* contacts with the first visitors *from* Europe were peaceful — we met as equals, with mutual respect. Our hospitality was applauded and praised by the early Europeans. It is a well-known fact that *through* our hospitality *it was made possible for the early Europeans to survive* their first winters.

The mutual respect which featured early contact lasted *only* so long as we *were* useful to the European colonizers. *In time it became necessary for the Europeans to create* myths of pagan, barbaric savages — inferior peoples — so as to justify European greed and lust and the myth of manifest destiny. We suffer from that image *to* this day.

Few non-Indians are prepared to admit that Indians *made* supreme sacrifices and contributions to the progress of mankind, or to the sharing with you and your ancestors of our knowledge, our land and our resources. How many people are aware of the extreme poverty that existed in Europe prior to the time of Columbus? *It is estimated* that the average European was five feet tall and one *in* ten was deformed because of insufficient *diet.*

At that time the Indian people were cultivating 600 different types of corn, all the different beans known today (except horse and soybeans which came from China), potatoes, peanuts and many other foods taken for granted by the Europeans today. We *introduced* them to squash, celery, buckwheat, maple sugar, pepper, chocolate, tapioca... The list goes on and on.

Where would Europe be today, where would mankind be today without the contribution of the Indian people?...

Gradually, our economic base was destroyed. Our lands were taken away from us and our way of life was destroyed, deliberately and systematically. We became ravaged by diseases and at the time of greatest weakness, some of our people made treaties with the government. Nearly all of us in the south have experienced almost total collapse of economics. We have experienced the near destruction of our nations.

But throughout all this we have survived. In spite of the extreme exploitation we have suffered, our nations have survived. We as a distinct people have survived.

George Manuel. "An appeal from the 4th world,
The Dene Nation and Aboriginal Rights",
in *The Canadian Forum*, November 1976, p. 10

NOTES

early : attention : *early* est un adjectif, pas un adverbe (autres exemples plus loin)
from : étoffer
through : mettre en relief en employant *c'est... que...*
it was made possible... : proposition infinitive, ne peut pas se traduire de la même façon. Voir p. 33
only : voir p. 22 (*seul/seulement/ne que*)
were : attention au temps. *So long as* marque la fin de la durée. Ce n'est donc pas l'imparfait qu'il convient d'employer.
in time : *avec le temps*
it became necessary for the Europeans... : proposition infinitive. Pour rendre l'idée de nécessité, voir p. 95
to : ne se traduit pas par *jusqu'à*, qui marque une limite temporelle, la fin du procès
made : le verbe *faire* peut avoir *sacrifices* comme complément, mais non *contributions*
it is estimated : traduire par une forme active
in : attention : les prépositions ne sont pas toujours les mêmes dans les deux langues
diet : il ne s'agit ici ni de la *diète* (suppression partielle ou totale de nourriture pour raisons médicales), ni du *régime* (prescriptions concernant l'alimentation : *régime sans sel*, *régime pour maigrir*, etc.) (voir p. 123)
introduced : traduire par *faire connaître*

Composition : le portrait

Les caractéristiques collectives

La race et le milieu de vie (géographique et humain) déterminent les traits fondamentaux des individus. Pour l'ethnologue, seuls les traits communs au groupe sont dignes d'être notés alors que pour le romancier, les traits individuels sont également intéressants.

Préparation (orale)

Relevez les descriptions des Indiens et des Européens dans le TEXTE *I* :

a. description physique : traits physiques ; comparaisons et métaphores ; vêtements ;

b. traits de caractère : détails qui montrent la disposition

Rédaction (écrite, 500 mots environ)

Choisissez un pays que vous connaissez bien ou une région de votre pays dont les habitants forment un groupe ethnique distinct. Faites une description des caractéristiques physiques et morales des habitants, en vous limitant aux caractéristiques collectives. Donnez les indications géographiques et climatiques qui vous paraissent pertinentes et significatives.

CHAPITRE TROIS

Les Acadiens

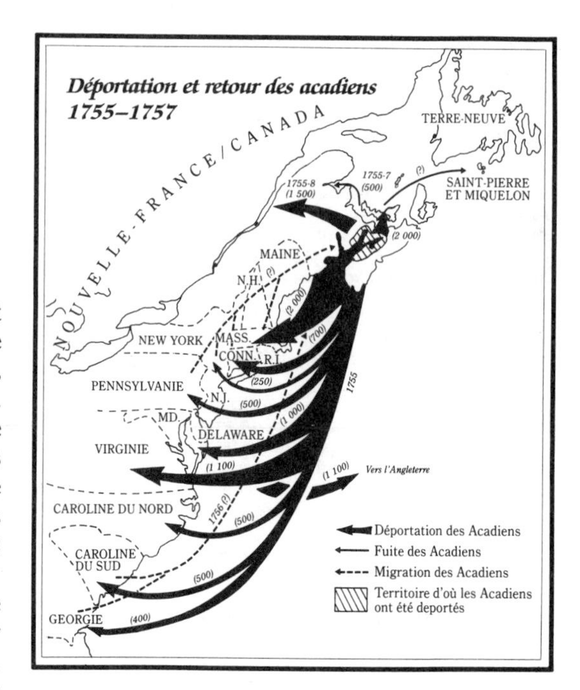

TEXTE I

L'Acadie historique

Soyez tranquille, touriste, et défroncez les sourcils. Je ne vous ferai pas un cours d'histoire, les peuples heureux n'en ont pas. Je n'essaye pas de vous vendre le pays plus cher qu'il ne vaut, mais je peux quand même vous dire que sans nos malheurs, nous aurions été heureux. Vous m'en parlerez après l'avoir vu.

Je l'appelle le pays : c'est une vieille expression populaire pour dire la région, le coin, le **boute**. En réalité, l'Acadie[1] n'a jamais été un pays juridiquement reconnu et délimité. Elle fut d'abord dunes de sable et forêts vierges pour outardes et goélands ; puis colonie des rois de France ; puis terrain de chasse des armées anglaises ; puis provinces qui entrent **à pieds joints** dans la Confédération[2] ; puis de nouveau forêts et dunes pour outardes et goélands.

Pendant toutes ces années, pourtant, c'est-à-dire trois siècles, un dénominateur commun : les Acadiens. Oui, ça, il faut le reconnaître : seul à être fidèle à l'Acadie à travers toutes les péripéties de son histoire, son peuple d'Acadiens. Sauf pour les quelque dix ou vingt ans d'exil forcé en Virginie et en Louisiane ; mais on ne peut pas lui **en vouloir**, il est revenu aussi tôt et aussi vite que possible. Et puis, comme on lui avait pris ses barques et ses rames, il a dû faire le voyage de retour à pied. **Je vous mets au défi** de faire à pied et **à jeun** la route par les bois de Lafayette à Memramcook[3], en moins de dix ans. Quand je songe que Dieu le Père en personne en a accordé quarante aux Juifs pour **faire Égypte-Israël** ! Mais **passons, n'est pas juif qui veut**. Et puis ceci nous mènerait trop loin. Parlons plutôt de nous.

---

boute : prononciation locale de *bout*, régionalisme pour *coin, région*
à pieds joints : *d'un seul bond, d'un saut*
en vouloir à quelqu'un : *avoir de la rancune, du ressentiment contre lui*
je vous mets au défi : *je parie que vous n'êtes pas capable...*
à jeun : *sans manger*. L'auteur veut dire ici : *au prix de nombreuses souffrances et privations* (remarquez l'absence d'accent circonflexe, alors qu'il y en a un au verbe *jeûner* et au nom *jeûne*)
faire Égypte-Israël : *parcourir la distance qui sépare l'Égypte d'Israël*. Expression appartenant au domaine du tourisme. On dit aussi *faire l'Espagne, l'Italie, les musées* etc. pour *visiter*
passons : *n'insistons pas*
n'est pas juif qui veut : *tout le monde n'a pas la chance d'être juif* (et de pouvoir ainsi bénéficier de quarante ans pour faire le trajet)

Vous avez appris à l'école qu'en 1713 fut signé le Traité d'Utrecht[4] ; et moi j'ai appris que cette année-là, j'étais devenue sujette de Sa Majesté le Roi d'Angleterre. **Ça fait quelque chose** de se réveiller un matin toute changée comme ça. Cinquante ans avant la Nouvelle-France, l'Acadie devenait colonie anglaise. C'est pourquoi l'Acadien est plus prompt aujourd'hui à dire : « Yes, Sir ! »... Il a cinquante ans d'expérience britannique de plus que son cousin québécois. Et l'expérience, **ça vous forge un homme**.

Ah ! **pour ça**, on peut dire que l'Acadien est le citoyen le plus forgé de ce côté-ci de l'océan... *je ne parle pas des Noirs ni des Indiens qui ne sont pas citoyens du tout. Le peuple acadien à lui tout seul* a acquis plus d'expérience en ses trois siècles d'existence que le reste du Canada n'aurait jamais su en imaginer. Par exemple, **rien qu'**en septembre 1755[5], **ce qu'il a dû apprendre**, le pauvre sujet du roi d'Angleterre, pour rester fidèle à Sa Majesté !

... Mais **ne vous énervez pas** : je ne vous raconterai pas l'histoire de la Déportation. Il existe bien trop de gros livres sur la question, tous plus savants les uns que les autres. On a tout dit, épuisé le sujet, épuisé raide mort. **Laissons-le souffler** un peu. Qu'on ait déporté l'Acadien en Virginie ou en Nouvelle-Angleterre, avec ou sans ses biens, séparé ou non de sa famille, dans des goélettes ou dans des barques à bétail, qu'importe puisque de toute façon, tous les vivants de 1755 sont morts aujourd'hui, **qu'on nous a dit**...

... On nous a dit aussi qu'à tout calculer, l'Acadien avait été chanceux. *Figurez-vous qu'on aurait pu le brûler* avec l'église à Grand-Pré[6] ; ou le noyer en route pour le sud ; ou le déporter en Chine ou en Nouvelle-Calédonie[7]. Et là, il ne s'en serait peut-être pas tiré si facilement. Parce que quand même, il est revenu. Soyons justes. Il est revenu à pied, dans les bois, en avançant la nuit, souvent d'une branche à l'autre. ... Oui, oui, c'est de l'histoire, ça aussi. De la **petite histoire**.

L'Acadie panoramique

L'Acadie a ses quatre coins cardinaux, comme tous les autres pays du monde. Mais pas autant de portes que de points cardinaux. C'est là que ça se complique. **Si vous roulez, j'entends.** Naturellement, vous pouvez toujours venir en avion, et alors il y a autant de portes pour pénétrer en Acadie que de trous dans les nuages. Mais qui veut **voler en Acadie** ?

Il faut rouler : et alors vous avez le choix entre le nord et l'ouest. Notre nord et notre ouest qui sont en réalité *votre sud et votre est, à vous*. Si vous ne comprenez pas ça, retournez à l'école. Quand je dis que vous avez le choix, en fait vous ne l'avez plus. Le choix a été fait pour vous à la naissance : car selon que vous êtes

---

ça fait quelque chose : *ça trouble, ça émeut*
ça vous forge un homme : *ça forme le caractère* ; *vous* ajoute une nuance de familiarité
pour ça : *oui, vraiment* (sert à renforcer ce qu'on va dire ou à reprendre ce qu'on vient de dire)
rien que : (fam.) *seulement*
ce qu'il a dû apprendre... ! : exclamation familière pour marquer la quantité, l'intensité
ne vous énervez pas : au contraire de l'anglais, *s'énerver* a perdu son sens étymologique, et aujourd'hui ne signifie que *s'irriter, s'agiter*
laissons-le souffler : *laissons-le se reposer, reprendre haleine*. Ici, *n'en parlons plus*
qu'on nous a dit : (fam.) *nous a-t-on dit*. Ici, exprime le scepticisme
petite histoire : *histoire anecdotique*
si vous roulez : *si vous venez en voiture*. Normalement *rouler* n'exprime pas le déplacement (sur les verbes de mouvement et de déplacement, voir p. 88)
entendre : *vouloir dire*
voler en Acadie : *voler* n'indique pas le déplacement. C'est *venir en avion, prendre l'avion* qui convient. Tournure régionale à ne pas imiter

Américain ou Québécois, vous viendrez de l'ouest ou du nord. Ça aussi, vous avez dû l'apprendre à l'école. Et si vous êtes Européen ? Alors, mon Dieu, le problème ne se pose pas : ou vous ne viendrez pas en Acadie du tout, ou vous viendrez via Montréal, c'est-à-dire du nord comme tous les Québécois. Quant au reste du Canada,
5 pour venir à l'est, vous devez passer par le Québec ou les États-Unis...

Et si moi je décide d'aborder par l'est ou le sud, me direz-vous, qu'est-ce qui m'en empêche ? Les baleines, monsieur, et les **loups-marins**. À l'est et au sud, c'est la mer. La mer est la seule porte d'entrée de l'Île du Prince-Édouard, des Îles de la Madeleine[8], de presque toute la Nouvelle-Écosse, et de la moitié du Nouveau-
10 Brunswick. Ça fait de l'eau, ça, et si vous avez décidé de venir par bateau, ah là, **bienvenue, messieurs-dames**, toutes les portes vous sont ouvertes...

Trois-quarts des Acadiens sont nés les pieds dans l'eau. **Faut** aller les **dénicher** là. Ce fut toujours la grande erreur des touristes de chercher les Acadiens dans les villes ou le long de la grand'route. Fouillez plutôt les banlieues ou prenez les
15 sentiers qui mènent à la côte. Si vous venez vous-même de la mer, alors pas de problème, vous les trouverez en arrivant.

Et vous découvrirez là les vraies splendeurs panoramiques d'Acadie : les baies, les rivières, les **barachois**, les pointes, les dunes, les ports, les îles, les ponts, les phares, et les colliers de coquillages qui donnent au pays son air de fête...

Antonine Maillet. *L'Acadie pour quasiment rien*,
Montréal, Léméac, 1973, p. 13-14, 29-30, 36-38

Un Acadien...

20 — C'est la même chose qu'un Québécois ?
— Non, **c'est pas** la même chose.
— C'est un Canadien, alors ?
— Non plus, pas tout à fait.
— Un Québécois est-il un Canadien ?
25 — De moins en moins.
— Un Français ?
— C'est difficile à dire.
— Alors un Acadien n'est ni français, ni canadien, ni québécois ; il est quoi, au juste ?
30 — Un Acadien.

Antonine Maillet. *Par derrière chez mon père*,
Montréal, Léméac, 1972, p. 138-139

loup-marin : au Québec, nom populaire du *phoque*
bienvenue : formule d'accueil dans certaines régions. Se dit aussi pour répondre à un remerciement
messieurs-dames : (fam.) *messieurs et mesdames*
faut : en langue parlée relâchée, on laisse parfois tomber le *il*
dénicher : (formé sur *nid*) *trouver après beaucoup de recherches, avec difficulté*
barachois : (can.) *petit port naturel séparé de la mer par un banc de sable*
c'est pas : (fam.) *ce n'est pas*. En langue parlée relâchée, on laisse souvent tomber le *ne* de la négation

L'Acadie humaine

Et puis, messieurs de l'étranger, quand vous aurez déniché en Acadie toutes les familles, **de vieilles** ou de nouvelles **souches**, quand vous aurez fini de **défricheter** la parenté, vous n'en serez qu'à la porte, qu'à l'embouchure de l'Acadie humaine. Car au cœur de cette famille, il vous faudra encore atteindre l'homme et la femme du pays.

Je vous ai dit que l'Acadien était un être étrange. Ça c'est parce qu'il vous est étranger. Ce qui est différent est toujours étrange. *Et comment ne serait-il point différent*, lui qui a vécu au loin, isolé et oublié pendant deux siècles ? Tout le monde vit au loin, je sais : les Français sont loin des Turcs, les Chinois loin des Esquimaux, et nous loin de vous. Mais dès qu'on nous **fait signe**, qu'on nous envoie sa carte postale, les distances s'évanouissent. Or pendant deux siècles, l'Acadie n'avait reçu de carte postale de personne.

Et si par hasard on apercevait de loin, là-bas, pointant le nez entre deux buttes de sable, on s'interrogeait en **se donnant du coude** : « Qu'est-ce ? » Alors gênés, nous replongions dans nos dunes. Et ça nous prenait une décennie pour en ressortir.

Mais de décennie en décennie, nous sommes quand même parvenus à sortir **quasiment** tout le corps du sable. Et **un bon jour**... Oui, un bon jour l'Acadie a eu aussi son printemps '68[9]. Ah ! mais là, par exemple, les coquilles ont revolé ! **Plusieurs** en ont été effrayés : **Qu'est-ce qui leur prend ?** Pas grand-chose, restez tranquilles. **Ça se replacera**. Ça s'est replacé, très vite.

Mais ça n'est plus tout à fait comme avant. Ce qu'il y a de changé, surtout, c'est que depuis, l'Acadien ne se sent plus aussi complètement irrémédiablement abandonné. On s'est souvenu de lui. Et, entre nous, il **a beau crâner**, **faire l'**indépendant, au fond, c'est un sensible. Il aime causer, donner des poignées de main, voir du monde. Et puis, il n'est **pas si sauvage que ça** : il sait bien qu'il appartient à une grande famille et qu'il a des cousins québécois, franco-américains, louisianais, français de France. C'est vrai qu'il est **le parent pauvre** de la famille, on le lui a dit, mais il **en** est tout de même.

La preuve qu'il est de la race, c'est qu'il a gardé de ses lointaines origines certains traits de caractère qui ne peuvent pas mentir. Regardez-le rire, par exemple... si vous avez cette chance, parce qu'il rira rarement devant vous. Ou pas tout de suite. Ça c'est quelque chose que l'on fait en famille chez nous, pour ne pas laisser croire aux étrangers qu'on rit d'eux.

Les Acadiens rient entre eux en se tapant sur les cuisses. **Ils ont du** Pantagruel[10] **un petit brin**. Ils adorent la bonne blague, le bon tour, la bonne vie. Faut pas

---

de vieille souche : *qui est d'une famille ancienne*
défricheter la parenté : en parler acadien, *rechercher l'origine et la filiation des familles*
faire signe (à) : *prendre contact (avec)* (par lettre, téléphone, etc.)
se donner du coude : *se pousser du coude* (pour attirer l'attention, ou en signe de complicité)
quasiment : (fam.) *presque, à peu près*
un bon jour : le plus souvent *un beau jour* : *un certain jour, non précisé*
plusieurs : *certains*
qu'est-ce qui leur prend ? : (fam.) *pourquoi agissent-ils ainsi ?* Exprime la surprise et la réprobation
ça se replacera : *ça s'arrangera*
avoir beau : (+ infinitif) : *s'efforcer en vain de*
crâner : *faire le brave*
faire le (la) + adjectif : *simuler, chercher à paraître*
pas si sauvage que ça : *pas tellement sauvage*
le parent pauvre : *le membre de la famille qui a moins d'argent, moins d'avantages que les autres*
en : pronom, remplace *de la famille*
ils ont du : *ils ont certains traits de*
un petit brin : (fam.) *un petit peu*

vous en formaliser si vous en faites les frais. Au contraire, ce jour-là on vous aura donné le plus grand témoignage d'amitié. **C'est moi qui vous le dis** : le sommet de l'hospitalité en Acadie, c'est d'admettre quelqu'un à ses **veillées**, à ses fêtes, de lui raconter des histoires et de lui jouer des tours. Et quand on poussera l'hospitalité
5 jusqu'à se moquer de vous devant vous... **vous serez** initié et presque **de la famille**.

Tout cela, c'est une introduction. L'humour acadien est une porte qui s'ouvre sur son cœur. Reste à aller voir ce qu'il y a au fond. On a dit tellement de choses sur le caractère de l'Acadien : méfiance, jalousie, timidité. Tout cela est vrai, on l'a dit dans les livres d'anthropologie. Puis en ethnographie, on a dit qu'il était
10 ouvert, accueillant, naturel. Les sociologues parlent de son côté fruste, primitif ; et les psychologues, de sa candeur, et sa délicatesse. L'histoire en fait un aliéné, et la légende un phénomène. Et l'Acadien, lui, que pense-t-il de lui-même ?

... Il pense à autre chose, en général. **Tenez**, il pense à vous, par exemple, pendant que vous pensez à lui. Ça lui est arrivé même, mais n'en dites rien, de s'interroger
15 sur les psychologues-sociologues-ethnologues-anthropologues qui s'interrogent sur lui.

Mais en général, il scrute moins le fond des cœurs ou des entrailles que le vaste horizon. Les savants diraient qu'il a moins l'esprit analytique que synthétique. Ça lui vient sans doute de son métier. Il a regardé la mer si longtemps.

pêcheur,

Antonine Maillet. *L'Acadie pour quasiment rien*,
Montréal, Léméac, 1973, p. 74–76

NOTES

1. **L'Acadie** : ancienne colonie française, représentant la première tentative française de colonisation du Nouveau Monde au XVIIe siècle. L'Acadie comprenait le territoire actuel de la Nouvelle-Écosse et une partie du Nouveau-Brunswick. Comme le souligne Antonine Maillet, l'Acadie « c'est un pays qui n'a pas de lieu, mais qui a du temps. Nous n'avons pas de géographie. Être acadien c'est être descendant de quelqu'un, ce n'est pas occuper un territoire »
2. **la Confédération** : la Nouvelle-Écosse et le Nouveau-Brunswick furent unies à l'Ontario et au Québec pour former, en 1867, la Confédération canadienne. Le Manitoba (1870), la Colombie Britannique (1871), l'Île du Prince-Édouard (1873), l'Alberta et la Saskatchewan (1905), puis Terre-Neuve (1949) se joignirent au groupe initial
3. **LaFayette** : ville de Louisiane, **Memramcook** ville du Nouveau-Brunswick. Partis de Louisiane, de nombreux Acadiens sont revenus par la suite au Nouveau-Brunswick. Le roman d'Antonine Maillet *Pélagie-la-Charrette* (Prix Goncourt 1979) raconte cette odyssée
4. **le Traité d'Utrecht** : mit fin en 1713 à la guerre de Succession d'Espagne entre la France, l'Angleterre, l'Espagne et la Hollande. Par ce traité, la France cédait à l'Angleterre l'Acadie, Terre-Neuve et la baie d'Hudson
5. **septembre 1775** : début de la Déportation connue aussi sous le nom de Grand Dérangement. De 1755 à 1762, des milliers d'Acadiens furent dispersés dans les colonies britanniques d'Amérique, du Massachusetts à la Géorgie, pour éviter leur retour en Nouvelle-Écosse et leur ralliement possible aux forces françaises à nouveau en guerre contre l'Angleterre. Certains réussirent à rejoindre la Louisiane oû ils savaient qu'ils seraient bien accueillis, d'autres rejoignirent les Antilles, d'autres encore purent se rendre en France. Cette épopée dramatique a été chantée par Longfellow dans son célèbre poème *Évangéline* (1817)
6. **Grand-Pré** : village acadien, théâtre principal de la Déportation, où, le 4 septembre 1755, furent arrêtées 1 023 personnes. Les hommes et les jeunes gens furent d'abord emprisonnés dans l'église, puis les familles entières embarquées et déportées. C'est de ce village qu'était l'Évangéline de Longfellow
7. **Nouvelle-Calédonie** : île française du Pacifique Sud, à 1 000 km. environ à l'est de l'Australie
8. **îles de la Madeleine** : archipel du golfe du Saint-Laurent, formé de 16 îles. Elles font partie de la province de Québec et sont en très grande majorité habitées par des descendants d'Acadiens
9. **son printemps '68** : allusion à la révolution estudiantine et ouvrière de mai 1968, en France. La contestation acadienne s'est faite autour de la question de la langue française
10. **Pantagruel** : héros de Rabelais (XVIe siècle). Pantagruel est un géant qui aime la bonne vie et la gaieté

---

se formaliser : *se vexer, se sentir offensé*
c'est moi qui vous le dis : (fam.) *je peux vous l'affirmer*. Sert à insister sur la véracité de l'affirmation
veillée : *réunion familiale ou amicale*. On passe la soirée ensemble à se raconter des histoires, à causer, à chanter, à jouer, etc.
vous serez... de la famille : *vous ferez partie de la famille*
tenez : les impératifs *tiens, tenez* sont employés comme interjections pour attirer l'attention (*tiens* exprime aussi la surprise)

ÉTUDE ET EXPLOITATION DU TEXTE

1. Dès la première ligne, Antonine Maillet établit le ton de son texte en interpellant celui à qui il est destiné. Quel sera donc le ton général du livre ? Trouvez d'autres passages où l'auteure s'adresse directement au lecteur. Citez les passages où l'auteure fait parler son interlocuteur imaginaire, et dites l'effet que produit ce procédé.
2. Qui dit conversation dit langue familière. Relevez des tournures de phrases qui appartiennent à ce niveau de langue.
3. Le titre complet du livre est : *L'Acadie pour quasiment rien, guide historique, touristique et humoristique d'Acadie*. Que comprenez-vous par *guide humoristique* ? En vous basant sur le texte, dites en quoi consiste l'humour.
4. Comment explique-t-on que l'Acadien soit demeuré si différent de ses compatriotes canadiens ?
5. Expliquez ce qu'a d'ironique le dernier paragraphe de la première partie (p. 73).
6. Le parler acadien est émaillé de mots, d'expressions et d'images ayant trait à la mer. Relevez-en quelques-uns. Expliquez la métaphore développée au troisième paragraphe de *L'Acadie humaine* (« Et si par hasard... »).
7. L'auteure reproduit le parler populaire de ses compatriotes. Relevez-en plusieurs exemples.
8. À plusieurs reprises l'auteure fait allusion aux savants ouvrages écrits sur l'Acadie et les Acadiens. Commentez ses remarques.
9. Relevez les détails descriptifs du paysage.
10. Notez les allusions historiques et à partir de ces allusions, essayez de reconstituer le déroulement de l'histoire des Acadiens.
11. Quel trait de caractère l'Acadien a-t-il gardé de ses origines ?
12. Montrez comment l'histoire des Acadiens a contribué à la formation de leur caractère.
13. Antonine Maillet porte une immense tendresse à son pays et à ses compatriotes. Comment le fait-elle sentir dans ce texte ?

TEXTE II
Au Cap Blomidon

Jean (Bérubé) Pellerin, descendant d'une famille acadienne de la région de « la Grand'Prée », rêve du retour des Acadiens dans leur pays natal. Il s'est fait engager comme intendant chez le vieux M. Finlay, dont l'ancêtre Robert s'est emparé de la terre des Pellerin après la Déportation. Il a l'intention de lui acheter la propriété, mais le fils Finlay, ivrogne et instable, vient déranger ses projets. Ce dernier se sent accablé d'une malédiction qui frappe tous les descendants de l'ancêtre Robert. **Pour en avoir le cœur net**, il lit la Confession de l'ancêtre, que son père s'est toujours refusé à lire. 5

pour en avoir le cœur net : *pour savoir à quoi s'en tenir, pour s'assurer de la vérité de ce qu'il soupçonne*

Mon père, dites-moi, *quand notre ancêtre* du Connecticut[1] ***s'en est venu ici,*** y avait-il quelqu'un sur cette terre ?

— **Où veux-tu en venir ?** demande M. Finlay, visiblement sur ses gardes.

— Répondez-moi, insiste le fils qui parle déjà durement. J'ai besoin de savoir.

5 M. Finlay, nous l'avons dit, sait, ou **peu s'en faut**, la part de trouble que cache le passé des siens. Plus que le manque de curiosité, la peur de trop apprendre l'a empêché de fouiller leur histoire. **À quoi bon** lever le voile sur le mystère familial ? Mais les yeux du fils sont là, ardents et impérieux. Le père se recueille, cherchant ses souvenirs et ses mots :

10 — Y avait-il quelqu'un ici ? ... Mon Dieu ! tu sais comme moi, Allan, quelles terres notre ancêtre et ses compagnons d'aventure s'en venaient prendre en Acadie. Quel besoin as-tu que je te **reprenne** tout cela ?

— Un grand, un immense besoin.

— Eh bien, ces terres, les premiers occupants les avaient quittées depuis peu
15 d'années. Entre autres choses, j'ai entendu raconter par mon grand-père qu'en abordant sur la rive de la Gaspereau[2], les gens du Connecticut y trouvèrent, mi-enfouis dans le sable, les chars à bœufs et les jougs dont s'étaient servis les Français pour le transport de leurs biens aux vaisseaux.

— Des vaisseaux qui les déportaient, vous voulez dire ? complète Allan.

20 De plus en plus pressant :

— N'a-t-on pas trouvé autre chose autour des maisons désertes ?

— Autour des maisons désertes ? ... Mon Dieu ! ils trouvèrent, si je me rappelle, beaucoup d'ossements d'animaux. Abandonnées, sans nourriture, ces bêtes avaient naturellement péri dès le premier hiver.

25 — N'ont-ils pas trouvé autre chose encore ? insiste plus fortement l'inquisiteur.

— Autre chose ? demande M. Finlay, impatienté et de plus en plus mal à l'aise. Mais, encore une fois, où veux-tu en venir ? Et qu'est-ce que tout cela peut bien avoir à faire avec **le sujet que nous débattons** ?

— C'en est le fond même, riposte l'autre.

30 Et avec une sorte d'accent dramatique :

— *Cette histoire, vous ne voulez pas me la dire ?* C'est donc moi qui vais vous la raconter.

M. Allan sort de sa poche le rouleau de papier de l'ancêtre ; lentement, il se met à le dérouler. Les deux vieillards ont un même geste de recul.

35 — Autour des maisons désertes, mon père, il n'y avait pas seulement des chars à bœufs, des jougs, des ossements d'animaux ; pas seulement des morts, mais aussi des vivants. Écoutez ce qu'en a écrit l'ancêtre Robert :

« Quand nous arrivâmes à la Grand'Prée, des Français vagabonds, échappés aux soldats de Winslow[3], parcouraient encore le pays. Hâves, déguenillés, les
40 yeux dilatés par la faim, n'ayant pas mangé de pain depuis cinq ans, la nuit ils venaient rôder autour de leurs anciennes demeures. Un soir, ici même, près d'une maison acadienne à demi-épargnée par le feu et où je m'étais logé avec les miens, un chef de famille parut au bord du bois, avec ses quatre enfants. Le pauvre homme demanda un morceau de pain. Derrière lui, il montra
45 ses quatre fils, plus décharnés, plus faméliques encore que leur père, plus

---

s'en venir : *venir.* Tournure archaïque, couramment employée au Canada aux temps simples
où veux-tu en venir ? : *quel est le but de tes questions, de tes propos ?*
peu s'en faut : *presque* (= *il s'en faut de peu*)
à quoi bon... ? : *pourquoi ? à quoi cela servirait-il ?*
reprendre : ici, *redire, répéter*
le sujet que nous débattons : il s'agit de savoir si oui ou non Allan Finlay va accepter la succession de son père. Il vient de lui répondre qu'il n'en veut pas

qu'à moitié morts de misère et de froid, tout ce qui lui restait, nous affirma-t-il, d'une famille de onze enfants. Et cette terre et cette maison où le Français venait maintenant mendier, c'étaient les siennes, ajouta-t-il encore, celles que lui et ses pères avaient faites ».

Ici, une pause du lecteur : 5

— Eh bien ! quel accueil, pensez-vous, Robert Finlay, notre glorieux ancêtre du Connecticut, fit-il à la supplication des mendiants acadiens ? Écoutez encore : « Le premier soir, on mit les chiens après eux. Les fantômes disparurent à la bordure de la forêt. Le soir suivant, on les vit revenir, plus hâves, plus suppliants que la veille ». 10

— Grand Dieu ! **échappe** ici M. Finlay, les traits tout bouleversés.

— Attendez la fin ! interjette Allan.

« *Alors, écrit toujours notre digne ancêtre, je m'armai de mon fusil.* Froidement, j'abattis les mendiants acadiens, comme des rats. Les quatre adolescents d'abord. L'un après l'autre, ils attendirent le coup, sans fuir, sans broncher. Pour la 15 cinquième fois, je rechargeai mon arme. Au moment où le coup allait partir, le père des assassinés levait les mains et proférait je ne sais quelle malédiction. Je me sentis foudroyé... »

Un long cri traverse à ce moment la pièce. Resté debout jusqu'alors, M. Finlay, les mains sur les yeux pour écarter une vision horrible, s'efforce, soutenu par sa 20 femme, de gagner le fauteuil le plus rapproché. À deux pas, il peut entendre la même voix impitoyable qui conclut, cette fois :

— J'avais dix ans, moi, quand là, dans la pièce à côté, j'ai vu mourir grand-père. Je me rappelle, comme si c'était hier, son épouvante, le fantôme qui passait devant ses yeux... Depuis cent ans, ce fantôme avait passé, à la même 25 heure, devant les yeux de tous les siens. C'est bien lui que je porte en moi, lui, lui, que vous me léguez avec le sinistre héritage...

Des gémissements, un corps tombant inerte, mettent fin au monologue tragique. Après quelques gestes dans le vide, M. Hugh Finlay vient de s'effondrer **en** son fauteuil. À moitié évanouie, Madame Finlay s'empresse autour de lui. Le vent, d'une 30 secousse plus violente, fait craquer Morse Cottage. En ce lourd moment, **l'on eût dit** que l'âme de la vieille maison s'envolait pour toujours...

Lionel Groult. *Au Cap Blomidon*, Montréal, Librairie Granger Frères, 1950, p. 156-160

NOTES

1. **notre ancêtre du Connecticut** : les propriétés des Acadiens déportés avaient été données aux loyalistes de la Nouvelle-Angleterre
2. **la Gaspereau** : petite rivière de Nouvelle-Écosse dans la vallée d'Annapolis, près de Grand-Pré et du cap Blomidon
3. **Winslow** : major-général anglais qui organisa la déportation des Acadiens sous les ordres du général Lawrence

échapper : (can.) *laisser échapper, s'exclamer.* En français standard, le sujet du verbe *échapper* ne peut pas être une personne, mais le mot, la parole, l'exclamation, le geste, qui échappe à la personne
en : *dans*
l'on eût dit : *on aurait dit* (style littéraire)

ÉTUDE ET EXPLOITATION DU TEXTE

1. C'est ici une des scènes les plus tragiques du roman. Au conflit des races, vient s'ajouter le conflit des générations. Définissez la position de chacun des personnages de cette scène.
2. M. Finlay se doute-t-il du motif qui se cache derrière les premières questions de son fils ? Ses réponses sont plutôt gênées. Montrez comment se manifeste son embarras.
3. Pour l'inciter à prendre sa succession, M. Finlay vient de vanter à son fils les délices du foyer ancestral, la permanence de la dynastie, le respect de l'héritage. Par quels mots ironiques Allan souligne-t-il l'hypocrisie de ces notions ?
4. Dans son récit, l'ancêtre Robert, loin de chercher à se justifier, insiste sur les détails qui l'accablent, et rendent son crime encore plus odieux. Relevez les mots, les expressions, les images qui expriment indirectement ses sentiments au moment où il écrit, et ceux qui expriment son attitude au moment où se passe le récit.
5. Quelle circonstance rend ce récit encore plus pathétique ?
6. Quelles sont les manifestations physiques de l'émotion chez M. Finlay ?

Remarques de style

« ... je ne parle pas des Noirs ni des Indiens qui ne sont pas citoyens du tout... »
L'ironie consiste à donner pour vraie et sérieuse une proposition manifestement fausse ou inadmissible. Elle souligne le désaccord entre ce qui est et ce qui devrait être. En quoi consiste l'ironie dans cette phrase ? Trouvez dans le TEXTE I d'autres exemples d'ironie.

« Le peuple acadien à lui tout seul... »
Seul renforce encore la valeur emphatique du pronom disjoint. Il est lui-même renforcé par *tout* ; *à* renforce l'idée d'exclusivité du pronom.

« Figurez-vous qu'on aurait pu le brûler... »
L'impératif ajoute de la variété au style, et un élément d'intérêt pour le lecteur qui intervient en quelque sorte dans le récit. *Figurez-vous* fait appel à l'imagination, ou encore, comme c'est plutôt le cas ici, introduit une remarque inattendue sur laquelle on veut attirer l'attention.

« ... votre sud et votre est, à vous... »
Le pronom personnel précédé de la préposition *à* renforce l'idée de possession.

« Et comment ne serait-il point différent... ? »
Fausse question. L'interrogation est un procédé de style qui remplace l'affirmation, en soulignant l'évidence de la réponse.

« ... quand notre ancêtre... s'en est venu ici... »
S'en venir est un tour un peu vieillot, qui s'employait autrefois, et s'emploie

couramment au Canada, dans le même sens que *venir*. Aujourd'hui, il ne s'emploie guère que pour indiquer la progression de l'action, la démarche :

Il s'en venait tout doucement, le long de la rivière...

Aux temps composés, la particule *en* des verbes *s'en aller, s'en venir, s'en revenir* doit être placée immédiatement après le deuxième pronom personnel :

Elles s'**en** sont allées.

Cependant, sauf dans la langue littéraire, l'usage moderne a tendance à considérer la particule comme faisant partie du verbe, et on dit :

Elles se sont **en** allées. (comme on dit : elles se sont enfuies)

« Cette histoire, vous ne voulez pas me la dire ? »
Dislocation de l'ordre des mots (l'ordre normal serait : *vous ne voulez pas me dire cette histoire*) et pléonasme (*cette histoire, la*) pour créer une certaine émotion et mettre l'emphase sur l'objet. *Cette histoire* aurait pu être placé à la fin de la phrase avec le même effet.

« Alors, écrit toujours notre digne ancêtre, je m'armai de mon fusil. »
La proposition incise, intercalée dans le corps de la phrase ou rejetée à la fin, indique que l'on rapporte les paroles de quelqu'un ou que l'on exprime une sorte de parenthèse. Elle est indépendante du contexte et contient l'inversion verbe-sujet, sauf dans certains cas comme : *je pense, je suppose, je crois, je parie, il est vrai...*

Exercices de style

1. *Refaites les phrases suivantes pour mettre l'emphase sur les mots indiqués (par un pléonasme ou par une forme d'insistance) en vous basant sur les exemples ci-dessus* :

a. Agaguk a tué le chef des loups **seul**.

b. Tayaout, c'est **ton** père qui l'a tué.

c. Son père ne veut pas lui parler du **passé**.

d. **Je** connais beaucoup d'**Acadiens**.

e. Ils **l'**ont très vite compris !

f. Elle n'avait reçu de **cartes postales** de personne.

g. Je ne **vous** parle pas !

h. **Les Acadiens** étaient plutôt gênés.

2. Dans les propositions incises, les verbes *dire, répondre* etc. sont souvent remplacés par des verbes déclaratifs dont le sens suppose l'idée de dire : *s'écrier, s'exclamer, soupirer, demander*, etc. *Complétez les phrases suivantes au moyen du verbe déclaratif qui convient le mieux* :

a. Bientôt, ________________ Agaguk, l'été ferait place au court automne.

b. S'il errait en solitaire sur la toundra, où le découvrir ?
________________ Agaguk.

c. Hélas ! ________________ -elle en levant les yeux au ciel !

d. Hein ? ________________ -il. J'ai du mal à le croire !

e. Je désire beaucoup voir le testament d'Adam, ______________ le roi en riant.

f. C'est par le sel, ______________ J. Ferron, que s'explique la prédominance des pêcheurs français dans les parages de Terre-Neuve.

g. « ... la terre que Dieu donna à Caïn », ______________ Cartier.

h. Je vous ramènerai vos fils dans un an, ______________ Cartier au chef Huron.

i. Mon Dieu ! ______________ Iriook. À la place du nez, il n'y avait qu'un immense trou.

j. Répondez-moi, ______________ Allan, j'ai besoin de savoir !

3. Qu'on ait déporté l'Acadien en Virginie ou en Nouvelle-Angleterre, avec ou sans ses biens, séparé ou non de sa famille, dans des goélettes ou dans des barques à bétail, qu'importe puisque de toute façon, tous les vivants de 1755 sont morts aujourd'hui... (p. 73, lig. 17-20)

Cette phrase se décompose ainsi :

proposition au subjonctif :	Qu'on ait déporté l'Acadien
quatre alternatives :	— en Virginie ou en Nouvelle-Angleterre, — avec ou sans ses biens, — séparé ou non de sa famille, — dans des goélettes ou dans des barques à bétail,
verbe :	qu'importe
énoncé de la cause :	puisque de toute façon..., etc.
Autre exemple :	Que vous écriviez — bien ou mal, — à l'encre ou au crayon, — avec ou sans fautes, — en anglais ou en français, ça m'est égal puisque je ne lirai pas votre devoir.

Sur ce modèle, composez deux phrases exprimant des idées différentes et contenant chacune quatre alternatives.

Traduction

Traduisez les phrases suivantes en employant le vocabulaire et les expressions des textes :

1. Don't worry, they won't laugh at you, except if you are family!

2. Don't hold it against him if he is rather unsociable. Fundamentally, he is not all that strange. One must not forget that he remained isolated for two centuries.

3. Whether he is distrustful or hospitable, uncouth or refined, shy or open, the Acadian loves a good joke. One should not take offence at this.

4. According to some historians, Cabot came first to Acadia and travelled what is known today as the Cabot Trail, on Cape Breton Island.

5. I was really moved when I learned that my ancestors had been deported to Virginia and (when) I was told about the vicissitudes of their return.
6. Acadia has been dispersed so many times that everybody in Canada and in New England has some Acadian blood.
7. One doesn't "do" Acadia at 50 miles an hour. One must take the time to pause a little.
8. What is the matter with you? What is the use of getting upset?
9. Whether you come from the west or from the north, by car or by plane, you will not regret the trip. Take it from me!
10. As for the French from France, three quarters of them do not come to Acadia at all. Yet the Acadians belong to the same big family as the people of Quebec and Louisiana.
11. Since the Treaty of Utrecht which, in 1713, put an end to the war between France and England, Acadia (Nova Scotia) and Newfoundland belonged to the English, after having been French. All the inhabitants were hoping that, by means of another war, Acadia would again become French.
12. Some of them escaped and reached Louisiana, where they found refuge in the bayou region.
13. Louisiana, like Canada, is officially bilingual. However, in school curricula, French has often been treated like a poor relation.

Étude de vocabulaire

La composition : Les noms composés

La langue a formé un grand nombre de mots nouveaux en combinant deux ou plusieurs mots ensemble (nom, verbe, adjectif, etc.) Ce sont les noms composés proprement dits. Ils peuvent être :

- reliés par un trait d'union : *grand-père, arc-en-ciel*
- soudés en un mot simple : *bienvenue*
- indépendants : *pomme de terre, carte postale.*

Pour qu'il y ait composition, il faut que le groupe de mots représente une idée unique, c'est-à-dire qu'il ne soit plus interprété par ses éléments :

ex. : une *carte postale* est une carte dont un côté porte une illustration (le plus souvent une photo) et dont l'autre côté sert à la correspondance. L'adjectif *postal* a perdu son sens propre (qui concerne les postes). *Carte postale* est un nom composé. Mais un *envoi postal* est un envoi que l'on fait par la poste. *Envoi postal* n'est pas un nom composé.

L'interprétation d'un groupe de mots peut varier suivant les pays, les époques, les classes sociales, les divers métiers, le contexte, etc.

ex. : *un homme de cour* désigne au Canada *un valet d'écurie* (Bélisle), alors qu'un Français ne pourra le comprendre que comme synonyme de *courtisan.* Si un pâtissier fait des *petits fours* (une sorte de petits gâteaux), c'est un composé, tandis que si ma cuisinière a un trop *petit four*, ce n'en est pas un, etc.

1. *Expliquez les mots suivants d'après leur composition* :

malédiction	rez-de-chaussée
gendarme	arc-en-ciel
intervention	deux-pièces
monsieur	loup-marin
portemanteau	entrefaites
dorénavant	clairsemé
vinaigre	porte-fenêtre

2. *Formez des noms composés avec un mot de la liste A et un mot de la liste B* :

A		B	
bon	femme	acte	lettre
carte	grand	bord	lait
chou	hors	bœufs	ménage
char	hôtel	blanc	œuvre
chef	mal	courant	ordre
chemin	pot	fer	fleur
coffre	prise	fort	rue
compte	petit	gouttes	ville
contre	fer	heur	vin
entre	timbre	homme	poste

3. *À l'aide des adjectifs ci-dessous, formez* :

a) un groupe composé où l'adjectif ait un sens technique

b) un groupe ne constituant pas une unité et dans lequel l'adjectif ait son sens usuel :

ex. : **postal** a) une carte postale b) un envoi postal

froid
blanc
bas
long
petit

4. Pour traduire une même idée, l'anglais et le français ne se servent pas nécessairement des mêmes termes, et parfois un groupe composé se traduira dans la langue d'arrivée par un mot simple. *Traduisez* :

un ours blanc	un porte-monnaie
une maison de campagne	de l'encre de Chine
du bois de chauffage	une assiette creuse
une cuillère à soupe	du papier peint
une porte-fenêtre	poste restante
le téléphone arabe	la carte grise

a matchmaker	ice cold
mothballs	the summer holidays
mother of pearl	old age
glass trinkets	scrap iron
brown sugar	long distance (call)
the top drawer	classified ads

La composition (II) : Les préfixes

Outre la juxtaposition, la composition se fait également par l'adjonction de préfixes, particules ou simples syllabes, qui modifient le sens du mot en y ajoutant une idée secondaire.

- Certains préfixes ont une valeur constante :

  ex : **pré-** signifie toujours *avant* (dans l'espace ou dans le temps).

  D'autres ont plusieurs sens :

  ex : **re-** peut marquer la répétition : ***redire***
  le retour : ***revenir***
  l'augmentation : ***reluire***
  le rétablissement dans un état : ***redresser***
  l'action instantanée : ***réveiller***

  Un préfixe peut également avoir perdu toute signification : ***remarquer***. C'est un préfixe mort.

- Certains préfixes sont séparables ; ils peuvent s'employer comme mots indépendants : **après**, **entre**, **mal**, **bien**, **avant**, **arrière**, **contre**, **outre**, **plus**, **sans**, **sous**, **sur**, etc.

  D'autres sont inséparables ; ils n'ont pas d'existence propre en dehors de la composition : **dé-**, **é-**, **in-**, **re-**, **pré-**, **anti-**, etc.

- Quand le radical commence par une consonne, la consonne finale du préfixe s'assimile ou se transforme suivant la consonne initiale du radical : par exemple, le préfixe **ad-** peut prendre les formes :

accourir	**al**longer	**ar**roser
affaiblir	**an**noncer	**as**souplir
aggraver	**ap**porter	**at**terrir

5. *Que marque le préfixe* **re-** *dans les mots suivants* ?

reboiser	rejeter	reconduire
raccrocher	ralentir	refluer
repaver	repousser	retrouver
réveiller	relire	raffermir
réfléchir	ramener	rafraîchir

6. *Trouvez tous les composés possibles des verbes suivants* :

dire	battre	porter

7. *Formez au moyen d'un préfixe, des adjectifs, des noms ou des verbes correspondant aux définitions suivantes* :

a. Quelqu'un qui n'est pas honnête est ______________.

b. Ce qui n'est pas stable est ______________.

c. Quelqu'un qui n'a pas de cœur est un ______________.

d. Tenir quelque chose par dessous, c'est le ______________.

e. Une personne très maigre (presque sans chair) est ______________.

f. Continuer à vivre après la mort de quelqu'un, c'est lui ______________.

g. Une langue qui n'est pas articulée est ______________.

h. La partie d'un pays située en arrière de ses côtes est l' ______________.

i. Converser avec quelqu'un, c'est s' ______________ avec lui.

j. Porter quelque chose d'un lieu dans un autre, c'est le ______________.

k. Charger de nouveau son fusil, c'est le ______________.

l. Un passage qui est sous terre est un passage ______________.

m. L'imitation frauduleuse d'une chose en est la ______________.

n. Séparer des éléments associés, c'est les ______________.

o. Une porte qui n'est pas complètement ouverte est ______________.

p. Envoyer quelqu'un en exil, c'est le ______________.

q. Ne plus être attaché à quelque chose, c'est en être ______________.

r. Appeler le malheur sur quelqu'un, c'est le ______________.

s. Quelqu'un qui manque de patience est ______________.

t. Chasser quelqu'un avec ardeur, c'est le ______________.

8. *Répartissez les mots suivants en trois groupes (voir ci-dessous : A,B,C), selon la valeur du préfixe* :

A : éloignement ou opposition
B : rapprochement
C : position relative dans le temps ou l'espace

adoption	antédiluvien	antidote	commensal
disjoncteur	dissemblable	dissymétrique	épiderme
excentrique	inclination	intramusculaire	juxtaposé
parallèle	paratyphoïde	périmètre	posthume
prologue	subconscient	sympathie	synonyme

9. *Donnez le contraire de* :

détruire	dérouler	disparaître
discorde	docile	ressemblance
équilibré	adroit	perméable
accessible	content	déterrer
intéressé	populaire	présence

Locutions exprimant le temps nécessaire pour faire une chose (*mettre, falloir, prendre*)

Cette notion peut s'exprimer au moyen de trois locutions :

- **ça nous prenait** une décennie **pour** en ressortir
- **il nous fallait** une décennie **pour** en ressortir
- **nous mettions** une décennie **pour** en ressortir*

**mettre* est généralement suivi de la préposition *à*. Cependant, on emploie couramment *pour* lorsqu'on envisage plutôt le but que la durée du procès :

Ils n'**ont** pas **mis** longtemps **à** comprendre.

Tu **as mis** longtemps **pour** venir ?

10. *Composez des phrases contenant les tournures ci-dessus en suivant les indications données.*

prendre :

a. Ils ont fait la route à pied. (longtemps)
b. Nous acquerrons de l'expérience. (plusieurs années)
c. On traverse l'Atlantique. (combien de temps ?)
d. Vous dénicherez les Acadiens. (pas longtemps)

falloir :

e. Ils ont fait Lafayette-Memramcook. (des années)
f. J'ai peint la clôture. (un après-midi)
g. Les Anglais ont déporté les Acadiens. (combien de temps ?)
h. Il trouva les fonds nécessaires. (plusieurs années)

mettre :

i. Vous avez dû faire ce devoir. (moins de dix minutes)
j. Ils seraient revenus (moins de temps) s'ils avaient eu des charrettes et des chevaux.
k. Il les a convaincus. (pas longtemps)
l. Je ne pense pas que tu finisses. (si longtemps que ça)

11. *Traduisez les phrases suivantes de toutes les façons possibles :*

a. How long does it take to fly to Acadia?
b. Don't worry, it won't take you all that long!
c. It took me less time than usual to drive to the office.
d. How long do you think it will take to do the castles of the Loire?
e. Don't get impatient, it'll only take a minute.
f. It took them many decades to achieve independence.
g. It took Cartier twenty days to cross the Atlantic Ocean.
h. It doesn't take long to write a postcard.

Prépositions avec les moyens de locomotion

A. Avec les moyens de locomotion on emploie les prépositions suivantes :

- *en* s'il s'agit de moyens de locomotion **dans** lesquels on se déplace : *en voiture, en train, en avion*, etc.
- *à* s'il s'agit de moyens de locomotion **sur** lesquels on se déplace : *à cheval, à skis, à bicyclette, à mobylette*, etc.

Cependant, sauf s'il s'agit d'animaux, *en* est passé dans l'usage, et on dit tout aussi bien : *en moto, en vélo*, etc.

On dit toujours : *en scooter, en patins, en traîneau*

B. Lorsque le nom est déterminé (précédé d'un article ou d'un adjectif possessif, démonstratif, numéral), on emploie :

- *par* pour les moyens de transport publics **dans** lesquels on se déplace : *par le train, par l'avion du soir*, etc.
- *dans* pour les moyens de locomotion privés ou inhabituels **dans** lesquels on se déplace : *dans votre voiture, dans un chariot*, etc.

- *sur* pour les moyens de locomotion **sur** lesquels on se déplace : *sur une bicyclette, sur le scooter de son frère*, etc.

L'usage de *avec* (*le train*, etc.) est fréquent dans certaines régions, mais n'est pas considéré comme correct.

C. Lorsqu'il s'agit d'envoi d'objets (lettres, paquets), on emploie *par* : *par avion, par bateau, par le train, par l'autobus*, etc.

12. *Complétez les phrases suivantes* :

a. Nous sommes arrivés ________ train de 8 heures.

b. La reine se rendit au Parlement ________ carrosse.

c. Savez-vous monter ________ bicyclette ?

d. Ils sont arrivés ________ voiture neuve.

e. Je n'aime pas voyager ________ avion. Je préfère ________ bateau.

f. On a transporté le blessé ________ brouette.

g. Avant l'arrivée du chemin de fer, on voyageait ________ diligence.

h. Dans certains pays, quand les trains sont complets, on permet aux pauvres gens de voyager ________ train, au risque de tomber et de se casser le cou.

i. Ils ont traversé la Manche ________ coquille de noix.

j. N'oubliez pas d'envoyer ce colis ________ avion.

k. Vous pouvez toujours venir ________ avion.

l. Dans la montagne on se déplace souvent ________ skis.

Mouvement et déplacement

- Un verbe de **mouvement** indique une simple action mécanique :

marcher (= mettre un pied devant l'autre pour avancer)

Marcher, voler, rouler, conduire, naviguer, faire de la voile, de la bicyclette, etc. indiquent le mouvement.

- Un verbe de **déplacement** indique l'action d'aller d'un point à un autre :

aller quelque part (indique la direction)

Pour indiquer le déplacement, il faudra dire *aller* (*venir, arriver, partir, voyager*, etc) *à pied, en avion, en voiture, à bicyclette, en bateau*, etc.

13. *Dites si le verbe exprime le mouvement ou le déplacement, puis traduisez* :

a. Their car broke down and they had to **walk** home.

b. They **were walking** along the river.

c. The car **runs** very well.

d. Do you know how to **drive** ?

e. From France, one cannot **drive** to Egypt.

f. **Driving** faster than 100 kilometres per hour is against the law.

g. Would you **come for a drive** with me?

h. The ship **sailed** from New York on Christmas Eve.

i. In the summer, we **sail** in the harbour and along the coast.
j. Cartier started **sailing** at a very young age.
k. Today, one cannot **sail** to Europe any longer; one has to **fly**.
l. Ladies and gentlemen, this is the captain speaking. We are now **flying** at an altitude of 3 000 feet. In a few minutes, we will be **flying** over Prince Edward Island, Nova Scotia and New Brunswick.

autre / d'autre

Autre se place devant *chose* et *part*, et *d'autre* après *quelque chose, quelqu'un, rien, qui que ce soit, quoi que ce soit, quoi, qui, personne, n'importe quoi* pour former des nominaux* neutres.

*Un nominal est un mot, une forme ou une construction qui équivaut à un nom, c'est-à-dire qui remplit les fonctions du nom dans la phrase. Ce n'est pas un pronom, car il ne représente aucun élément exprimé.

14. *Traduisez les phrases suivantes (attention : dans les phrases j., k. et l., la traduction de* **else** *exige d'autres tournures)* :

a. Whether they were deported to Virginia or somewhere else does not matter.
b. It seems that nobody else is interested in it.
c. All the Christian world was sick of herring. They wanted something else, anything else.
d. Was anyone else prepared to read the Confession?
e. Nowhere else will you find such scenic beauty.
f. Put your books somewhere else; they are in my way.
g. What else did they find, half-buried in the sand?
h. Did you see anybody else prowling around the house?
i. They found some seagulls, and little else.
j. You will discover the bays, the rivers, the dunes, the islands, and everything else.
k. How else would you describe their clothes?
l. Will there be anything else? (in a shop)

Distinctions

« Soyez tranquille, touriste... »

- **Soyez tranquille.** (ne vous inquiétez pas)
- **Restez tranquille.** (ne bougez pas)
- **Tenez-vous tranquille.** (ne bougez pas, taisez-vous)
- **Laisse ça tranquille.** (n'y touche pas)
- **Laisse-moi tranquille.** (ne m'agace pas)
- **Je suis (bien) tranquille !** (Je n'en ai pas le moindre doute, je suis sans inquiétude)

1. *Complétez selon le sens* :

a. Arrête donc de taquiner ta sœur, ______________.

b. _______________, nous nous occuperons de tout.
c. Ce tissu ne fanera pas, Madame, _______________.
d. _______________, tu vas le casser.
e. Non, non, et non ! _______________, à la fin !
f. _______________ et personne ne remarquera ta présence.
g. Arrête donc de bouger tes pieds, _______________.
h. Il ne reviendra pas de si tôt, _______________.
i. Quand les enfants sont sur les routes, _______________, avec tous les accidents qui arrivent !
j. _______________, je n'arrive pas à démêler tes cheveux.

aussitôt / aussi tôt...

On écrit :

aussitôt, adverbe de temps signifiant *au moment même*
aussitôt que, locution conjonctive indiquant la postériorité immédiate

mais on écrit :

aussi tôt (que), expression comparative de temps opposée à *aussi tard.*

La même distinction est à faire entre :

plutôt, adverbe de manière signifiant *de préférence* ou *assez*,
et *plus tôt*, expression comparative de temps, qui s'oppose à *plus tard*

bientôt, signifiant sous peu,
et *bien tôt*, signifiant *fort tôt*

sitôt, marquant l'intensité, et signifiant *aussi vite*,
et *si tôt*, marquant la comparaison et s'opposant à *si tard.*

Une distinction analogue est à faire entre les adverbes *autrefois, quelquefois, longtemps*, et les expressions *autre(s) fois, quelques fois, long temps*, contenant un nom modifié par un adjectif.

2. *Complétez les phrases suivantes* :

a. Vous vous êtes réveillé _______________ ce matin. (bientôt/bien tôt)
b. _______________ entré, il sortit de sa poche le papier de l'ancêtre. (aussitôt/aussi tôt)
c. Est-ce que ça leur a pris _______________ pour faire le voyage ? (longtemps/long temps)
d. Allons, il n'est pas _______________ que ça ! (sitôt/si tôt)
e. Il est resté un _______________ entre deux buttes de sable. (longtemps/long temps)
f. _______________ il vous adoptera et poussera l'hospitalité jusqu'à se moquer de vous. (bientôt/bien tôt)
g. Je ne vous attendais pas _______________. (sitôt/si tôt)
h. Êtes-vous allé en Acadie ? — Oui, j'y suis allé _______________. (quelquefois/quelques fois)

i. Nous reviendrons une ______________. (autrefois/autre fois)

j. Il s'énerve ______________. (quelquefois/quelques fois)

k. Envoyez-leur ______________ une carte postale. (plutôt/plus tôt)

l. ______________ on voyageait en diligence. (autrefois/autre(s) fois)

m. Si tu t'étais levé ______________, tu n'aurais pas été obligé de partir à jeun. (plutôt/plus tôt)

n. Ils sont arrivés ______________ que nous. (plutôt/plus tôt)

o. D' ______________, il préfère qu'on le laisse tranquille. (autrefois/autre(s) fois)

p. Pourquoi vous a-t-on invités ______________ que nous ? (plutôt/plus tôt)

q. Ils se sont ______________ sentis irrémédiablement abandonnés. (longtemps/long temps)

r. Appelez-moi ______________ qu'il sera rentré. (sitôt/si tôt) .

s. Il vous faudra partir ______________ que possible. (aussitôt/aussi tôt)

t. Pourquoi n'êtes-vous pas partis ______________ que nous ? (aussitôt/aussi tôt)

en/dans avec les expressions de temps

En indique la **durée** requise pour l'accomplissement de l'action :

J'ai fait (je fais, je ferai) mon travail **en** deux heures. = J'ai mis deux heures pour faire mon travail.

En peut s'employer avec une indication autre qu'une indication de temps exprimant une idée de ce qui est requis :

Il traversa la pièce **en** quelques pas.

Dans indique le **délai** qui s'écoulera avant le moment fixé pour le commencement de l'action, qui se place nécessairement au futur par rapport à l'énoncé :

Je me mettrai au travail **dans** une heure.

Dans un contexte passé ou futur, *dans* est remplacé par *plus tard* placé après l'indication de temps :

Ils devaient partir deux heures **plus tard**.

3. *Transformez les phrases suivantes en employant* ***en*** *ou* ***dans*** :

a. Ce devoir me prendra une heure.

b. Combien de temps faut-il pour cueillir un kilo de fraises ?

c. Au bout de quelques semaines, le gel de surface aura rejoint la glace de fond.

d. L'enfant doit naître d'aujourd'hui en huit.

e. Je ne crois pas que tu mettes plus d'une heure pour apprendre une soixantaine de mots.

f. D'ici un an, je compte obtenir mon diplôme.

g. Le voyage leur a demandé trois ans.

h. Quand vas-tu te remettre au travail ?
i. Il ne lui fallut que deux enjambées pour franchir le ruisseau.
j. Encore trois kilomètres et nous arrivons.

avoir affaire / avoir à faire

Avoir à faire s'emploie si le contexte établit qu'il s'agit du verbe *faire*, par la présence d'un complément d'objet direct (exprimé ou sous-entendu), et/ou d'un adverbe de quantité :

Cela n'**a** rien **à faire** avec ce dont nous parlons. (c.o.d. exprimé)

Maintenant laissez-moi. **J'ai à faire**. (c.o.d. sous-entendu)

J'**ai** beaucoup **à faire** aujourd'hui. (adverbe de quantité, c.o.d. sous-entendu)

Dans tous les autres cas, on emploie *avoir affaire.*

Avoir affaire à quelqu'un veut dire :

- être en relation avec quelqu'un pour une démarche, s'adresser à quelqu'un, être en contact avec quelqu'un :

  On n'**a affaire** qu'**à** des employés qui ne sont pas au courant.

- trouver quelqu'un en face de soi (au cours d'une compétition par exemple, ou avec une nuance de menace) :

  Vous **aurez affaire à** des joueurs très entraînés.

  Si tu continues, tu **auras affaire à** moi !

Avoir affaire avec quelqu'un veut dire :

- être en relations d'affaires avec quelqu'un, traiter avec quelqu'un d'affaires communes, avoir des affaires à traiter :

  Mon père **a affaire avec le vôtre.**

  Ce mois-ci, il **a affaire au Mexique.**

4. *Complétez les phrases suivantes avec* ***affaire*** *ou* ***à faire****, en ajoutant une préposition, le cas échéant* :

a. Qu'est-ce que tout cela peut bien avoir____________le sujet que nous débattons ?
b. Y a-t-il beaucoup de démarches____________pour obtenir un visa ?
c. Je ne peux pas t'accompagner, j'ai____________.
d. Attends un peu que ton père rentre. Tu auras____________lui.
e. Ne te mêle pas de ça. Tu n'as rien____________là-dedans.
f. J'attendrai le directeur. C'est____lui que j'ai____________.
g. J'ai déjà eu____________mon voisin à propos du mur de clôture.
h. On dit qu'il vaut mieux avoir____________ Bon Dieu qu'____ses saints.

beaucoup / grand-chose

Beaucoup est un adverbe de quantité qui indique une quantité, un volume, une intensité considérables. Il peut modifier :

- un verbe : Ce film m'**a beaucoup** plu.
- un nom (avec *de*) : J'ai **beaucoup d'amis**.

- certains adverbes : Il fait beaucoup plus froid.
- un adjectif indiqué précédemment et repris par le pronom *le* :
  Son rire est **contagieux** ; il **l**'est même **beaucoup**.

Grand-chose est un nominal indéfini neutre, qui s'emploie toujours au négatif, et ne modifie aucun autre mot, ni exprimé ni sous-entendu.

Pas grand-chose signifie *pas beaucoup de choses, rien d'important* :

Je n'ai **pas** fait **grand-chose**, ce matin.

Grand-chose peut être qualifié par un adjectif ou par un participe, précédé de la préposition *de* :

Je n'ai **pas** vu **grand-chose d'intéressant**.

5. *Traduisez les phrases suivantes* :

a. He looked out; it was snowing and he could not see much.
b. He isn't much of an anthropologist. (= he isn't worth much...)
c. The books that have been written about the Deportation are much too big and scholarly.
d. This doesn't have much to do with the subject we are discussing.
e. I have much too much to do!
f. What is the matter with them? — Not much, don't worry.
g. What do you know about Acadia? — Not much.
h. I don't write much when I am away, but I'll send you a postcard.
i. She didn't write much in her last letter.
j. Without my glasses I can't see much.
k. How much time did it take you? — Not much.
l. Would you like some fish? — Yes, but don't give me much.

Étude de langue

Pluriel des noms composés

A. Les noms composés écrits en un seul mot suivent les règles qui régissent le pluriel des noms simples :

un entresol : des entresols
un gendarme : des gendarmes

Il faut noter les exceptions suivantes :

gentilhomme : gentilshommes (on prononce le premier *s*)
bonhomme : bonshommes (on prononce le premier *s*)
monsieur : messieurs
madame : mesdames
mademoiselle : mesdemoiselles
monseigneur : messeigneurs

B. Les noms composés écrits en plusieurs mots (avec ou sans trait d'union) varient suivant l'espèce des éléments composants et les rapports fonctionnels qui existent entre les divers éléments.

Seuls les noms et les adjectifs pourront prendre la marque du pluriel. Les verbes, les adverbes, les pronoms, les prépositions, les phrases restent invariables :

un beau frère : des beaux-frères (1 adjectif, 1 nom)
un chou-fleur : des choux-fleurs (2 noms)
un sourd-muet : des sourds-muets (2 adjectifs)
un avant-poste : des avant-postes (1 préposition, 1 nom)
un laissez-passer : des laissez-passer (2 verbes)

Les noms et les adjectifs prennent ou non la marque du pluriel selon le sens :

une pomme de terre : des pommes de terre (il n'y a qu'une terre)
un gratte-ciel : des gratte-ciel (il n'y a qu'un ciel)
une bête à cornes : des bêtes à cornes (elles ont chacune deux cornes)

Un adjectif pris adverbialement reste invariable :

des haut-parleurs

CAS PARTICULIERS :

- *Grand* est élidé et reste invariable s'il accompagne un nom féminin;

  une grand-mère : des grand-mères (mais : des grands-pères)

  Cependant, depuis que l'apostrophe de *grand'mère*, etc. a été remplacée par le trait d'union, certains grammairiens jugent plus logique de faire accorder l'adjectif. S'il prend la marque du féminin, comme dans *grande-duchesse*, il prend également celle du pluriel.

- *Garde* peut être un nom ou un verbe. Il prend la marque du pluriel s'il est un nom, c'est-à-dire s'il désigne un être animé, un gardien :

  un garde-malade : des gardes-malades

  Il reste invariable s'il est un verbe. Le nom composé désigne alors une chose :

  un garde-boue : des garde-boue

1. *Justifiez les pluriels suivants* :

des timbres-poste
des sans-cœur
des coffres-forts
des réveille-matin
des on-dit
des couvre-lits
des passe-partout
des chasse-neige
des pied-à-terre
des personnes haut-placées
des tête-à-tête
des portemanteaux
des mot-à-mot
des abat-jour
des tire-bouchons
des gardes-chasse
des arrière-boutiques
des demi-sœurs
des casse-croûte
des va-et-vient

2. *Formez un nom composé au pluriel en ajoutant un verbe aux mots suivants* :

jour
pain
pied
glace
croûte
cœur
drapeau
cigarette
nez
fou

3. *Donnez le pluriel des mots suivants* :

arrière-pensée
en-cas
belle-de-nuit
chauffe-eau
chef-d'œuvre
grand-rue
nœud-papillon
rez-de-chaussée
loup-marin
coupe-gorge
eau-de-vie
basse-cour
fromage de chèvre
gagne-petit
garde-barrière
prête-nom
rendez-vous
port d'attache
char à bœufs
hors-d'œuvre
nouveau-né
porte-monnaie
pot-au-feu
pourboire
presse-purée
coq-à-l'âne
nouveau-venu
arc-en-ciel
porte-avions
œil-de-bœuf

Le semi-auxiliaire *devoir*

Devoir peut être auxiliaire de temps ou de mode.

A. **Auxiliaire de temps**, il marque :

- le futur notamment à l'infinitif après *sembler, paraître* :

  La pluie **semble devoir** cesser bientôt

- l'intention (avec nuance de probabilité) :

  Il **doit** me téléphoner ce soir.

- l'annonce d'un événement futur, inévitable, dans un contexte passé :

  Mais ce n'est pas le Brésil qui **devait** faire sa gloire.

- le future immédiat, au subjonctif ou au conditionnel (à la place du verbe *aller*) :

  Bien que je **doive** partir demain...

B. **Auxiliaire de mode**, il marque :

- l'idée de nécessité, d'obligation :

  Comme les marchands ne s'intéressaient qu'aux pêcheries, il **dut** s'addresser au roi pour obtenir les fonds nécessaires. (nécessité)

  Vous **devez** me remettre votre dissertation avant la fin de la semaine. (obligation)

  On **doit** aider son prochain. (obligation morale)

  Tous les enfants **doivent** aller à l'école jusqu'à l'âge de seize ans. (obligation légale)

- l'idée d'hypothèse :

  Il n'est pas là ? Il **a dû** aller voir son ami. (supposition)

  La route est mouillée. Il **a dû** pleuvoir. (probabilité)

  Si cela **devait** se produire, je vous préviendrais. (éventualité)

  Je suis décidé à le faire, **dussé**-je le regretter plus tard. (opposition, à l'imparfait du subjonctif)

REMARQUE : Aux temps composés, c'est le verbe principal qu'il faut mettre au passé :

Il **doit avoir manqué** le train.

Cependant, l'usage courant préfère dire :

Il **a dû manquer** le train.

Il est toutefois important de faire la différence dans les cas où la phrase pourrait prêter à équivoque, par exemple pour éviter la confusion entre l'obligation et la supposition :

Il a dû partir peut signifier : *Il a été obligé de partir* aussi bien que : *Il est probablement parti.*

Il doit être parti ne peut signifier que : *Il est probablement parti.*

- l'idée de souhait :

  Tu **devrais** t'arrêter de fumer. (suggestion, conseil)

  Vous **n'auriez pas dû** lire mon courrier. (reproche)

  J'**aurais dû** suivre vos conseils. (regret)

  ATTENTION au sens de la forme négative du présent de *devoir* :

  Vous **ne devez pas** faire cet exercice. (= il ne faut pas le faire)

  Vous **ne devez pas** vous servir du dictionnaire. (= c'est interdit)

  L'expression *you don't have to* se traduit par : *vous n'êtes pas obligé de, vous n'avez pas besoin de, ce n'est pas la peine de,* etc. (voir p. 52-53).

4. *Dites ce que marque l'auxiliaire* **devoir** *dans les phrases suivantes, et traduisez en anglais* :

a. Comme on lui avait pris ses barques et ses rames, il **a dû** faire le voyage de retour à pied.

b. Par exemple, rien qu'en septembre 1755, ce qu'il **a dû** apprendre, le pauvre sujet du roi d'Angleterre, pour rester fidèle à Sa Majesté !

c. Abandonnées sans nourriture, les bêtes **avaient dû** périr dès le premier hiver.

d. Allan **n'aurait pas dû** lire la Confession de l'ancêtre.

e. Étant natif de Saint-Malo, Jacques Cartier **dut** faire partie des expéditions de pêche aux bancs.

f. Il **devait** ramener les deux fils du chef huron l'année suivante.

g. Tous les enfants canadiens **devraient** apprendre les deux langues officielles.

h. **Dussé**-je être blâmé de tous, je ferai ce que je crois **devoir** faire.

i. Vous **auriez dû** mettre mes conseils à profit !

j. Il n'a pas répondu à ma lettre ; il **doit** m'en vouloir encore.

k. Dépêche-toi, si tu **dois** venir avec nous !

l. Il avait alors pour grand amiral Philippe de Chabot, celui-là même qui **devait**, quelques années plus tard, être enfermé à Vincennes sur une accusation de vénalité.

m. Ce qu'il croyait être un détroit n'était qu'une baie, et il **dut** rebrousser chemin.

n. Si vous faites les frais de leurs plaisanteries, vous ne **devez** pas vous en formaliser.

o. Tous les étudiants **doivent** s'inscrire avant le 15 septembre.

5. *Traduisez les phrases suivantes :*

a. You don't have to leave.

b. They must have been hungry during their long journey!

c. We are supposed to finish it within two days.

d. Whether they wanted to or not, they had to become subjects of the King of England.

e. If he should come back, ask him to wait for me.

f. Your children must be grown up by now!

g. He should have turned back before the winter.

h. You mustn't write in pencil.

i. You don't have to learn all the rules, only the ones that are important.

j. He must have finished. Call him.

k. We must all die sooner or later.

l. You were to meet me in front of City Hall.

m. I missed the first train. I had to take the next one.

n. I thought it my duty to warn him.

o. They waved good-bye... I was never to see them again.

Le pronom *en* et les expressions quantitatives

Les expressions quantitatives (les adverbes de quantité, les numéraux, les indéfinis) doivent, en l'absence d'un nom, s'appuyer obligatoirement sur *en* qui a alors un sens partitif :

Dieu a accordé quarante ans aux Juifs ?

Oui, il leur **en** a accordé quarante.

6. *Répondez aux questions suivantes en employant le pronom* **en** *toutes les fois que c'est possible, et en vous basant sur les indications données entre parenthèses :*

a. Combien de voyages Colomb fit-il en Amérique ? (quatre)

b. Voulez-vous lire le roman sur Évangéline ? (un autre)

c. Qu'est-ce que les Acadiens ont dû apprendre pour rester fidèles à Sa Majesté ? (beaucoup)

d. Est-ce qu'on vous donne beaucoup de travail ? (trop)

e. Agaguk n'avait-il pris qu'un seul couteau ? (plusieurs)

f. Avez-vous lu le dernier livre d'Antonine Maillet ? (tous les autres)

g. Veux-tu que je t'envoie des cartes postales ? (quelques-unes)

h. Connaissez-vous les explorateurs qui sont mentionnés dans le texte ? (aucun)

Accord du verbe avec *qui* sujet

A. En règle générale, l'accord se fait avec l'antécédent :

Cette histoire, vous ne voulez pas me la dire ? Eh bien, c'est **moi** qui **vais** vous la raconter.

Après une apostrophe, le verbe se met naturellement à la deuxième personne :

Notre Père, qui **êtes** aux Cieux...

B. L'accord se fait avec l'attribut :

- lorsqu'il est précédé de l'article défini ou de l'adjectif démonstratif :

  Vous êtes **l'**élève qui **a** le mieux travaillé.

  Vous êtes **cette** personne qui m'**a** été recommandée ?

- lorsque l'attribut est un pronom démonstratif :

  Vous êtes **celui** qui **a** le mieux travaillé.

- lorsque la proposition principale est à la forme négative ou interrogative :

  Vous n'êtes pas un homme qui **sait** se taire.

  Es-tu une personne qui **ment** ?

C. Après *un*(*e*) *de*(*s*), le verbe se met au singulier ou au pluriel, selon que le relatif se rapporte à l'individu ou au groupe :

Il répondit à un des **professeurs** qui l'**interrogeaient**. (plusieurs professeurs l'interrogeaient)

Il répondit à **un** des professeurs qui l'**interrogeait**. (seulement un des professeurs l'interrogeait)

Je suis **un étudiant** qui **fait** bien son travail.

Je suis un étudiant qui **dors** en classe.

7. *Mettez à la personne voulue les verbes entre parenthèses* :

a. C'est vous qui m'en __________ quand vous l'aurez vu. (parler)

b. Êtes-vous la personne qui __________ ce matin ? (téléphoner)

c. C'était un des marins, qui __________ à Saint-Malo. (être engagé)

d. Je ne connais que vous qui __________ répondre. (pouvoir)

e. Vous n'êtes pas la seule qui __________ un beau matin sujette de Sa Majesté le Roi d'Angleterre. (se réveiller)

f. Vous êtes une de ces personnes qui __________ ne pas savoir la vérité. (préférer)

g. Il n'y a que toi et moi qui __________ ce qu'ils sont devenus. (savoir)

h. Tu n'es pas un garçon qui __________ peur de la vérité. (avoir)

i. Je suis une Acadienne qui __________ bien l'Acadie. (connaître)

j. Ce n'est pas moi, c'est toi qui __________ tort. (avoir)

k. Étiez-vous parmi ceux qui __________ en Louisiane ? (être déporté)

l. Chers lecteurs qui __________ mon livre pour la première fois... (ouvrir)

m. Tu es le premier qui ______________. (se plaindre)

n. Je suis celui qui ______________ les décisions. (prendre)

o. Qu'ont-ils trouvé, ceux qui ______________ les premiers ? (arriver)

p. Je suis en train de lire le livre de ce missionnaire qui ______________ longtemps chez les Caraïbes. (vivre)

q. C'était un pauvre homme et ses quatre fils qui ______________ mendier. (venir)

r. Je suis un contribuable qui en ______________ assez de payer des impôts. (avoir)

s. Nous sommes ceux qui ______________ toujours tout faire. (devoir)

t. Nous ne sommes pas de ces gens qui ______________ des étrangers. (se moquer)

Le subjonctif d'alternative (et autres valeurs du subjonctif)

« Qu'on ait déporté l'Acadien en Virginie ou en Nouvelle-Angleterre, peu importe. » (p. 73, lig. 17-19)

Ait déporté est ici un subjonctif d'alternative. La même construction s'emploie pour exprimer la concession, la supposition, une relation de temps ou encore pour mettre la proposition en valeur :

Que ce soit avec cette arme ou les autres... (alternative)

Qu'une bête approche, Agaguk l'entendra. (supposition)

Qu'il fût bon chasseur, il n'en manqua pas moins le loup. (concession)

Que l'enfant pleurniche, Iriook le prenait dans ses bras. (simple relation de temps)

Qu'il soit intelligent, je n'en doute pas. (mise en valeur)

Lorsqu'elle exprime l'alternative, la proposition au subjonctif peut précéder ou suivre la proposition principale selon qu'on veut la mettre en valeur ou non :

Qu'on les ait déportés en Virginie ou ailleurs, peu importe.

Peu importe **qu'on les ait déportés en Virginie ou ailleurs**.

Lorsqu'elle exprime la supposition, la concession ou une relation de temps, la proposition au subjonctif doit obligatoirement être placée en tête de phrase.

8. *Dans les phrases suivantes, indiquez la valeur de la proposition introduite par **que** :*

a. Que ce soit avec cette arme ou les autres, le loup blanc périrait.

b. Que le français du XVIIIe siècle ait survécu au Canada défie la vraisemblance.

c. Que l'animal surgisse, et Agaguk mangeait pendant quelques jours.

d. Que vous veniez de la mer, alors pas de problème.

e. Que les premiers explorateurs européens aient été poussés par la cupidité et la convoitise, aucun historien ne le conteste.

f. Qu'on leur montre des perles de verroterie et ils étaient prêts à donner de l'or en échange.

Les aspects accompli et non accompli

Les formes composées et surcomposées des verbes s'opposent aux formes simples du point de vue de l'aspect : **la forme simple** décrit le procès en train de s'accomplir, et **la forme composée** le procès terminé, accompli :

j'écris (= je suis en train d'écrire)

j'ai écrit (= j'ai fini d'écrire)

L'année dernière, j'**écrivais** tous les matins. (l'action est envisagée dans son déroulement, la pensée se reporte au moment où l'action était en train de se faire)

L'année dernière, j'**ai** beaucoup **écrit**. (l'action est envisagée à partir du moment de l'énonciation, donc terminée, accomplie)

Dans la langue parlée, le **passé composé** a également la valeur d'un temps simple, lorsqu'il remplace le **passé simple** :

J'avais dix ans quand j'ai vu mourir grand-père.

Le **passé antérieur** ne s'emploie que dans deux cas :

- pour marquer l'aspect accompli, en proposition indépendante ou principale (avec une nuance de rapidité) :

  En deux enjambées, il **eut franchi** le fossé.

- pour marquer l'antériorité, en proposition subordonnée, lorsque le verbe de la principale est au passé simple. Il est alors obligatoirement précédé d'une conjonction ou d'une locution marquant l'antériorité* (voir p. 131-132) :

  Quand il **eut tué** le loup, il revint à la hutte.

* le passé antérieur a dans la langue écrite la même fonction que le passé surcomposé dans la langue parlée :

Quand il **a eu fini**, il est sorti.

Quand il **eut fini**, il sortit.

9. *Complétez les phrases suivantes en exprimant l'aspect indiqué* :

non accompli :

a. Tous les jours, quand il fait beau, je ______________. (faire une longue promenade)

b. Quand il arriva devant la hutte, Iriook l' ______________. (attendre devant la porte)

c. Jacques Cartier est né en 1491, l'année même où la duchesse Anne ______________ (épouser) le roi Charles VIII.

d. Je viendrai quand tu m' ______________. (appeler)

accompli :

e. On lui servit du vin ; en deux gorgées il ______________. (vider son verre)

f. Téléphonez-moi vers huit heures, je (j') ______________. (finir de dîner)

g. Cette maison, c'était lui et ses pères qui la (l') ______________. (construire)

h. Nous pouvons partir, je (j') ______________. (faire les valises)

10. *Exprimez par le temps du verbe : a) l'aspect non accompli b) l'aspect accompli* :

1. *partir* :
   a) Quand il arriva, tout le monde ______________.
   b) Quand il arriva, tout le monde ______________.
2. *terminer* :
   a) Quand Allan ______________ sa lecture, son père s'effondra.
   b) Quand Allan ______________ sa lecture, son père s'effondra.
3. *écrire* :
   a) Quand j' ______________ une lettre, je vérifie l'orthographe.
   b) Quand j' ______________ une lettre, je la poste tout de suite.
4. *rêver* :
   a) Dans sa jeunesse, Cartier ______________ d'aventures.
   b) Dans sa jeunesse, Cartier ______________ d'aventures.
5. *rendre* :
   a) Je te rendrai ton livre quand tu me (m') ______________ le mien.
   b) Je te rendrai ton livre quand tu me (m') ______________ le mien.

Stylistique comparée

Les prépositions

L'emploi idiomatique des prépositions diffère souvent dans les deux langues. C'est le cas dans les exemples qui suivent.

1. *Traduisez* :

a. He lived **on** his income.
b. They were not interested **in** exploration.
c. He was disappointed **in** what he found.
d. Who is responsible **for** the accident?
e. We met **as** equals, with mutual respect.
f. The family consisted **of** the parents and three children.
g. They made signs for us to come **on** board.
h. A fire was blazing **in** the hearth.
i. Her voice trembled **with** emotion.
j. They embarked **on** a long journey.
k. Many dangers beset them **on** their journey.
l. We all drank **out of** the same glass.
m. They took pride **in** their profession.
n. The air is fragrant **with** the aroma of the firs.
o. In the morning, he would breakfast **on** a piece of bread, marked **with** a cross.

p. She picked a vase **off** (or **from**) the shelf.
q. He is **on** the telephone.
r. He works **on** the trains.
s. He is **on** several committees.
t. Write **in** ink, please, not **in** pencil.
u. Old people like to sit **in** the sun.
v. Don't stand **in** the rain; you'll catch a cold.
w. The experiment took place **under** favourable circumstances.
x. **Out of** forty thousand, only three thousand survived.
y. The church was **on** fire.
z. I always travel **by** car.
aa. The table is three feet **by** two.
bb. Call the nurse **on** duty.
cc. One European **in** ten was deformed.
dd. The term *Acadian* was synonymous **with** honesty and hospitality.

REMARQUE 1 : L'anglais admet que deux verbes de valeurs différentes (transitif et intransitif, par exemple), ou deux verbes régissant des prépositions différentes, soient suivis d'un même complément. Cette construction n'est pas possible en français :

Those who have visited or lived in Nova Scotia...
Ceux qui ont visité la Nouvelle-Écosse ou qui y ont vécu...

She was useful to and loved by all her children.
Elle était utile à tous ses enfants et était aimée d'eux (tous l'aimaient).

REMARQUE 2 : En français, la préposition doit être répétée devant chacun des compléments :

She was loved by her friends and relatives.
Elle était aimée de ses amis et de ses parents.

Elle ne se répète pas :

- quand les compléments forment un tout considéré globalement, ou quand ils sont étroitement liés par le sens :
  Il a envoyé une invitation à ses amis et connaissances.
- quand ils constituent une locution toute faite :
  Je m'intéresse aux us et coutumes des pays que je visite.
- quand ils désignent un même être ou une même idée :
  Je parlerai de vous à mon collègue et ami...
- quand ce sont des nombres liés par *ou*, marquant une approximation :
  Il habite à quatre ou cinq kilomètres d'ici.

2. *Traduisez les phrases suivantes* :

a. They bought from and sold to the Europeans.
b. I haven't heard from or written to her for ages.
c. Any destruction of or damage to the property will be severely punished.
d. The professor wants to meet with and speak to every student in the class.
e. I am neither fascinated by nor even interested in Canadian history.
f. At one time, we lived in peace and harmony.
g. I am not talking about the blacks or the Indians.
h. Every day, he walked to and from his office.

Les postpositions

L'usage que fait l'anglais des postpositions introduit une grande variété dans l'emploi des verbes, qui prennent des sens divers selon la postposition employée :

to walk (marcher) peut donner : *to walk* ***in*** : entrer
to walk ***out*** : sortir
to walk ***up*** : monter
to walk ***down*** : descendre, etc.

L'anglais aime les nuances exactes ; il se sert de la postposition pour rendre la direction d'un mouvement, et du verbe pour préciser la manière dont se fait le mouvement. *Entrer* se dira *to come in*, mais aussi *to step/run/crawl/hop/drive/ride/sail/tiptoe/steal*, etc. ***in***.

Le français préfère les termes généraux : *entrer, aller, venir*, etc. Pour traduire les verbes à postposition, on rendra le plus souvent la postposition par le verbe français général qui correspond à sa signification, et le verbe anglais par un adverbe, une locution, un gérondif, qui exprimera la manière dont se fait l'action, à moins qu'il n'existe un verbe simple :

The child ran across the room.
L'enfant traversa la pièce en courant.

He rushed down the stairs.
Il descendit l'escalier quatre à quatre.
ou : Il dégringola l'escalier.

Lorsque la façon dont se fait l'action va de soi, ou lorsqu'il n'est pas utile de la préciser, on ne l'exprime pas. Pour traduire, par exemple : *The ship sailed into the harbour*, il suffira de dire : *Le bateau entra dans le port*, car l'idée exprimée par *sailed* est évidente puisqu'il s'agit d'un bateau.

3. *Pour chacun des verbes suivants trouvez le plus grand nombre possible de postpositions, et traduisez en français* :

to walk — to take — to look

4. *Ajoutez autant de nuances que possible à l'idée de* **descendre** (**down**) *et traduisez en français.*

5. *Traduisez les phrases suivantes* :

a. Two years later, he sent out Verrazano to explore other parts of America.

b. Finally, on April 20th, 1534, two small vessels of approximately sixty tons burden sailed out of Saint Malo harbour.
c. Agaguk was wandering about, without following a precise trail.
d. He could see the shape of a large animal crawling closer and closer on its belly...
e. "What is it?" she cried out. "What is it?"
f. He looked around for her, then turned around and walked away.
g. He brushed the crumbs off the table with the back of his hand.
h. He travelled to many parts of the world. I believe he hitchhiked through most European countries.
i. My husband is away. He is flying in at the end of the week.
j. We drew closer to her as she related how her ancestors had been driven away from their homes.
k. She tiptoed in, walked over to the bed and shot him through the head.
l. The train was steaming into the station.
m. Don't stand outside. Come on in out of the sun.
n. After I have read the proposal through, I will think it over.
o. The child was rushed to the hospital; she had been run over by a car.
p. Scratch his name off your list; he has dropped out.
q. I was so tired I slept through the whole lecture.
r. The fields sloped gently down to the river...
s. You are going on a cruise? When are you sailing?
t. "Come on," she said. "Eat up!"

6. Le rôle de la postposition peut être tenu par un adjectif ou par un substantif, ce qui donne lieu à des idiotismes dont voici quelques exemples. *Trouvez un équivalent pour les exprimer* :

a. She shot him dead.
b. She cried herself to sleep.
c. They ate themselves full.
d. He bribed his way out of it.
e. He drank himself drunk every night before going to bed.
f. She had slept half the day away.
g. He shouted himself hoarse.
h. He kissed her tears away.
i. He worked his way through college.
j. I need some money to tide me over.
k. Usually I read myself to sleep.
l. She ate herself sick.

Texte à traduire

Acadian Reminiscences

It seems *but* yesterday, and yet sixty years have *passed away* since my boyhood. How fleeting is time, how swiftly does old age creep upon us with its infirmities.

I was twelve years old, and yet *I can picture* in my mind the noble simplicity of my father's house. *The homes* of our fathers were not showy, but their appearance was smiling and inviting; they had neither quaintness nor gaudiness, but they were as grand in their simplicity as the boundless hospitality of their owners, for no people were more generous or hospitable than the Acadians *who settled* in the magnificent and poetical wilds of the *Teche country*. My father was an Acadian, son of an Acadian, and proud of his ancestry. The term Acadian was, in those days, synonymous with honesty, hospitality and generosity. *By* his indomitable energy, my father had acquired a handsome fortune, and *such was the simplicity of his manners, and such his frugality*, that he lived, contented and happy, on his income.

Our family consisted of my father and mother, of three children, and of my grandmother, a centenarian, whose clear and lucid memory contained a wealthy mine of historical facts that an *antiquarian* or chronicler would have been proud to possess.

In the cold winter days, *the family* assembled in the hall, where a goodly fire blazed on the hearth; and while the wind whistled outside, our grandmother, an exile from Acadia, *would relate* to us the stirring scenes she *had witnessed* when her people were driven from their homes by the British, their sufferings during their long *pilgrimage overland from* Maryland to the wilds of Louisiana, the dangers that beset them on their long journey through endless forests, along the precipitous banks of rivers too deep to be forded; among hostile Indians that followed them stealthily, like wolves, day and night, ever ready to pounce upon them *and* massacre them.

As she spoke, we drew closer to her, and grouped around her *and stirred not*, lest we lose one of her words.

---

but : étoffer
passed away : *away* marque l'aspect progressif du verbe, plutôt que l'aspect terminatif. Traduire cette différence d'aspect par le choix de l'auxiliaire
I can picture : *je revois*
the homes : *les demeures* (style poétique)
who settled : attention au temps du verbe. Replacer le verbe *settle* dans sa situation temporelle par rapport au contexte
Teche country : *pays de Tèche*
by : *grâce à*
such was the simplicity of his manners... : rétablir l'ordre normal des mots
antiquarian : faux ami : (un antiquaire est un commerçant qui achète et revend des objets anciens, tandis que *an antiquarian* (ou *antiquary*) s'intéresse aux objets anciens, les apprécie, les collectionne...
the family : le narrateur fait partie de la famille, il doit donc s'inclure dans le groupe, ce qui ne serait pas le cas si on traduisait par *la famille*
would relate : *would* n'indique pas ici un conditionnel (voir p. 141)
had witnessed : pour la traduction de *to witness*, (voir p. 127)
pilgrimage overland : *par voie de terre* (pour traduire *overland*) est beaucoup trop technique. Rendre *overland* par un nom et supprimer l'idée de *pilgrimage*, ce qui sera repris plus loin pour traduire *journey*
from : étoffer en ajoutant un verbe
and : indique ici le but
as : indique ici la progression
and stirred not : employer une locution pour éviter la répétition de *et*

When she spoke of Acadia, her face brightened, her eyes beamed with a strange brilliancy, and she kept us spellbound, *so eloquent and yet so sad were her words*; and then tears trickled down her *aged* cheeks and her voice trembled with emotion. Under our father's roof she lacked none of the comforts of life. We knew that her children vied with each other to please her, and we wondered why it was that she seemed so sad and unhappy. We were then mere children and knew nothing of the human heart; grim experience had not taught us its sorrowful lessons, and we knew not that a remembrance has often the bitterness of gall, and that tears alone will wash away that bitterness.

Félix Voorhies. *Acadian Reminiscences*,
New Iberia, Louisiana, Frank J. Dauterive, 1907, p. 15-20

Composition : le récit

Un récit est une suite d'actions qui s'enchaînent à un moment déterminé.

A. Ce sont les verbes qui marquent l'**action**. Ils doivent donc être précis. Les temps en sont variés pour caractériser des durées, des moments, des rapports différents.

B. Tout événement que l'on raconte a produit sur nous une certaine **impression** que nous allons tenter de communiquer au lecteur. C'est cette impression qui donne son ton au récit et détermine le choix des détails et du vocabulaire.

C. Pour qu'un récit soit intelligible, il faut :

- situer rapidement l'action, indiquer le lieu, le moment où elle se passe, ce que faisaient les acteurs au moment où survint l'événement que l'on va raconter, etc. C'est l'**introduction**.
- diviser le texte en paragraphes reflétant les diverses étapes du récit. Chacune de ces étapes peut comporter plusieurs moments. La **progression** de l'action doit être évidente. Les événements doivent être présentés dans un ordre logique. Chaque rebondissement de l'action sera marqué, quand cela est nécessaire, par certaines indications qui serviront de liaison entre les diverses parties du récit : *alors*, *voilà que*, *soudain*, *un jour*, etc. L'enchaînement des faits doit paraître se faire tout naturellement. Quelques conseils :

  — au cours du récit, il faudra parfois apporter de brèves explications pour le rendre compréhensible.

  — dans certains cas il sera nécessaire de rapporter les paroles des personnages.

  — quelques descriptions aideront le lecteur à se représenter ce qu'on lui raconte et à éprouver à son tour les sensations qu'a éprouvées le narrateur.
- aboutir à un **dénouement**, qui renseignera le lecteur sur l'issue de l'événement et le sort des personnages.

Préparation (orale)

1. *Relisez la Confession de l'ancêtre Robert (p. 78) et répondez aux questions suivantes* :

a. Quand se passe ce récit ?

b. Quels sont les personnages dont il va être question ?

---

so eloquent [...] : employer *tant* et rétablir l'ordre des mots
aged : l'adjectif *âgé* ne peut s'appliquer qu'à une personne ou à un animal, qui peuvent avoir un âge.

c. Quels détails donnés dans les premières lignes vont rendre plus intelligible la suite du récit ?

d. À quel moment commence le récit de l'événement proprement dit ?

e. Malgré la brièveté de ce récit, on peut distinguer plusieurs moments. Quels sont-ils ? Quelles sont les indications de temps qui marquent chacun de ces moments ?

f. Relevez les phrases qui donnent des explications, et indiquez pourquoi ces explications sont nécessaires à l'intelligibilité du récit.

g. Relevez les descriptions. Dans le portrait des Acadiens, quels sont les mots qui ressortent le plus ? Sur quoi l'auteur insiste-t-il ?

h. Quel est le dénouement ?

i. Quel est le ton du récit ? Quels sont les détails et les mots qui créent l'émotion dominante ?

j. Étudiez les *temps* des verbes :

- soulignez les verbes au passé simple, qui indiquent les actions successives ;
- relevez les verbes à l'imparfait, qui décrivent une situation, une circonstance, etc.
- relevez les autres verbes et examinez les relations de temps qu'ils présentent avec les verbes principaux.

2. Pour être compréhensible, ce récit, isolé du texte, doit être précédé d'une introduction, qui rappellera très brièvement les circonstances qui ont amené à cet événement, et introduira le ou les personnages. Imaginez cette introduction.

Rédaction (écrite)

Lisez attentivement le texte suivant, en notant : l'introduction, les différentes péripéties, le dénouement, les explications et descriptions, le choix des détails et du vocabulaire qui donnent son ton au récit. Reprenez ce récit, en français, en le raccourcissant considérablement, mais en conservant tout ce qui est nécessaire au récit pour qu'il soit intelligible, vivant et intéressant. Choisissez les détails et le vocabulaire qui contribueront à rendre la même impression.
Ne cherchez pas à traduire.

The True Story of Evangeline

Emmeline Labiche was an orphan whose parents had died when she was quite a child. I had taken her to my home, and had raised her as my own daughter. How sweet-tempered, how loving she was! She had grown to womanhood with all the attractions of her sex, and, although not a beauty in the sense usually given to that word, she was looked upon as the handsomest girl of St. Gabriel. Her soft, transparent hazel eyes mirrored her pure thoughts; her dark brown hair waved in graceful undulations on her intelligent forehead, and fell in ringlets on her shoulders; her bewitching smile, her slender, symmetrical shape, all contributed to make her a most attractive picture of maiden loveliness.

Emmeline, who had just completed her sixteenth year, was on the eve of marrying a most deserving, labourious and well-to-do young man of St. Gabriel, Louis Arceneaux. Their mutual love dated from their earliest years, and all agreed that

Providence willed their union as man and wife, she the fairest young maiden, he the most deserving youth of St. Gabriel.

Their banns had been published in the village church, the nuptial day was fixed, and their long love-dream was about to be realized, when the barbarous scattering of our colony took place.

Our oppressors had driven us to the seashore, where their ships rode at anchor, when Louis, resisting, was brutally wounded by them. Emmeline had witnessed the whole scene. Her lover was carried on board one of the ships, the anchor was weighed, and a stiff breeze soon drove the vessel out of sight. Emmeline, tearless and speechless, stood fixed to the spot, motionless as a statue, and when the white sail vanished in the distance, she uttered a wild, piercing shriek, and fell fainting to the ground.

When she came to, she clasped me in her arms, and in an agony of grief, she sobbed piteously. "Mother, mother," she said, in broken words, "he is gone; they have killed him; what will become of me?"

I soothed her grief with endearing words until she wept freely. Gradually its violence subsided, but the sadness of her countenance betokened the sorrow that preyed on her heart, never to be contaminated by her love for another one.

Thus she lived in our midst, always sweet-tempered, but with such sadness depicted in her countenance, and with smiles so sorrowful, that we had come to look upon her as not of this earth, but rather as our guardian angel, and this is why we called her no longer Emmeline, but Evangeline, or God's little angel.

The sequel of her story is not gay, and my poor heart breaks, whenever I recall the misery of her fate...

Emmeline had been exiled to Maryland with me. She was, as I have told you, my adopted child. She dwelt with me, and she followed me in my long pilgrimage from Maryland to Louisiana. I shall not relate to you now the many dangers that beset us on our journey, and the many obstacles we had to overcome to reach Louisiana; this would be anticipating what remains for me to tell you. When we reached the Teche country, at the Poste des Attakapas, we found there the whole population congregated to welcome us. As we went ashore, Emmeline walked by my side, but seemed not to admire the beautiful landscape that unfolded itself to our gaze. Alas! it was of no moment to her whether we strolled on the poetical banks of the Teche, or rambled in the picturesque sites of Maryland. She lived in the past, and her soul was absorbed in the mournful regret of that past. For her, the universe had lost the prestige of its beauties, of its freshness, of its splendors. The radiance of her dreams was dimmed, and she breathed in an atmosphere of darkness and of desolation.

She walked beside me with a measured step. All at once, she grasped my hand, and, as if fascinated by some vision, she stood rooted to the spot. Her very heart's blood suffused her cheeks, and with the silvery tones of a voice vibrating with joy: "Mother! Mother!" she cried out, "It is he! It is Louis!" pointing to the tall figure of a man reclining under a large oak tree.

That man was Louis Arceneaux.

With the rapidity of lightning, she flew to his side, and in an ecstasy of joy: "Louis, Louis," said she, "I am your Emmeline, your long lost Emmeline! Have you forgotten me?"

Louis turned ashy pale and hung down his head, without uttering a word.

"Louis," said she, painfully impressed by her lover's silence and coldness, "why do you turn away from me? I am still your Emmeline, your betrothed, and I have kept pure and unsullied my plighted faith to you. Not a word of welcome, Louis?" she said, as the tears started to her eyes.

"Tell me, do tell me that you love me still, and that the joy of meeting me has overcome you, and stifled your utterance."

Louis Arceneaux, with quivering lips and tremulous voice, answered: "Emmeline, speak not so kindly to me, for I am unworthy of you. I can love you no longer; I have pledged my faith to another. Tear from your heart the remembrance of the past, and forgive me," and with a quick step, he walked away, and was soon lost to view in the forest.

Poor Emmeline stood trembling like an aspen leaf. I took her hand; it was icy cold. A deathly pallor had overspread her countenance, and her eye had a vacant stare.

"Emmeline, my dear girl, come," said I, and she followed me like a child. I clasped her in my arms. "Emmeline, my dear child, be comforted; there may yet be happiness in store for you."

"Emmeline, Emmeline," she muttered in an undertone, as if to recall her name, "who is Emmeline?" Then looking in my face with fearful shining eyes that made me shudder, she said in a strange, unnatural voice: "Who are you?" and turned away from me. Her mind was unhinged; this last shock had been too much for her broken heart; she was hopelessly insane...

Emmeline never recovered her reason, and a deep melancholy settled upon her. Her beautiful countenance was fitfully lightened by a sad smile which made her all the fairer. She never recognized anyone but me, and nestling in my arms like a spoiled child, she would give me the most endearing names. As sweet and as amiable as ever, everyone pitied and loved her.

When poor, crazed Emmeline strolled upon the banks of the Teche, plucking the wild flowers that strewed her pathway, and singing in soft tones some Acadian song, those that met her wondered why so fair and gentle a being should have been visited with God's wrath. She spoke of Acadia and of Louis in such loving words, that no one could listen to her without shedding tears. She fancied herself still the girl of sixteen years, on the eve of marrying the chosen one of her heart, whom she loved with such constancy and devotion, and imagining that her marriage bells tolled from the village church tower, her countenance would brighten, and her frame trembled with ecstatic joy. And then, in a sudden transition from joy to despair, her countenance would change and, trembling convulsively, gasping, struggling for utterance, and pointing her finger at some invisible object, in shrill and piercing accents, she would cry out: "Mother, mother, he is gone; they have killed him; what will become of me?" And uttering a wild, unnatural shriek, she would fall senseless in my arms.

Sinking at last under the ravages of her mental disease, she expired in my arms without a struggle, and with an angelic smile on her lips. She now sleeps in her quiet grave, shadowed by the tall oak tree near the little church at the Poste des Attakapas, and her grave has been kept green and flower-strewn as long as I have been able to visit it.

Felix Voorhies. *Acadian Reminiscences*, p. 81-90

CHAPITRE QUATRE

La table

TEXTE I

L'importance d'un savoir culinaire (extrait)

Se nourrir, en plus d'être essentiel à notre subsistance, est un des rares plaisirs dont nous puissions jouir durant toute notre existence.

Dans les jours de disette comme dans les jours d'abondance, la cuisine fut une réalité qui, petit à petit, s'est développée en un art particulier et qu'on retrouve dans la poésie, la littérature et le folklore. Les légendes et les croyances en cuisine se sont transmises de génération en génération, avec un charme souvent renouvelé.

Avons-nous une cuisine canadienne ? Oui, mais nous avons surtout une cuisine du Québec.

La cuisine d'un pays **témoigne de** sa géographie, de son histoire, de l'ingéniosité gourmande de son peuple et de ses atavismes. De longues périodes de **tâtonnement** et d'expérience s'ajoutent à cela. Au Québec, la cuisine n'échappe pas à ce processus millénaire. Nous sommes de plus très fiers de ses tendances régionales qui forment chez nous, comme ailleurs, les **assises** d'une cuisine riche et variée dont l'originalité et la simplicité sont le signe de sa perfection.

Nos femmes ont longtemps rivalisé d'imagination pour adapter aux besoins ou aux nécessités du pays les plats de nos ancêtres français, transmis **de mère en fille**. Ces plats ont évidemment subi de nombreux changements. Ils sont maintenant nôtres après leur adaptation aux produits des forêts, des plaines, des lacs, des rivières, des fleuves et de la mer, tous soumis à des saisons rigoureusement déterminées. La cuisine du Québec est donc de tradition française mais d'inspiration canadienne.

Les Indiens apprirent aux colonisateurs français à fumer les viandes sous le wigwam, à griller le poisson enroulé sous des rondins d'érable, à trouver dans les

---

témoigner de : *montrer, révéler*
tâtonnement : *essai hésitant et renouvelé. Tâtonner,* c'est se diriger dans l'obscurité au moyen du toucher
assise : *base, fondation sur laquelle on construit*
de mère en fille : *d'une génération à l'autre.* On trouve plus souvent *de père en fils.* Traditionnellement c'étaient les femmes qui étaient chargées de la cuisine.

bois le persil, la sarriette, le thym, les **bleuets**, les framboises blanches, les « **herbes qui guérissent** ».

Les Jésuites[1] s'aperçurent qu'un résidu sucré se déposait sur la viande de gibier, bouillie par l'Indien dans une eau de sève. Ce fut l'origine du sirop d'érable, ce délicieux dessert du Québec, qui se mange aussi sous forme de sucre, le sucre du pays, du nom du **terroir**.

Les Canadiens **sont friands de** sarrasin, **héritage breton**. Les crêpes prennent chez nous le nom de galettes. On les mange parfois avec du beurre et du sucre, mais plus souvent avec de la mélasse. La cassonade, la mélasse et les épices furent apportées par les Anglais.

Autre influence bretonne : la grande miche de pain au levain de pommes de terre, cuite sur un feu de bois. Elle prit au Canada le nom de « pain sur la **sole** », parce qu'elle était cuite sur la sole de pierre d'un four, chauffé avec du bois d'érable très sec. Ces fours à pain existent encore dans le Bas-Québec[2]. On les construisait à quelques pieds de la maison. Quoi de meilleur qu'une grande tranche de **pain de ménage** grillée sur le « poêle à bois » et tartinée de bon beurre frais, battu en crème légère ?

Du Poitou[3] nous avons gardé les **cretons**, les omelettes au lard, les beignets, les gâteaux au lard salé, les crêpes croustillantes et les crêpes à la reine. La Normandie[4] nous a légué, entre autres, le canard aux pommes, la perdrix au chou, les crêpes aux pommes, le cou d'oie farci, les **potées** et les soupes, la compote à la citrouille…

Notre gibier et notre venaison **font les délices de** nos **gourmets**. Il y a les exquis petits **oiseaux de neige** qui passent une fois l'an au-dessus de l'île d'Orléans[5], près de la ville de Québec. **On n'en fait qu'une bouchée**. La perdrix, grasse et savoureuse, est tout imprégnée du parfum des sapins et des baies de genièvre dont elle se nourrit ; l'oie des neiges, plus fine et plus tendre que le meilleur canard ; le **chevreuil**, l'orignal, même le castor dont les amateurs dégustent la queue **en civet**. Le **lièvre** est recherché après les premières vagues de froid et de neige parce qu'il est à ce moment-là plus ferme et rempli de la saveur du sapin dont il mange les bourgeons. Gibier et venaison sont apprêtés aux pommes, au chou, en pâté, en civet ou à la sauce brune du pays.

La cipaille[6], plat de Noël, est un exemple amusant de transformation d'une recette d'origine anglaise. À l'époque coloniale, les Anglais mangeaient le « sea pie », un plat à six rangs de pâte garnis de poisson, de pommes de terre et d'oignon **tranché**

---

bleuet : (ou *bluet*) ; (can.) *myrtille.* En France, *le bleuet* est une fleur bleue qui pousse dans les champs de blé

les « herbes qui guérissent » : autrefois, dans les campagnes surtout, on connaissait toutes sortes de plantes médicinales sauvages, appelées *simples* en botanique

terroir : *campagne, province considérée comme le siège de coutumes, d'habitudes, de goûts typiquement régionaux*

être friand de : *aimer particulièrement.*

héritage breton : les ancêtres des Canadiens français venaient principalement des provinces du Nord-Ouest : Bretagne, Poitou, Normandie

sole : *pierre formant la base du four*

pain de ménage : *grosse miche de pain fait à la maison*

cretons : (can.) *pâté fait de viande de porc hachée très menu*

potée : *plat de légumes et de lard ou viande cuits ensemble dans un pot,* d'où le nom

font les délices de : *sont très appréciés de*

gourmet : *fin connaisseur en matière de cuisine et de vins.* Ne pas confondre avec *gourmand*

oiseau de neige : *petit oiseau migrateur au plumage presque blanc*

on n'en fait qu'une bouchée : ces oiseaux blancs sont si petits qu'on peut les avaler en une seule bouchée

chevreuil : (can.) *cerf.* En fait, le chevreuil de France est beaucoup plus petit

en civet : le civet est un ragoût de lièvre ou de lapin préparé avec du vin rouge, et à l'origine assaisonné de *cive* (autre nom de la ciboule) d'où son nom

lièvre : (can.) *lapin sauvage.* Le lièvre de France est un animal différent, beaucoup plus gros

tranché : (can.) *coupé en tranches.* En français standard *trancher* ne s'emploie que pour ce que l'on sépare d'un seul coup, comme *trancher la tête à quelqu'un,* ou encore au sens figuré *trancher la question*

mince, le tout copieusement arrosé d'eau salée, cuit au four pendant plusieurs heures. Les Français du Canada en conclurent qu'il valait mieux appeler le « sea pie » anglais d'un nom qui indiquât bien sa composition, c'est-à-dire « six pâtes ». Il y avait là aussi quelque ressemblance euphonique. Mais **à la longue** « six pâtes » se changea
5 à son tour en cipaille qui se rapproche plus de l'appellation anglaise. La recette, cependant, s'en éloigne radicalement. C'est maintenant un délicieux pâté de lard, poulet, lièvre et perdrix, le tout aromatisé de thym, sarriette, oignon et persil. Un bouillon bien **corsé** enrobe la pâte du fond et la vapeur aromatique qui s'en dégage cuit les autres rangs de pâte et de viande dans un four lent durant huit à douze
10 heures. La cipaille est un des **régals** gastronomiques du Québec.

Chez nous une gibelotte est l'équivalent de la **bouillabaisse**. Le nom manque d'attrait, mais non pas le plat. Un morceau de petit lard et des légumes aromatiques mijotés dans une bonne quantité d'eau font le **court-bouillon**. On ajoute des poissons variés entiers ou **tronçonnés** lorsque le petit lard est tendre. Après la cuisson,
15 on sert la gibelotte dans des **assiettes creuses**, avec des tranches de miche de pain. La gibelotte est un mets de printemps.

La soupe aux pois est typiquement canadienne-française. Elle est connue et servie dans toute l'Amérique du Nord. Durant l'hiver, les habitants des campagnes en cuisent de grandes quantités à la fois qu'ils congèlent ensuite au froid de l'atmosphère.
20 On en casse **au besoin** un morceau pour le fondre lentement à feu doux. L'arôme qui s'en dégage embaume la cuisine d'un parfum **robuste** d'oignon, de lard, de pois et de sarriette.

Les **fèves** au lard ont une origine mixte franco-anglaise. *Le colon français mijotait les fèves sèches apportées de France* avec de l'oignon et du thym sauvage, *pour les*
25 *manger seules ou avec le gigot* ***des grandes occasions***. Les Anglais firent de même, mais en ajoutant de la mélasse et du rhum aux fèves. Le rhum disparut, la mélasse resta et la cuisson se fit **dès lors** dans un pot à fèves en terre cuite, à cuisson très lente qui, à l'origine, se faisait dans un four à pain.

Le pâté de poulet **a sa façon québécoise**. *Poule bien grasse et tendre, mijotée*
30 *avec des aromates et quelques légumes*. La viande cuite se détache des os. On l'enrobe d'une sauce ivoire, crémeuse et légère, **qui goûte bon** le bouillon de poule bien réduit. On ajoute quelques **pommes noisette**, des pois verts et **des petits oignons**. On verse le tout dans une terrine tapissée de pâte brisée. On recouvre de même pâte et l'on cuit dans un four moyen pour la dorer. La sauce répand son odeur

à la longue : *avec le temps*
corsé : *bien épicé*. On dit aussi *relevé*
régal : *mets délicieux que l'on aime particulièrement*. Peut s'appliquer aussi à d'autres choses qui donnent un grand plaisir : concert, exposition etc. (verbe *se régaler* : *trouver grand plaisir* à quelque chose)
bouillabaisse : *soupe de poisson provençale*. La version québécoise de la bouillabaisse s'appelle *gibelotte*, alors qu'en France, la gibelotte est une fricassée de lapin au vin blanc
court-bouillon : *bouillon composé d'eau, de vin blanc et d'épices diverses, dans lequel on fait cuire le poisson*
tronçonné : (can.) *coupé en morceaux, en tronçons*
assiette creuse : *assiette à soupe*, par opposition à *assiette plate*
au besoin : ici, *quand on en a besoin*. Le sens courant de *au besoin* est plus fort : *en cas de nécessité, s'il le faut vraiment*
robuste : *corsé, épicé*
fève : *sorte de haricot*. Au Canada, désigne tous les haricots
des grandes occasions : *que l'on prépare pour les grandes occasions seulement*
dès lors : *à partir de ce moment-là*
...a sa façon québécoise : *il existe au Québec une recette spéciale pour préparer...*
qui goûte bon : *qui a un bon goût de ...* . Emploi commun (en Belgique, au Québec, dans certaines régions de France) mais erroné du verbe *goûter*, dont le sujet ne peut être qu'une personne ou un animal
pommes noisette : *petites pommes de terre de la grosseur d'une noisette* (remarquez qu'il n'y a pas d'accord)
des petits oignons : *petits* forme avec le nom une unité, un ensemble qui désigne une catégorie particulière ; donc on ne remplace pas *des* par *de* devant l'adjectif pluriel

appétissante. C'est le plat des premières communions, du Jour de l'An, du déjeuner de la mariée et des beaux dimanches en famille.

La tarte à la citrouille, peu connue en France, nous est venue de la Nouvelle-Angleterre. C'est un mets d'automne.

Il sied enfin de mentionner le saumon et la truite de ruisseau. Le Québec **estime** avoir le meilleur saumon, celui de Gaspé, qui arrive sur nos marchés au mois de mai. Le Nouveau-Brunswick et la Colombie Britannique réclament aussi le même honneur. **C'est affaire de goût.** Les petites truites, longues à peine de 7 à 8 pouces, sont grillées **en papillotes** à feu **gai** d'érable bien sec. On les fait aussi dorer dans un grand poêlon en fonte dans du gras de petit salé bien chaud et bien fumant. C'est la spécialité des guides de pêche qui ont, **à juste titre**, la réputation de bien cuire le poisson.

La Canadienne, au cours des ans, **y est allée du sien**, de son nez culinaire et de sa personnalité. Elle **fit sienne** la cuisine héritée de France, la plia aux nécessités et aux influences de son environnement. C'est bien ce qui en fait une cuisine régionale, une cuisine faite aussi d'intuition et de bon sens, une cuisine pleine de traditions qui se manifestent dans les grandes fêtes familiales et religieuses. A-t-on assez parlé du **Réveillon** de la Messe de Minuit et du dîner du Jour de l'An, des réjouissances qui les accompagnent : la bûche de Noël garnie de crème au beurre et servie dans un plat d'argent entouré de branches de sapin et de bouquets de houx ; la **tourtière**, servie chaude pour le Réveillon — son nom provient des jolis plats de faïence apportés au Canada par nos ancêtres. Ils furent ensuite faits dans des formes et des couleurs inspirées par la nature canadienne ; la soupe aux huîtres, fumante et parfumée — les huîtres du golfe du Saint-Laurent la rendent particulièrement savoureuse ; la dinde rôtie, farcie aux pommes de terre ; les canneberges en sauce ; le plum-pudding chaud servi avec une sauce au beurre, qui accuse en cela une forte influence anglaise...

La cuisine canadienne est unique au monde. Seule, en effet, elle a su marier harmonieusement la cuisine française avec tous ses raffinements, la cuisine américaine dont la simplicité apparente cache une richesse et une complexité extraordinaire, et enfin la cuisine traditionnelle québécoise.

Jehane Benoit. *L'Encyclopédie de la cuisine canadienne*,
Montréal, Les Messageries du St-Laurent Ltée, 1969,
p. 10–12

Il sied : verbe *seoir* (assez rare) : *convenir.* Ne s'emploie qu'à la 3e personne du singulier et du pluriel de certains temps
estimer : *penser, juger, être d'avis*
c'est affaire de goût : *cela dépend des goûts*
en papillotes : *enveloppé dans un papier huilé ou beurré*
gai : *assez vif* (en parlant du feu)
à juste titre : *avec raison*
y est allée du sien : *a ajouté sa propre expérience, ses propres idées*
faire sien : *adopter*
Réveillon : *repas traditionnel servi dans la nuit, la veille de Noël ou du Jour de l'An*
tourtière : *sorte de pâté à la viande, spécialité québécoise*

Recette de la soupe aux pois

- 1 livre de pois jaunes, séchés
- ½ livre de lard salé
- 2 ¾ pintes d'eau
- 3 oignons moyens, émincés
- 2 carottes, en cubes
- 2 ou 3 feuilles de laurier
- 1 poignée de feuilles de céleri, émincées
- quelques branches de persil, émincé
- 1 cuillerée à thé de sarriette

1. Laver et égoutter les pois. Les mettre dans une grande casserole avec tous les ingrédients. Porter à ébullition et laisser bouillir pendant 2 minutes. Retirer du feu et laisser reposer pendant 1 heure.
2. Remettre au feu et reporter à ébullition. Baisser le feu et laisser mijoter, couvert, pendant 1 heure ou jusqu'à ce que les pois soient cuits. Assaisonner de sel et de poivre.

Servir tel quel ou en purée en passant au tamis ou au hache-viande, ou encore en utilisant le blender électrique.

Ibid., p. 56

REMARQUE : Le Canada s'est récemment converti au système métrique qui est en vigueur dans la plupart des pays occidentaux et employé presque exclusivement pour les travaux scientifiques. Dans les recettes de cuisine, les quantités sont maintenant mentionnées en millilitres. En France, on pèse les matières sèches et on mesure les liquides (voir p. 125). Au Canada-français, une pinte vaut 4 tasses (*a quart*) tandis que *a pint* (2 tasses) s'appelle une chopine. En France où ces mesures n'ont pas cours, on n'emploie que le litre (demi-litre, quart de litre, centilitres, etc.) et, plus vaguement, le verre.

1 c. à thé serait en France 1 c. à café.
De même 1 c. à table serait 1 c. à soupe.

NOTES

1. **les Jésuites** : les Jésuites ont joué un rôle primordial dans l'histoire de la Nouvelle-France. Ils furent longtemps les seuls éducateurs des fils de colons et se vouèrent dès 1624 à l'évangélisation et à l'éducation des Algonquins et des Hurons. Les *Relations* des Jésuites, commencées en 1632 et poursuivies jusqu'en 1671 ainsi que leur *Journal* (de 1645 à 1755) sont une source précieuse de renseignements sur la vie des Indiens et des pionniers à l'époque de la colonisation
2. **Bas-Québec** : il s'agit probablement du Bas Saint-Laurent, c'est-à-dire les régions situées le long de la rive sud du Saint-Laurent
3. **Poitou** : région de l'Ouest de la France (ancienne province)
4. **Normandie** : région du Nord-Ouest de la France (ancienne province)

5. **l'île d'Orléans** : île du Saint-Laurent, près de la ville de Québec, colonisée dès les origines de la Nouvelle-France
6. **cipaille** : dans son livre *Recettes indiennes et survie en forêt* (Léméac, 1972), Bernard Assiniwi affirme que le six-pâtes adopté par les Québécois du Bas Saint-Laurent depuis plusieurs siècles est en fait d'origine indienne. À base de viandes diverses de gibier, lièvre, perdrix, chevreuil ou orignal, canard sauvage, lapin, disposées sur six couches de pâte, il se dénomme *pag wadjawessi*

ÉTUDE ET EXPLOITATION DU TEXTE

1. Relevez dans le texte les verbes qui signifient *exhaler une odeur* ; les noms qui signifient *odeurs* ou *saveurs* ; les noms *sources d'odeurs* ou *sources de saveurs*, et les adjectifs qui caractérisent ces noms.
2. Les termes se rapportant à la nourriture font essentiellement partie du parler populaire et ont donc subi un certain nombre de modifications en passant d'un continent à l'autre. Citez-en quelques-un et expliquez leur origine et leur évolution. Ce même phénomène se produit-il pour les autres langues principales, anglais et espagnol ? Trouvez-en des exemples.
3. Citez des exemples montrant que la cuisine est un art « qu'on retrouve dans la poésie, la littérature et le folklore ».
4. Est-il exact de dire que « la cuisine d'un pays témoigne de sa géographie, de son histoire, de l'ingéniosité de son peuple et de ses atavismes » ? Relevez dans le texte des exemples de mets qui viennent à l'appui de cette remarque. Trouvez d'autres exemples, dans d'autres pays, qui montrent cette influence.
5. Existe-t-il dans votre région des produits qui ne se trouvent pas ailleurs ? Quelles sont les spécialités culinaires ? La cuisine de votre région reflète-t-elle l'influence des groupes ethniques qui s'y sont installés ? (Par exemple, influence ukrainienne au Manitoba, allemande en Nouvelle-Écosse, mexicaine en Californie, hollandaise en Pennsylvanie, cubaine en Floride, etc.)
6. Pensez-vous qu'il est important de conserver les traditions culinaires de son pays d'origine ? Quel rôle jouent-elles dans la conservation de la culture ?

TEXTE II
Maria Chapdelaine

Les Chapdelaine ont une concession au milieu des bois, dans la région du lac Saint-Jean[1]. Au printemps, le père, ses trois fils et son **homme engagé** (Edwige Légaré) travaillent à **faire de la terre**, tandis que la mère et la fille aînée, Maria, s'occupent aux **soins du ménage**.

À midi Maria sortit sur le seuil et annonça par un long cri que le dîner[2] était prêt. Les hommes se redressèrent lentement parmi les souches, essuyant **d'un revers de main** les gouttes de sueur qui leur coulaient dans les yeux, et prirent le chemin de la maison.

---

homme engagé : (can.) *domestique, ouvrier agricole*
faire de la terre : (can.) *défricher une terre pour la rendre propre à la culture*
soins du ménage : *travaux de la maison*
d'un revers de main : *du dos de la main*

La soupe aux pois fumait déjà dans les assiettes. Les cinq hommes s'attablèrent lentement, comme un peu étourdis par le dur travail ; mais *à mesure qu'ils reprenaient leur souffle leur grande faim s'éveillait et bientôt ils commencèrent à manger avec avidité.* Les deux femmes les servaient, remplissant les assiettes vides, apportant le grand
5 plat de lard et de pommes de terre bouillies, versant le thé chaud dans les tasses. Quand la viande eut disparu, les dîneurs remplirent leurs soucoupes de sirop de sucre dans lequel ils trempèrent de gros morceaux de pain tendre ; puis, bientôt rassasiés parce qu'ils avaient mangé vite et sans un mot, ils repoussèrent leurs assiettes et **se renversèrent** sur les chaises avec des soupirs de contentement,
10 plongeant leurs mains dans leurs poches pour y chercher les pipes et les **vessies de porc** gonflées de tabac.

Edwige Légaré alla s'asseoir sur le seuil et répéta deux ou trois fois : « J'ai bien mangé... J'ai bien mangé... » de l'air d'un juge qui rend un **arrêt** impartial, après quoi il **s'adossa** au chambranle et laissa la fumée de sa pipe et le regard de ses
15 yeux pâles suivre dans l'air le même vagabondage inconscient...

Louis Hémon. *Maria Chapdelaine*, Toronto, MacMillan, 1944, p. 42-43 [1re publication : 1913]

TEXTE III

La Scouine

De son grand couteau pointu à manche de bois noir, Urgèle Deschamps, assis **au haut bout de la table**, traça rapidement une croix sur la miche que sa femme Maço venait de sortir de la huche. Ayant ainsi marqué du signe de la rédemption le pain du souper, l'homme se mit à le couper par morceaux qu'il empilait devant lui. Son
20 pouce laissait sur chaque tranche une large tache noire. C'était là un aliment massif, lourd comme du sable, au goût **sur** et amer. Lorsqu'il eut fini sa besogne, Deschamps ramassa soigneusement dans le creux de sa main les miettes à côté de son assiette et les avala d'un coup de langue. Pour se désaltérer, il prit une terrine de lait posée là tout près, et se mit à boire **à longs traits**, en faisant entendre, de la gorge, un sonore **glouglou**.
25 Après avoir remis le **vaisseau** à sa place, il s'essuya les lèvres du revers de sa main sale et calleuse. Une chandelle posée dans une soucoupe de faïence ébréchée mettait un rayonnement à sa figure barbue et fruste de travailleur des champs. L'autre bout de la table était à peine éclairé, et le reste de la **chambre** disparaissait dans une ombre vague...

Soudain, un grondement souterrain ressemblant à un sourd roulement de tonnerre
30 se fit entendre. *C'était **un manoeuvre**, le petit Baptiste, qui venait de **basculer** dans*

---

se renverser (sur sa chaise) : *s'incliner en arrière en s'appuyant au dossier*
vessies de porc : utilisées comme une sorte de poche, de sac
arrêt : *jugement*
s'adosser (à quelque chose) : (formé sur *dos*) *appuyer son dos contre quelque chose.* On forme également *s'agenouiller* (sur *genoux*) et *s'accouder* (sur *coude*)
au haut bout de la table : *à la tête, à la place principale*
sur : (d'un goût) *aigre, acide*
à longs traits : *avidement, à grandes gorgées*
glouglou : onomatopée ; imitation du bruit d'un liquide coulant d'une bouteille ou d'un tuyau
vaisseau : (can.) *terrine à lait*
chambre : (can.) *pièce.* En France, *chambre* désigne seulement *la chambre à coucher*
un manoeuvre : *un ouvrier qui fait des travaux ne demandant aucune formation spéciale, en général des travaux pénibles*
basculer : emploi dialectal. Comme *échapper* et *tomber, basculer* doit avoir comme sujet l'objet qui tombe, et non la personne qui le fait tomber

la cave profonde un tombereau de pommes de terre. L'instant d'après, il entrait dans la cuisine où Deschamps attendait d'un air morne.

*L'**homme de peine**, très petit, était d'une laideur grandiose.* Une tête énorme de **mégacéphale** surmontait un tronc très court, paraissait devoir l'écraser de son poids. Ce **chef** presque complètement dépourvu de cheveux, ressemblait à une aride butte de sable sur laquelle ne poussent que quelques brins d'herbe. La **picote** avait outrageusement **labouré** ses traits et son teint était celui d'un homme souffrant de la jaunisse. Ajoutons qu'il était borgne. Sa bouche édentée ne laissait voir, lorsqu'il l'ouvrait, que quelques chicots gâtés et noirs comme des souches. Il se nommait Baptiste Bagon **dit le Coupeur**. En entrant, il jeta dans un coin son vieux chapeau de paille, puis ayant relevé les manches de sa chemise de coton, se mit à se laver les mains dans un bassin en bois. Pendant qu'il procédait à cette sommaire toilette, la porte s'ouvrit brusquement et trois bambins entrant à la course, allèrent s'asseoir côte à côte sur un sofa jaune disposé le long du mur. Bagon s'essuya les mains au rouleau en toile accroché à la cloison, et vint se mettre à table. **Gourmandement**, il examina d'un coup d'œil ce qu'il y avait à manger et sa figure exprima une profonde déception. Il avait espéré mieux et était cruellement déçu. Les enfants s'approchèrent à leur tour et le repas commença. Deschamps tenait son bol de soupe à la hauteur de sa bouche pour aller plus vite. Comme lui, les autres lapaient rapidement, et les **cuillers** frappèrent bientôt bruyamment le fond des assiettes vides. Bagon piqua de sa fourchette un morceau de lard et deux grosses pommes de terre **à la coque**, à la mode de Maço, c'est-à-dire non pelées, et cuites dans le **canard**. À la première bouchée, il fit une vilaine grimace et ses joues eurent des ballonnements grotesques, de brusques et successifs mouvements de droite et de gauche.

— **Batêche**, jura-t-il enfin, c'est chaud ! ...

Le repas continuait monotone et triste.

Et chacun mastiquait gravement le pain sur et amer, lourd comme du sable, que Deschamps avait marqué d'une croix...

— Allez donc **m'cri ane tasse d'eau**, dit Bagon en regardant du côté des jeunes.

Pas un ne bougea.

Alors Bagon se leva lui-même, mais **il en fut pour son trouble**. *Le gobelet résonna sur le fond du seau. Celui-ci était vide...* **Comme** dessert il alluma sa courte pipe de terre, et une fumée bleue et âcre s'éleva lentement au plafond traversé de solives équarries. **Repus**, les enfants regardaient les figures fantastiques que leur imagination leur faisait entrevoir dans le crépi du mur.

Albert Laberge. *La Scouine*,
Montréal, Les Quinze, 1918, p. 9-12

---

homme de peine : *ouvrier à qui on confie les travaux pénibles*
mégacéphale : du grec *megas* (grand) et *kephalê* (tête)
chef : *tête* (archaïque). Ne s'emploie plus qu'ironiquement, ou dans certaines expressions idiomatiques
picote : nom vulgaire de *la variole*
labouré : *creusé de marques profondes* (comme les sillons de la terre labourée)
dit le Coupeur : *surnommé le Coupeur*. Dans les campagnes, on a coutume de donner des surnoms qui soulignent un trait caractéristique de la personne, ou indiquent son occupation. C'est Bagon qui est chargé de châtrer les animaux, d'où son surnom
gourmandement : *d'une façon gourmande* (inhabituel)
une cuiller : forme moins fréquente de *une cuillère*
à la coque : *en robe des champs, bouillies dans leur peau*, par analogie avec *œuf à la coque.*
canard : au Québec, *petite marmite*
batêche : (can.) peut-être une altération de *baptême*. La plupart des jurons canadiens-français ont trait aux choses sacrées
m'cri ane tasse d'eau : *me quérir une tasse d'eau* (transcription du parler de Baptiste). *Quérir* (chercher), d'un usage dialectal ou littéraire, ne s'emploie qu'à l'infinitif
il en fut pour son trouble : *ce fut en vain, il prit cette peine pour rien. Trouble* : (can.) *peine*
comme : *pour, en guise de*
repu : participe passé de (*se*) *repaître*

NOTES

1. **lac Saint-Jean** : grand lac (1 060 km^2 du Québec qui se déverse par le Saguenay dans le Saint-Laurent)
2. **dîner** : les trois repas de la journée sont : le petit déjeuner (le matin), le déjeuner (à midi), le dîner (le soir). Le souper est le petit repas que l'on prend tard le soir, en sortant du spectacle, par exemple. Cependant au Canada, comme dans de nombreuses régions de France, surtout à la campagne, les trois repas sont appelés : le déjeuner, le dîner, le souper

ÉTUDE ET EXPLOITATION DES TEXTES

1. Dans la langue populaire du Canada francophone on trouve, comme dans toute langue populaire — et qui plus est, transplantée — des archaïsmes, des formes dialectales, des néologismes. Relevez des exemples de chacune de ces formes.

2. Relevez toutes les phrases qui expriment un rapport d'antériorité.

3. Les repas décrits par les deux auteurs se composent à peu près des mêmes aliments. Cependant l'effet produit est diamétralement opposé. Relevez les détails qui contribuent à créer cette impression. Notez les différences dans le vocabulaire : les mots qui sont employés pour qualifier les aliments, et l'attitude des convives.

4. Quel était le rôle de la femme dans la société rurale du début du siècle ? Quels étaient les facteurs géographiques, sociaux-culturels etc. qui déterminaient ce rôle ? Comment le rôle traditionnel de la femme a-t-il évolué et quels sont les facteurs qui ont rendu possible cette évolution ?

Remarques de style

« Dans les jours de disette comme dans les jours d'abondance, la cuisine fut une réalité qui... s'est développée en un art particulier... »

Remarquez l'emploi du passé simple et du passé composé dans une même phrase. Le passé simple *fut* situe le fait dans un passé circonscrit, sans rapport avec le moment de l'énonciation. Le passé composé *s'est développée* ajoute à la valeur d'accompli de la forme temporelle la valeur annexe du résultat actuel du procès accompli : *nous avons aujourd'hui le résultat de ce développement.*

« Le colon français mijotait les fèves sèches apportées de France... pour les manger seules ou avec le gigot des grandes occasions. »

Le *pour* n'indique pas ici le but, ou, si l'on veut, l'idée de but est extrêmement affaiblie au profit de l'idée de simple succession.

« Poule bien grasse et tendre, mijotée avec des aromates et quelques légumes. »

Une phrase elliptique est une phrase à laquelle il manque un ou plusieurs éléments. C'est un procédé de style qui peut servir à donner une impression de rapidité, à briser la monotonie des phrases, à éviter des répétitions, à attirer l'attention, à communiquer une impression de façon plus directe, etc.

« ... à mesure qu'ils reprenaient leur souffle, leur grande faim s'éveillait et bientôt ils commencèrent à manger avec avidité... »

À mesure que marque le développement proportionnel de deux actions simultanées (voir p. 156). Le sens de la phrase est : *ils reprenaient peu à peu leur souffle, et leur faim augmentait en proportion.*

« C'était un manoeuvre, le petit Baptiste, qui venait de basculer dans la cave profonde un tombereau de pommes de terre. »

C'est... qui (ou *que*) sert à détacher et mettre en relief un élément quelconque de la phrase. Ici : *un manœuvre, le petit Baptiste.*
Si un complément d'objet indirect ou un complément circonstanciel est mis ainsi en relief, la préposition qui l'introduit doit le précéder :

C'est **à vous** que je parle.

C'est **par lui** que je l'ai appris.

Avec *c'est... qui* le verbe *être* s'accorde généralement avec le sujet (l'attribut) qui le suit :

Ce **sont** les enfants qui arrivent.

Ce **sont** eux...

Cependant, on dit toujours : *c'est nous, c'est vous,* et dans la langue familière on emploie toujours le singulier.
C'est peut rester au présent ou bien se mettre au temps du verbe suivant (surtout aux temps simples).
C'est... qui (que) est parfois appelé tour de présentation (voir p. 152).

« L'homme de peine, très petit, était d'une laideur grandiose. »

Construction rapprochant deux mots habituellement incompatibles. La laideur repousse, produit un sentiment désagréable, tandis qu'un spectacle grandiose impressionne par sa majesté, éveille l'admiration. Quel effet produit cette alliance de mots insolite ?

« Le gobelet résonna au fond du seau. Celui-ci était vide... »

Notez les phrases brèves, l'absence de charnières. La suppression de conjonctions (*alors, mais, parce que,* etc...) dramatise le récit, rend les faits plus frappants.

Exercices de style

1. *Refaites les phrases suivantes en reliant par* **pour** *les deux éléments (dites si* **pour** *exprime une idée de but ou une succession avec légère opposition)* :

a. Deschamps tenait son bol à la hauteur de sa bouche ; ainsi il allait plus vite.

b. Emmeline s'endormit dans mes bras ; elle ne devait plus jamais se réveiller.

c. Ils s'arrêtèrent ; ils avaient besoin de reprendre leur souffle.

d. Ils s'arrêtèrent ; ils repartirent presque aussitôt.

e. On ne rit pas devant les étrangers ; on ne veut pas leur laisser croire qu'on se moque d'eux.

f. Cartier entra dans ce qu'il croyait être un détroit, mais il s'aperçut que ce n'était qu'une baie.

2. *Continuez les phrases elliptiques suivantes* :

a. Elle avait le type pur des femmes de la race antillaise des Arawaks. Taille moyenne,

b. Le climat est un des plus rudes du monde. Hivers longs et rigoureux,

3. *Dans les phrases suivantes, mettez successivement en relief chacun des éléments soulignés au moyen de* ***c'est... qui (que)*** :

   a. De son grand couteau pointu, Urgèle Deschamps traça rapidement une croix sur la miche que sa femme venait de sortir de la huche. (5 phrases)

   b. Il s'essuya les mains au rouleau en toile accroché à la cloison. (3 phrases)

Traduction

Traduisez les phrases suivantes en employant le vocabulaire et les expressions des textes :

1. Besides having kept, in essence, the traditions of the French provinces where it originated, Canadian cooking reveals the geography and the climate of the country where it developed.
2. Typical Canadian dishes are plain, tasty concoctions whose simplicity is a sign of perfection.
3. After the first frost, the flesh of the rabbit is fragrant with the aroma of firs, whose buds constitute its main diet.
4. If the Christmas specialty called "cipaille" sounds phonetically almost like the English "sea-pie", its present recipe is radically different.
5. Maria stepped out the door, brushed away with the back of her hand the long strands of hair falling in her eyes and called the men. A few minutes later, they came in.
6. After he had cut the bread, he would pile it up on a chipped stoneware plate that had been brought to Canada by his ancestors.
7. Edwige Légaré had worked as a hired man for the Chapdelaines every summer for the past eleven years. In time, he had become almost one of the family.
8. As the years went by, his life was getting duller. In the morning, he would breakfast on a piece of sour and bitter bread, and in the evening, after his day's work, before going to sleep alone on the old yellow sofa, he again would dine on a piece of sour and bitter bread, marked with a cross.
9. In the woods of Quebec, all kinds of wild berries are plentiful, but the blueberry is the most abundant and the tastiest of all.
10. The baking of bread was done once a week in the oven that had been built five years earlier twenty steps from the house.
11. It was the Indians who taught the French settlers how to smoke meat.
12. A loud crash was heard. A short while later, Edwige came into the kitchen.
13. After slicing the bread, he would pick up the crumbs he had dropped on the table.

Étude de vocabulaire

Les préfixes privatifs

Inconscient signifie *qui n'a pas conscience.*

Le préfixe **in-** marque la privation. Les autres préfixes privatifs sont :

a- : aseptique

an- : (devant une voyelle) **an**onyme, **an**archie

dé-, **dés-**, **dis-** : **dé**loyal, **dés**ordonné, **dis**semblable

é-, **ef-**, **es-** : écervelé, **ef**feuillé, **es**soufflé

in- (**ig-**, **il-**, **im-**, **ir-**) : **in**imitié, **ig**noble, **il**logique, **im**parfait, **ir**respectueux

mal-, (**mau-**), **mé-** **més-** : **mal**adroit, **mau**ssade, **mé**connaissable, **més**entente.

non-, : **non**chalant (sur le verbe archaïque *chaloir* signifiant *importer*)

ATTENTION à la prononciation :

in- ou **im-** devant une consonne autre que *n* ou *m* : ɛ̃ comme dans *pain*.
(le *n* ou *m* fait partie de la première syllabe et la syllabe est nasale). *in*-valide, *im*-possible

— **in**(**n**)- ou **im**(**m**)- devant une voyelle : /i/ (le *n* ou *m* fait partie de la deuxième syllabe) : i-no-xydable, i-mmo-bile

1. *Expliquez ce que c'est qu'* :

un non-sens
un antidote
une mésalliance
un non-lieu
une malédiction
une dissension
une disgrâce
une effeuilleuse
une anomalie
une indemnité
un fait indubitable
un acte illicite
un corps disproportionné
un animal acéphale
un visage décharné
une chemise immaculée
une réponse incongrue
une faute irréparable
un son discordant
une haine implacable

Les familles de mots

Tous les mots issus d'une même racine forment une famille de mots. Par exemple, les mots : *manette, menotte, manier, manipulation, manivelle, manœuvre, manuscrit* sont évidemment de la famille de *main.*

2. *Complétez les phrases suivantes au moyen d'un mot de la famille de* **chef** *(latin* **caput***) et expliquez-en le sens précis* :

a. La peine de mort se dit aussi la peine ________________.
b. Ottawa est la ________________ du Canada, Washington celle des États-Unis.
c. Le grade de ________________ se place entre celui de lieutenant et celui de commandant.
d. La guillotine servait à ________________ les condamnés à mort.
e. Sur la table de nuit se trouvait une lampe de ________________.
f. Le sens étymologique de ________________ est : *tomber la tête en avant.*
g. Un couvre- ________________ est un synonyme plaisant de *chapeau.*
h. Les robes de moines ont souvent un ________________ pour couvrir la tête.
i. En architecture, la tête d'une colonne s'appelle un ________________.
j. Un vin ________________ monte facilement à la tête.

Idée de rémunération

Cette idée s'exprime au moyen de termes précis.

3. *Dites qui touche* :

un salaire
des émoluments
un cachet
une solde
une journée
un mois
un traitement
des appointements
des honoraires
une paie (paye)
une semaine
des gages

Idée de démesure

4. Tous les adjectifs de la liste qui suit signifient *énorme, immense,* mais ils ne sont pas toujours interchangeables. *Complétez les phrases au moyen d'un de ces mots* :

ample
colossal
géant
herculéen
incommensurable
monstre
monstrueux
titanesque
vaste
volumineux

a. Une foule ______________ emplissait l'arêne.
b. Le manœuvre avait un visage ______________.
c. Il est d'une bêtise ______________.
d. Dans le Nord, on cultive des légumes ______________.
e. Il possède une fortune ______________.
f. Les vêtements ______________ sont très confortables.
g. Cet homme est doué d'une force ______________.
h. La construction des pyramides était une entreprise ______________.
i. Tous les jours, le président reçoit un courrier ______________.
j. Le sujet que vous avez choisi est trop ______________.

Les onomatopées

Les onomatopées sont des mots imitatifs dont les phonèmes reproduisent approximativement certains sons ou certains bruits.

5. *Complétez les onomatopées suivantes au moyen d'un complément de nom approprié* :

le glouglou ___(l'eau)___
le ding-dong ___la cloche___
le froufrou ______________
le cliquetis ___"clancing"___
le tic-tac ___d'un réveil___
le cocorico ___coq___
le coin-coin ______________
le ronron ___le chat___
le hi-han ___âne___
le coucou ______________

6. *Dans quelles circonstances entend-on les onomatopées suivantes :*

toc-toc !	vlan !	pst !	plouf !
aïe !	crac !	boum !	paf !
patatras !	ouf !	clac !	brrr !
atchoum !	floc !	hi, hi, hi !	chut !

Idée de nourriture

Le français dispose d'un certain nombre de mots pour exprimer cette idée. Leur sens est souvent très proche, mais ils s'emploient selon le point de vue auquel on se place, alors qu'en anglais on peut dans tous les cas employer le mot *food*.

- sens général, valeur nutritive :

  Nous dépensons autant pour la **nourriture** que pour le logement.

  Le pain complet est un excellent **aliment**.

- goût, préparation :

  Ma mère fait de la bonne **cuisine**.

  La compagnie était agréable et le **repas** excellent.

  La perdrix est un **mets** de choix.

  N'allez pas à ce restaurant, **on** y **mange** mal.

  Les maisons recommandées pour leur **table** sont indiquées par une étoile.

- denrées nécessaires à la consommation :

  Je fais mes **provisions** une fois par semaine.

  Au bout de 5 à 6 semaines, les **vivres** vinrent à manquer.

  Le **ravitaillement** était distribué contre des tickets.

  Emportez des **victuailles** pour le voyage.

  Il a fait fortune dans l'**alimentation**.

- denrées nécessaires à la préparation :

  Avez-vous tous les **ingrédients** nécessaires pour faire une bouillabaisse ?

De même le verbe *to feed* se traduira de diverses façons : *(se) nourrir*, *(s') alimenter*, *(se) ravitailler*, *donner à manger*, *approvisionner*, *faire manger*, *servir*, etc.

7. *Traduisez les phrases suivantes :*

a. At what time do you **feed** the children?

b. For dinner, she would **feed** them soup and potatoes and not much else.

c. There are several hotels in town where the **food** is good.

d. The patient is beginning to take some **food**.

e. We had no **food** left at home; I had to go to the supermarket.

f. She felt dizzy; it must have been the lack of **food**.

g. You should **feed** the cat only once a day.

h. Sweets don't have much **food** value.

i. Without the **food** supply given by the Red Cross, many nations could not survive.

j. Eat your **food**!

k. The evolution of cooking often depends on the **foods** available.

l. Is there a **food** department in this store?

m. Honey is supposed to be a complete **food**.

n. On the farms, women used to eat only after the men had been **fed**.

o. The **food** was mostly salt pork and potatoes.

Odeurs et saveurs

8. *Trouvez plusieurs synonymes du verbe* **sentir** *pour dire* :

respirer avec soin pour distinguer une odeur
respirer l'odeur d'un mets
exhaler une odeur désagréable
exhaler une odeur agréable

9. *Complétez au moyen d'un nom source d'odeur* :

le parfum	______	les relents	______
le fumet	______	la senteur	______
les émanations	______	la puanteur	______
les miasmes	______	l'arôme	______
les effluves	______	le bouquet	______

10. *Dites ce qui peut dégager une odeur* :

entêtante	fétide	de moisi
âcre	rance	de renfermé
fraîche	écœurante	de roussi
suffocante	poivrée	résineuse
lourde	capiteuse	nauséabonde

11. *Dites ce qui peut avoir un goût* :

fade	faisandé	rafraîchissant
aigre	piqué	douceâtre
acide	corsé	juteux
sur	rance	piquant
amer	âpre	fruité

Locutions contenant le mot *coup*

12. Les phrases suivantes contiennent des expressions formées avec le mot *coup*. *Expliquez-les et traduisez-les.*

a. Malgré les **coups durs** qui lui sont arrivés, il a eu la force de **tenir le coup**.

b. Vous avez gagné à la loterie ? Ça, c'est un **coup de chance** !

c. J'ai pas mal de choses à faire. Pourriez-vous me donner un **coup de main** ?

d. Il a agi sur un **coup de tête**.

e. Si vous restez trop longtemps sur la plage, vous allez attraper un **coup de soleil** !

f. Sa voiture a percuté contre un arbre, et il a été tué **sur le coup**.

g. Si une seule action produit un double résultat, on dit qu'on a **fait d'une pierre deux coups**.

h. Il examina d'un **coup d'œil** ce qu'il y avait à manger.

i. Les enfants entrèrent **en coup de vent**.

j. Mes pareils à deux fois ne se font point connaître,
Et pour leurs **coups d'essai** veulent des **coups de maître**
[Corneille]

k. Si tu veux réussir à ton examen, il va falloir **en mettre un coup** !

l. Napoléon prit le pouvoir par un **coup d'État**.

m. La faillite de son usine lui a porté le **coup de grâce**.

n. Quand il la vit, ce fut le **coup de foudre** !

o. Entrez donc **boire un coup** !

p. Je vous donnerai un **coup de fil** vers les 8 heures.

q. Oui, Monsieur l'agent, c'est lui qui a **fait le coup**.

r. Il soigne ses maux de tête **à coup d'**aspirine.

s. **Ce coup-ci** vous n'allez pas **rater votre coup** !

t. Si je me lève trop tôt, vers midi j'ai le **coup de pompe**.

Le système métrique

Le **mètre** (équivalent à 39,37 pouces) se divise en :

10 décimètres (dm)
100 centimètres (cm)
1 000 millimètres (mm)

Le **kilomètre** égale 1 000 mètres (5/8 d'un mille).

L'unité de masse est le **kilogramme** (kg) qui se divise en :

10 hectogrammes (hg)
100 centigrammes (cg)
1 000 grammes (g)

Le **quintal** = 100 kg

La **tonne** = 1 000 kg

Dans le commerce de l'alimentation, on emploie aussi parfois :

la **livre**, qui vaut un demi-kilo
le **quart**, qui équivaut à 250 g

Pour les liquides (et les matières sèches, blé, avoine, etc.) l'unité de mesure est le **litre**, qui est le volume d'un kg d'eau pure, pesé sous certaines conditions de température et de pression, et qui se divise en :

10 décilitres (dl)
100 centilitres (cl)

Le **demi-litre** égale la moitié d'un litre.

Le **quart** égale un quart de litre.

Le **demi** est une mesure utilisée dans les cafés pour servir la bière.

Expressions indiquant les poids et mesures :

Je mesure 1,65 m et je pèse 56 kilos.

Cette pièce mesure 3 m sur 5.
Sa longueur est de 5 m.
Elle a (mesure) 5 m de long(ueur).
Elle est longue de 5 m.
Sa largeur est de 3 m.
Elle a (mesure) 3 m de large.
Elle est large de 3 m.

Le mur a 4 m de haut(eur).
Il est haut de 4 m.
Sa hauteur est de 4 m.

Le lac a une profondeur de 10 mètres.
Il a 10 m de profondeur.

Le Mont Blanc a une altitude de 4 807 m.
Il a 4 807 m d'altitude.
Denver est à plus de 1 500 m d'altitude.

13. *Choisissez dans chaque groupe la réponse qui vous paraît exacte* (Les nombres ont été arrondis.) :

a. Si vous pesez 54 kilos, vous pesez :

_____125 livres _____119 livres _____115 livres

b. Si vous mesurez 1,65 m, vous mesurez :

_____5 pieds 6 pouces _____5 pieds 2 pouces _____6 pieds

c. Si vous mettez 175 gr de sucre dans votre gâteau, vous y mettez :

_____½ livre _____6 onces _____4 onces

d. Vos truites sont longues de 25 cm donc :

_____de 9 à 10 pouces _____de 10 à 11 pouces _____de 8 à 9 pouces

e. Ce village est à 3 000 m d'altitude, ou :

_____8 324 pieds _____8 941 pieds _____9 842 pieds

f. Vous habitez à 1,6 km du village, c'est :

_____un mille _____moins d'un mille _____plus d'un mille

14. *Traduisez* :

a. How tall are you?

b. How far is Quebec City from here?

c. This lake is two miles long.
d. This book is two centimetres thick.
e. How deep is the water?
f. The Eiffel tower is 320 metres high.
g. He is of medium height.
h. This building is a hundred feet wide.
i. Lake St. John has an area of 375 square miles.
j. He is two inches taller than I am.
k. However, I am heavier than he is.
l. What is your weight?

Distinctions

témoigner (de) / être témoin (de)

Témoigner signifie :

- *rapporter ce qu'on sait,* le plus souvent en justice :

  Est-il possible de **témoigner** contre son conjoint ?

  J'accepte de **témoigner** en votre faveur.

  Elle **a témoigné** qu'elle connaissait l'accusé.

  Elle **a témoigné** connaître l'accusé.

- *manifester ses sentiments, sa pensée* :

  Je suis très touché de la sympathie que vous m'**avez témoignée**.

Témoigner de signifie :

- *confirmer la vérité, la valeur de* (quelque chose) :

  Il était très laid, je peux en **témoigner**.

- *montrer, être le signe, la preuve de* (quelque chose) :

  La cuisine d'un pays **témoigne** de sa géographie.

Être témoin de (quelque chose) signifie :

- *assister à* (un événement, un fait) :

  Nous **avons été témoin** de l'accident.

  J'**étais témoin** de disputes continuelles.

1. *Refaites les phrases suivantes en employant* ***témoigner*** *ou* ***être témoin*** :

a. Je ne sais comment vous exprimer ma reconnaissance.
b. Emmeline avait assisté à la lutte au cours de laquelle son fiancé avait été blessé.
c. La cuisine du Québec est une preuve de la survivance des traditions.
d. Tu dois dire que j'étais chez toi à l'heure du crime.
e. Il ne suffit pas d'exprimer son amour, il faut aussi le montrer.

f. Je voyais sa tristesse sans pouvoir la consoler.

g. Elle nous racontait les scènes émouvantes auxquelles elle avait assisté.

h. Votre composition montre une vive imagination.

plus / davantage

Plus peut modifier un verbe, un adjectif ou un adverbe :

Je ne peux pas vous en **dire plus**.

La morue est **plus savoureuse** que le hareng.

La soupe aux pois doit cuire **plus lentement** que les fèves.

Davantage modifie toujours un verbe. Il s'emploie de préférence à *plus* en fin de phrase ou de proposition ou lorsqu'il suit le verbe :

Il aurait voulu **manger davantage**, mais le canard était vide.

Si un adjectif est représenté par le pronom *le*, attribut, on emploie *davantage*, ou *plus* renforcé par un autre mot (*bien*, *beaucoup*, *encore*) :

Le hareng est savoureux, mais la morue **l'est davantage**.

Le hareng est savoureux, mais la morue **l'est encore plus**.

Davantage de = plus de devant un nom :

Il faudrait acheter **davantage de (plus de) poisson**.

REMARQUE : Si on emploie *plus* en fin de proposition, le **s** final se prononce

2. *Remplacez les tirets par* **plus** *ou* **davantage** :

a. Le mot *cipaille* se rapproche ____________ de l'appellation anglaise.

b. L'oie des neiges est ____________ fine que le meilleur canard.

c. Si tu mangeais ____________, tu serais en meilleure santé.

d. Il voulait savoir s'il y en avait ____________.

e. Il s'approcha ____________ pour mieux voir.

f. La soupe doit cuire beaucoup ____________ longtemps.

manquer / manquer à / manquer de

manquer :

- J'ai **manqué** toutes mes photos. (ne pas réussir)
- Il vient de sortir, vous l'avez **manqué** de cinq minutes. (ne pas rencontrer quelqu'un qu'on voulait voir)
- Il a failli **manquer** son train. (arriver après le départ de)
- Dépêche-toi, nous **allons manquer** le début. (ne pas assister à)
- Aujourd'hui il **manque** trois étudiants. (être absent)
- Vous **avez manqué** une bonne occasion. (laisser passer sans en profiter)

manquer à :

- Les mots **me manquent** pour t'exprimer ma reconnaissance. (faire défaut)
- Quand tu seras parti, tu **me manqueras**. (regretter l'absence de quelqu'un)

  Notez la différence dans la construction anglaise :

  tu me manqueras = ***I will miss you***
  je te manquerai = ***you will miss me***
- **manquer à** sa parole, à son devoir, aux usages : (ne pas respecter, ne pas se conformer à)

manquer de :

- **manquer de** patience, d'argent, de place, de preuves, d'expérience (ne pas avoir suffisamment)
- Il **a manqué (de)** se faire écraser. (faillir, être sur le point de)
- **Ne manquez pas de** m'avertir. (ne pas oublier)
- Ça n'**a pas manqué** d'arriver. (cela devait arriver, c'était sûr)

3. *Ajoutez **à** ou **de** si c'est nécessaire* :

a. Je n'ai pas manqué ______ un seul cours cette année.
b. Les pauvres gens manquaient ______ tout.
c. Ils n'avaient pas manqué ______ emporter leurs rames.
d. Ne manquez pas ______ me téléphoner ce soir.
e. Ma sœur est partie ; elle manque beaucoup ______ mes parents.
f. La terre est sèche ; on manque ______ pluie.
g. Il a encore manqué ______ son coup.
h. Le film ne valait rien. Tu n'as pas manqué ______ grand-chose.

4. *Traduisez les phrases suivantes* :

a. Make sure you write to me.
b. He almost died.
c. I couldn't buy the book; I was $2 short.
d. They were lacking in manners.
e. This omelet lacks salt; it is insipid.
f. When I am home for the holidays, I miss my friends.
g. Under her son's roof, she lacked nothing.
h. He lacked the necessary authority to make the children obey him.
i. Say hello to him from me. — I certainly will.
j. I am at a loss for words to express my gratitude.
k. Don't you miss your car, now that you have sold it?
l. There is a page missing in my book.

cuire / faire la cuisine / cuisiner / faire cuire

Cuire peut être :

- transitif lorsqu'une personne fait l'action. Le complément doit obligatoirement être indiqué :

  Les Anglais **cuisaient** les fèves avec du rhum.

  S'il n'y a pas de complément, on emploie *faire la cuisine* :

  Elle n'aime pas **faire la cuisine**.

- intransitif lorsque le sujet est un nom d'aliment, de plat, de repas, etc. :

  La cipaille doit **cuire** de huit à douze heures.

Cuisiner un plat, c'est *le préparer*, *l'accommoder*, alors que *le cuire* c'est seulement *le soumettre à l'effet de la chaleur* :

Je ne sais pas **cuisiner** les fèves au lard.

- Intransitif, *cuisiner* est synonyme de *faire la cuisine* :

  Elle **cuisine** très bien.

Faire cuire est synonyme de *cuire*, *cuisiner*, *préparer*, *apprêter* (transitifs). Le complément doit obligatoirement être indiqué :

Les Anglais **faisaient cuire** les fèves avec du rhum.

Les Anglais **cuisaient** (cuisinaient, préparaient, apprêtaient, accommodaient) les fèves avec du rhum.

5. *Traduisez* :

a. The Indians used to cook venison in a sweet sap.
b. Who does the cooking in your house?
c. While the cake was baking in the oven, she started cutting the bread.
d. How do you cook chicken? In the oven, or on top of the stove?
e. Today, many men are proud of being good cooks.
f. We were taught how to cook, how to keep house...
g. Pork has to be well done, while beef can be served rare.
h. If I don't start now, the dinner will never be cooked on time.
i. When it cooks on a slow fire, pea soup gives off an aroma that permeates the whole kitchen.
j. While the pea soup was cooking, Maria set the table.
k. The fishing guides know several ways to cook fish.
l. Every day she cooked potatoes in the "canard".
m. The settlers had to learn how to cook new foods.
n. What is there for dinner? — Not much. I didn't have time to cook.
o. They had a special earthenware pot that was used only to cook beans.

encore / pas encore, toujours / pas toujours / toujours pas

Avez-vous **encore** (**toujours**) faim ? — Non, je **n'**ai **plus** faim.

Vous avez **déjà** mangé ? — Non, **pas encore**.

Ne…plus est le contraire d'*encore*.
Pas encore est le contraire de *déjà*.

Avez-vous **toujours** (**encore**) faim ? — Non, je **n**'ai **plus** faim.

Vous avez **toujours** tort ! — Moi ? **Jamais** !

Vous faites **toujours** la cuisine ? — Quelquefois, **pas toujours**.

Attention à la différence entre :

Nous **n**'avons **pas toujours** été riches. (simple négatif) (= nous le sommes maintenant)

Les enfants **n**'obéissent **pas toujours**. (= ils obéissent quelquefois)

Vous **ne** m'avez **toujours** (**encore**) **pas** répondu. (= vous continuez à ne pas me répondre ! Quand allez-vous le faire ?)

Pas encore indique que quelque chose ne s'est pas encore fait, mais se fera probablement bientôt :

Il **n**'est **pas encore** arrivé. (= nous l'attendons d'un moment à l'autre)

Toujours pas exprime une certaine impatience, une certaine inquiétude, insiste sur le fait qu'on attend quelque chose depuis longtemps, qu'on ne sait pas si cette chose se fera :

Il devait rentrer à 8 heures, or il est minuit et il **n**'est **toujours pas** là ! (Lui serait-il arrivé quelque chose ?)

Je t'ai écrit il y a deux mois et tu **ne** m'as **toujours pas** répondu. (Vas-tu me répondre, oui ou non ?)

6. *Répondez négativement aux questions suivantes en vous basant sur les exemples ci-dessus* :

a. Vous habitez toujours dans la Grand-rue ?
b. Tu fais toujours tes devoirs le soir ?
c. Est-ce qu'il t'a enfin rendu l'argent qu'il t'a emprunté ?
d. Est-ce que tu as toujours de bonnes notes ?
e. Il est déjà arrivé ?
f. Tu as déjà gagné un million à la loterie ?

Étude de langue

L'antériorité

Dans une proposition subordonnée, le **passé antérieur** marque un fait isolé, achevé, qui a précédé immédiatement ou à un moment précis un autre fait passé, qui est lui-même au **passé simple** :

« Quand la viande eut disparu, les dîneurs remplirent leurs soucoupes de sirop de sucre. » (p. 116, lig. 6–7)

1er fait : *la viande disparut*

2e fait : *les dîneurs remplirent leurs soucoupes*

Pour exprimer ce même rapport d'antériorité, le français dispose de plusieurs temps verbaux, employés toujours en fonction de celui de la principale.

PROPOSITION SUBORDONNÉE **1er fait**	PROPOSITION PRINCIPALE **2e fait**
passé composé Quand la viande **a disparu,**	*présent* ils **remplissent** leurs soucoupes. (action habituelle)
plus-que-parfait Quand la viande **avait disparu,**	*imparfait* ils **remplissaient** leurs soucoupes. (action habituelle dans le passé)
passé antérieur Quand la viande **eut disparu,**	*passé simple* ils **remplirent** leurs soucoupes. (action isolée dans le passé)
passé surcomposé Quand la viande **a eu disparu,**	*passé composé* ils **ont rempli** leurs soucoupes. (action isolée dans le passé)
futur antérieur Quand la viande **aura disparu,**	*futur* ils **rempliront** leurs soucoupes. (action habituelle ou isolée dans le futur)

Les principales conjonctions et locutions qui marquent l'antériorité sont :

- *avant que* (+ subjonctif), *quand, lorsque, après que* (+ indicatif) : pour un simple enchaînement des faits
- *dès que, sitôt que, aussitôt que, à peine... que** (+ indicatif) : pour insister sur le caractère immédiat de l'enchaînement des faits
- *une fois que* (+ indicatif) : pour insister légèrement sur l'accompli du premier fait

*Si *à peine... que* est en début de phrase, on fait l'inversion du sujet :

Il était à peine sorti qu'il se mit à pleuvoir.
À peine était-il sorti qu'il se mit à pleuvoir.

1. *Refaites les phrases suivantes en exprimant le rapport d'antériorité au moyen des temps indiqués ci-dessus :*

ex. : La viande disparut ; alors ils remplirent leurs soucoupes. Quand la viande **eut disparu**, ils **remplirent** leurs soucoupes.

a. Le bateau disparut ; alors Emmeline s'évanouit.
b. Tu finiras ta lettre ; alors seulement, tu pourras sortir.
c. Ils mangeaient et, tout de suite après, ils allumaient leur pipe.
d. Le roi lut la missive, puis il se mit à rire.
e. Ils exploraient une région, puis ils en prenaient possession au nom du roi.

Autres façons d'exprimer l'antériorité ou la postériorité

- un **participe passé** (simple ou composé). Si le participe n'a pas de sujet exprimé celui-ci est le même que celui du verbe principal :

  Maria les **ayant appelés**, les hommes rentrèrent. (sujets différents)

  Sa besogne **finie**, il ramassa les miettes. (sujets différents)

  Ayant fini sa besogne, il ramassa les miettes. (même sujet)

- un **participe passé** simple, précédé de *à peine, dès, sitôt, une fois* :

  À peine arrivés il se mirent à table. (même sujet)

  Sitôt le repas **fini**, il alla s'asseoir dehors. (sujets différents)

- un **infinitif présent** précédé de *avant de* :

  Avant de manger, Bagon s'est lavé les mains. (même sujet)

- un **infinitif passé** précédé de *après* :

  Après avoir mangé, il alla s'asseoir sur le seuil. (même sujet)

- un **nom** précédé de *après, avant, dès* :

  Avant le repas, Bagon s'est lavé les mains.

  Il se met à table **dès son arrivée**.

2. *Remaniez les phrases suivantes en commençant par les mots indiqués, et en marquant le rapport d'antériorité* :

a. Maria annonça que le dîner était prêt. Alors les hommes prirent le chemin de la maison.

— Dès que ________________.

— Maria ________________.

b. Ayant ainsi marqué du signe de la rédemption le pain du souper, l'homme se mit à le couper par morceaux.

— Après ________________.

— Quand ________________.

c. Elle a versé le tout dans une terrine, puis elle l'a recouvert de pâte.

— Lorsque ________________.

— Après que ________________.

d. Il avala la première bouchée et fit une vilaine grimace.

— À peine ________________.

— Sitôt ________________.

e. Quand vous serez arrivé, donnez-moi un coup de fil.

— Dès ________________.

— Une fois ________________.

3. *Combinez en une seule les deux phrases données en exprimant un rapport de succession. Variez les tours le plus possible.*

a. On faisait griller une tranche de pain de ménage.
On la tartinait de bon beurre frais.

b. La viande sera cuite.
Elle se détachera des os.

c. Maria sortit sur le seuil.
Elle annonça que le dîner était prêt.

d. Ils ont repoussé leurs assiettes.
Ils se sont renversés sur les chaises.

e. Il prit le pain pour le couper.
Sa femme l'avait sorti de la huche.

f. Il remit la terrine à sa place.
Il s'essuya les lèvres du revers de sa main sale et calleuse.

g. Les enfants sont arrivés.
On s'est alors mis à table.

h. Les enfants avaient fini de manger.
Ils regardaient les figures fantastiques que leur imagination leur faisait entrevoir dans le crépi du mur.

i. L'avoine et le blé jaunirent.
Ils n'avaient pas atteint leur croissance.

j. Les autres avaient bu.
Maria s'approcha de lui avec le seau à demi-plein d'eau.

Plus-que-parfait, passé antérieur

A. On trouve également le **plus-que-parfait** en relation avec un passé simple ou composé, pour exprimer, non plus un procès habituel ou répété, mais un fait isolé, dans une antériorité non précisée. L'intervalle de temps qui sépare les deux actions n'est pas déterminé :

Deschamps **avait fini** de couper le pain quand Bagon entra.

L'accent n'est pas mis sur l'enchaînement des actions, mais sur le fait qu'une certaine action est terminée (*couper le pain*) quand une autre se produit (*entrer*). Dans ce cas, le plus-que-parfait ne peut pas être introduit par une conjonction ou une locution qui marque la succession des faits (*quand*, *dès que*, etc.)

B. Le **passé antérieur** peut indiquer également un espace de temps long, pourvu qu'il soit précis :

Quand il **eut passé** deux ans à Montréal, il décida de rentrer en France.

Dans ce cas, on ne peut employer de locution qui marque une antériorité immédiate (*aussitôt que*, *dès que*, etc.)

4. *Complétez les phrases suivantes au moyen d'un passé antérieur ou d'un plus-que-parfait* :

a. Quand il ____________, il alla s'asseoir sur le seuil. (dîner)

b. Quand les enfants arrivèrent, Bagon ____________ de se laver les mains. (finir)

c. Elle rangea tout ce qu'elle ____________ au super marché. (acheter)

d. Quand il ____________, elle se mit à manger. (partir)

e. Elle ____________ l'autobus de 8 heures ; elle prit le suivant. (manquer)

f. Il revint à l'endroit d'où il ______________. (partir)

g. Quand Pierre arriva, elle ______________. (finir)

h. Quand le gâteau ______________, elle le coupa en tranches. (refroidir)

i. Aussitôt qu'ils ______________ le cri de Maria, ils prenaient le chemin de la maison. (entendre)

j. Ils mangeait dans des assiettes de faïence ébréchées que leurs ancêtres ______________ de France. (apporter)

Indicatif ou subjonctif dans les propositions subordonnées relatives

« Se nourrir, en plus d'être essentiel à notre subsistance, est un des rares plaisirs dont nous puissions jouir durant toute notre existence. » (p. 110, lig. 1-5)

Le mode employé dans la proposition subordonnée relative sert à nuancer la pensée.

L'**indicatif** affirme un fait, indiscutable dans l'esprit de la personne qui parle. Il exprime la réalité, il met l'accent sur l'action, sur le verbe :

> Se nourrir est un des rares plaisirs dont nous **pouvons** jouir durant toute notre existence.

On affirme que nous jouissons en fait d'un certain nombre de plaisirs durant notre existence, et que se nourrir en est un.

Le **subjonctif** exprime la réalité telle que la conçoit l'esprit. Il exprime une opinion, il met l'accent sur le qualificatif :

> Se nourrir est un des rares plaisirs dont nous **puissions** jouir durant toute notre existence.

On suggère qu'il y a peu de plaisirs dont nous puissions jouir durant toute notre existence. C'est la rareté, le petit nombre qui est souligné. Le subjonctif adoucit la valeur trop absolue de l'affirmation : *se nourrir est un des rares plaisirs dont nous puissions jouir durant toute notre existence*, si nous le voulons, si nos moyens ou notre santé nous le permettent, etc.

Le **subjonctif** dans une proposition subordonnée relative :

- **restreint le sens de la principale**. Dans l'exemple ci-dessus, la proposition subordonnée relative limite le nombre des plaisirs à ceux qui peuvent durer toute la vie, en excluant ceux dont on ne peut jouir qu'à un certain moment de l'existence.

  C'est le meilleur gâteau que j'**aie** jamais **mangé**.

  On ne dit pas que ce gâteau est le meilleur de tous, mais seulement le meilleur de tous ceux qu'on a mangés jusqu'à présent.

REMARQUE : Il est important de savoir distinguer entre le superlatif qui **caractérise** le nom (suivi du subjonctif) :

C'est le meilleur gâteau que j'**aie** (jamais) **mangé**. (Comment était le gâteau ?)

et celui qui **identifie** le nom (suivi de l'indicatif)

c'est le meilleur gâteau que j'**ai mangé**. (Lequel des gâteaux avez-vous mangé, le meilleur ou le moins bon ?)

Dans ce cas, *c'est... que* sert à mettre le nom en valeur. À moins que l'on veuille nettement marquer la valeur d'identification du superlatif (ou de toute autre expression de valeur analogue), l'usage moderne préfère l'emploi du subjonctif après un superlatif.

- **adoucit la valeur trop absolue de l'affirmation**, soit qu'il subsiste un certain doute, soit qu'on veuille éviter un ton trop péremptoire :

  Je cherche un livre de cuisine qui **contient** des recettes canadiennes. (on sait qu'il existe un tel livre, c'est ce livre-là qu'on cherche)

  Je cherche un livre de cuisine qui **contienne** des recettes canadiennes. (L'existence d'un tel livre, ou la possibilité de s'en procurer un, est douteuse.)

- **marque l'intention, le but** :

  Les cuisiniers de la Nouvelle-Orléans ont appris à faire une cuisine qui **plaît** à toutes les nationalités. (Affirmation, constatation d'un fait réel, indubitable dans l'esprit de celui qui parle.)

  Les cuisiniers de la Nouvelle-Orléans ont appris à faire une cuisine qui **plaise** à toutes les nationalités. (Le but de cette cuisine est de plaire à toutes les nationalités, mais on n'affirme pas qu'elle atteigne son but.)

5. *Expliquez la différence de sens entre les deux phrases données* :

a. Ils travaillent de telle sorte que la terre **sera défrichée** avant l'hiver.
Ils travaillent de telle sorte que la terre **soit défrichée** avant l'hiver.

b. Je veux acheter une maison qui **est** à quelques kilomètres de la ville.
Je veux acheter une maison qui **soit** à quelques kilomètres de la ville.

c. C'est la plus jolie que je **connais**.
C'est la plus jolie que je **connaisse**.

d. C'est la seule faute que vous **avez faite**.
C'est la seule faute que vous **ayez faite**.

6. *Complétez les phrases suivantes et justifiez l'emploi des modes* :

a. Le saumon de Gaspé est le meilleur que je ________________. (connaître)

b. Le lard et les pommes de terre bouillies est un plat qui ________________ les hommes. (rassasier)

c. Connaîtriez-vous une recette de tourtière qui ________________ plus simple que la mienne ? (être)

d. Elle cherchait quelque chose qui ________________ comprendre ses sentiments à Pierre. (faire)

e. Le canard aux pommes est un des nombreux mets que la Normandie nous ________________. (léguer)

f. Je suis au régime. Je ne mange que des choses qui ne ________________ pas grossir. (faire)

g. Y a-t-il un supermarché qui ________________ aussi des moules à gâteaux ? (vendre)

h. C'est un des derniers films que j' ________________ quand j'étais à Paris. (voir)

i. Il paraît qu'il y a une poissonnerie près d'ici où on ______________ se procurer des huîtres fraîches. (pouvoir)

j. Ce somnifère est le seul qui me ______________ dormir. (faire)

7. *Traduisez les phrases suivantes* :

a. I would like to have a husband who knows how to cook.

b. Bagon was the only one who washed his hands before supper.

c. Do you have a book where I could find good recipes?

d. They invented dishes that utilized the resources of the environment.

e. Cauliflower is one of the few vegetables that I can cook really well.

f. Salmon is the only fish that doesn't give me a stomach ache.

g. They tried to find foods that would be both tasty and nutritious.

h. Pumpkin pie is one of the best dishes to have come to us from New England.

i. The fishing guides are not the only ones who know how to cook fish.

j. She put the cake into the refrigerator and so it cooled much faster.

Le pluriel des noms de personnes

A. Les noms de personnes prennent régulièrement la marque du pluriel :

- quand ils désignent les familles royales ou certaines familles illustres :

  les Bourbon**s**, les Stuart**s**

- quand ils sont pris comme modèles ou types :

  Les Napoléon**s** sont rares.

B. Dans le cas des œuvres artistiques, on trouve le pluriel et le singulier :

Il a acheté deux Matisse(**s**) et trois Picasso(**s**).

C. Dans tous les autres cas, les noms de personnes sont invariables :

les Chapdelaine, les Smith

tout

Tout peut être :

A. un **nom** masculin singulier. Il signifie la totalité, l'ensemble :

le **tout** aromatisé de thym et de sarriette

B. un **adjectif** variable. Il signifie :

- tout entier : Pendant **toute** notre existence
- seul : Pour **toute** aide, elle n'avait que sa fille.
- chaque, n'importe quel : À **tout** moment il s'arrêtait.
- la totalité : **Tous** les enfants étaient là.

L'usage le rend obligatoire devant un numéral non suivi d'un nom. Il souligne alors l'association :

Que faites-vous là **tous** les deux ? (mais : Que font là ces deux hommes ?)

C. un **pronom indéfini**. Il signifie :

- tout le monde, toutes les choses : **Tous** sont soumis à la loi.
- n'importe qui, n'importe quoi : **Tout** peut arriver.

REMARQUE : Quand *tous* est un pronom, on prononce le **s**.

D. un **adverbe**. Il signifie :

- très, tout à fait : Il était **tout** content.
  Le loup était **tout** près.
  Il était assis **tout** au bout.
- tel quel, sans modification : Il mangeait la viande **toute** crue.
- bien que (concession) : **Tout** fort qu'il soit, il sera vaincu.
- entièrement (+ nom) : un tissu **tout** coton, **tout** laine

Suivi d'un **gérondif**, il marque :

- la simultanéité : Ils écoutaient **tout** en mangeant.
- l'opposition : **Tout** en étant riche, ils se nourrissent mal.

REMARQUE : *Tout* adverbe doit être invariable. Cependant il varie en genre et en nombre devant un adjectif féminin commençant par une consonne ou par un **h** aspiré.

La perdrix est **tout** imprégnée du parfum des sapins.
mais : Elle en est **toute** parfumée.

Suivi de *autre*, *tout* est :

- **adjectif** variable s'il se rapporte à un **nom**. Il signifie alors *n'importe quel* :
  Toute autre étudiante aurait mieux fait que vous.
- **adverbe** s'il modifie *autre*. Il signifie alors *tout à fait, entièrement* :
  C'est une **tout** autre histoire.

8. *Employez une forme de* **tout** *dans les phrases suivantes et indiquez-en la nature* :

a. Quand il eut ______________ mangé, il se mit à fumer.
b. Il avait le teint ______________ jaune.
c. Pour ______________ dîner, il n'y avait que des pommes de terre.
d. À ______________ autre saison, elle préférait l'automne.
e. Les forêts sont ______________ couvertes de neige.
f. Maria fut ______________ étonnée de le voir.
g. Elle est ______________ yeux ______________ oreilles.
h. ______________ savant qu'il est, il ne sait pas tout.
i. Mettez le ______________ sur la table.
j. Aujourd'hui, la recette de la cipaille est ______________ autre.

k. Les guides de pêche sont __________ de bons cuisiniers.
l. Bagon fut déçu. Il espérait __________ autre chose.
m. Sa vie __________ entière était morne.
n. Les hommes ont __________ fini de manger.
o. __________ trois allèrent s'asseoir sur le sofa.
p. Il portait des bottines __________ neuves.
q. Les arbres ont perdu __________ leurs feuilles.
r. Tu es sorti, __________ en sachant que c'était interdit.
s. En __________ cas, je vous écrirai.
t. Ils se mirent à courir à __________ jambes.

Stylistique comparée

to get

to get peut se traduire de nombreuses façons selon le sens :

- *to get = to obtain*

  Il **a obtenu** la permission de sortir.
  Nous **avons obtenu** un bon résultat.
  Procurez-vous un bon dictionnaire.
  J'ai pu **me procurer** la somme nécessaire.
  Il m'**a procuré** un logement.
  Où **avez-vous trouvé** ces jolies cravates ?

- *to get = to receive*

  Avez-vous reçu ma lettre ?
  Quelle note **as-tu eue** en français ?

- *to get = to fetch*

  Veux-tu **aller chercher** le journal ?
  Il est parti **chercher** le docteur.
  Passe-moi (**fais**-moi **passer**) le sucre.

- *to get = to catch*

  J'**ai attrapé** un rhume.

- *to get = to get in touch with*

  Je n'ai pas pu vous **avoir** au téléphone.
  Où peut-on vous **joindre** ?

- *to get = to become*

  Je **commence à** être fatigué.
  Je **me fatigue** vite.
  Elle veut **maigrir**.
  Il **se fait** tard. (etc.)

- *to get = to have (something done)*

  Nous **faisons** bâtir une maison.

  Fais-toi donc couper les cheveux !
- *to get* suivi d'une préposition se traduit selon la préposition :

  entrer (get in), **sortir** (get out), etc.
- *to get* précédé de *have* ne se traduit pas :

  Avez-vous le journal ?

1. *Traduisez les phrases suivantes* :

a. Get off the chair.
b. We got lost in the forest.
c. The burglar got two years.
d. We are getting our car fixed.
e. It is getting cold.
f. After weeks of negotiations, they got a $100 raise.
g. Every year we get a $100 raise. It's automatic.
h. Get a haircut. Your hair is much too long.
i. All they got for dinner was potatoes and wholewheat bread.
j. It's getting interesting!
k. This book is very difficult to get.
l. How many presents did he get?
m. He almost got himself killed.
n. She couldn't get used to living in the North.
o. If I am not in my office, you can always get me at home.
p. Get me the India ink. It's in the top drawer.
q. Nowadays, they can get food and clothes from the trading posts.
r. I got sick the very day I arrived.
s. They got back on foot.
t. I've got to cook dinner before the children come back.

2. *Traduisez les phrases idiomatiques suivantes* :

a. You lost your job? How are you getting along?
b. "What are you getting at?" asked Mr. Finlay.
c. How are you getting on?
d. It is a pity you two can't get along.
e. He never got over his son's death.
f. What's got into him ?
g. Would you repeat that, please? I don't get you.
h. This cold weather is really getting me down.
i. Let's get it over with.
j. The old fellow is getting on (in years).

will (would)

Le verbe *will* (*would*) peut avoir :

- un sens **futur** :

    I know he will come. Je sais qu'il viendra.

    I knew he would come. Je savais qu'il viendrait. (futur dans le passé)

- un sens **conditionnel**

    He would come if you called him. Il viendrait si vous l'appeliez.

- un sens de **volonté** ou d'**insistance** :

    Do as you will. Fais ce que tu veux.

    He would not do as he was told. Il n'a pas voulu faire ce qu'on lui disait.

    Such things will happen. Ce sont des choses qui arrivent.

- un sens de **politesse** :

    What will you drink ? Que désirez-vous boire ?

    Won't you sit down ? Veuillez vous asseoir.

- un sens de **probabilité** :

    It will be the mailman. Ça doit être le facteur.

- un sens d'**habitude** :

    He will go out every day. Il sort tous les jours.

    He would go out every day. Il sortait tous les jours.

3. *Dites ce qu'exprime* ***will*** *ou* ***would****, et traduisez* :

a. Let those who will not be here tomorrow raise their hands.

b. They will go out every day in spite of the cold.

c. I would not know how to cook if my mother had not taught me.

d. In the morning she would go down to the beach.

e. Won't you please come in?

f. Every evening he will fall asleep in front of the T.V.

g. I thought you would be interested.

h. While the wind whistled outside, our grandmother would tell us the story of the Deportation.

i. If they want to be hired, they will have to change their style of cooking.

j. I would be grateful if you would answer my letter.

Texte à traduire

Cajun and Creole Cooking

Fabulous food is part of Cajun pride. It's our tradition *to* always *celebrate* with food and to welcome guests with food and coffee. I was seven years old when I began cooking with my mother, when my younger sister got married. The most important thing to my mother was the health of her family and the joy of *setting* a good table, and she was an awesome cook. Everybody thinks his mother is the best cook — but mine really was! *She had to be*, to prepare interesting meals day in and day out for such a *large* family. Cooking with her was like working for a small restaurant. It was incredible what she could do, especially *considering* that the best food we raised was sold. My mother *also was* a great storyteller, and she talked to me a lot about food — its lore, the different kinds of food and how they're prepared. All of this is still an inspiration to me...

People often ask me what's the difference between Cajun and Creole cooking. Cajun and Creole cuisines *share* many similarities. Both are Louisiana born, with French roots. But Cajun is very *old*, French country cooking — a simple, hearty fare. Cajun food *began* in Southern France, moved to Nova Scotia and then came to Louisiana. The Acadians adapted their dishes to use ingredients that grew wild in the area — bay leaves from the laurel tree, *filé powder* from the sassafras tree and an abundance of different peppers such as cayenne, tabasco peppers, *banana peppers* and *bird's-eye peppers* that grow wild in South Louisiana — learning their uses from the native Indians.

The evolution of Creole cooking, just like the Cajun, *has depended* heavily *on whatever* foods *have been available*. But Creole food, unlike Cajun, began in New Orleans and is a mixture of the traditions of French, Spanish, Italian, American Indian, African and other ethnic groups. Seven flags flew over New Orleans in the early days, and each time a new nation took over, many members of the deposed government would leave the city; most of their cooks and other servants stayed behind. The position of cook was highly esteemed and the best paid position in the household. Those cooks, most of whom were black, would be hired by other families, often of a different nationality. Of course, the cooks would have to change their style of cooking. Over a period of time, they learned how to cook for *a variety of* nationalities, and they incorporated their own spicy, home-style way of cooking into the different cuisines of their employers. This is the way Creole food was created. Creole cooking is more sophisticated and complex than Cajun cooking — it's city cooking.

Paul Prudhomme. *Chef Paul Prudhomme's Louisiana Kitchen*, New York, William Morrow and Company, Inc., 1984, p. 13, 15-16

NOTES

to celebrate : faux ami. Attention : *fêter* doit être suivi d'un complément. Ne pas chercher à traduire directement
setting : il s'agit ici de ce qu'on sert, et non du couvert
she had to be : ne pas employer *devoir* qui pourrait prêter à confusion
large : une grande famille est une famille célèbre, importante. Il ne s'agit pas ici de la grandeur de la famille, mais du nombre des enfants
considering : le participe présent (ou le gérondif) n'est pas possible ici, car il n'aurait pas de sujet. Employer une forme personnelle avec un sujet indéfini
also was : attention à la place de l'adverbe dans la phrase
people : employer plutôt un pronom indéfini (moins précis que *les gens*)
share : s'agit-il ici de *partager* ?
old : comme *French* et *country*, épithète de *cooking*
began : trouver un verbe plus imagé que *commencer*
filé powder : *la poudre filé*
banana pepper : *le piment banane*
bird's-eye pepper : *le piment langue d'oiseau*
has depended... on : employer *être tributaire de*
whatever : omettre
have been available : *to depend on* et *to be available* expriment des procès simultanés et non successifs. *To be available* exprime un état sans limitation explicite
a variety of : transposition nom/adjectif

Composition : La description

L'unité d'impression

La description est un tableau qui rend visibles les choses matérielles. Elle doit donner l'illusion de la vie, l'apparence de la réalité vivante.

L'auteur ne dit pas ce qu'il a ressenti ou ce que le lecteur doit ressentir, il le crée par sa description.

La description d'un paysage, d'un personnage ou d'une scène cherche à communiquer une certaine impression : beauté, laideur, étrangeté, calme, majesté, harmonie, etc.

L'effet recherché est produit par :

- **le choix des faits et des détails :** rechercher les faits significatifs, amusants, pittoresques, dramatiques etc. selon l'impression à communiquer, et éliminer tout ce qui ne contribue pas à l'impression d'ensemble.
- **le vocabulaire et les images :** éviter la banalité, les expressions toutes faites, les mots vagues (*fantastique*, *incroyable*, etc.), les verbes passe-partout (*il y a*, *on voit*, etc.). Rechercher l'expression pittoresque et juste, les images suggestives.
- **le rythme et l'harmonie :** le mouvement de la phrase aide à créer l'impression cherchée. Un style rapide, des phrases courtes, elliptiques, suggèrent la rapidité, le désordre, le tumulte ; un style uni, lent, régulier, suggère le calme, la paix, etc. Les sons peuvent également jouer un rôle dans l'impression suggérée (ex. : le célèbre vers de Racine *Pour qui sont ces serpents qui sifflent sur nos têtes*, où la répétition de la sibilante (**s**) imite le sifflement du serpent).

Préparation (orale)

Relisez le repas des Deschamps (*La Scouine*) en dégageant l'impression dominante, en recherchant les détails et en étudiant le vocabulaire et les images qui contribuent à créer cette impression :

a. **la description des lieux :** pièce sombre, à peine éclairée...

   les objets : soucoupe ébréchée, bassin en bois, canard...

   les aliments : pain sur et lourd, lard et pommes de terres...

b. **la description des personnages** :

   Urgèle Deschamps, fruste, mains sales, air morne...

   Bagon, tête énorme qui paraît l'écraser, chef dégarni de cheveux qui ressemble à une aride butte de sable, traits labourés par la picote... (notez l'abondance des comparaisons et des métaphores)

c. **les actions des personnages :**

   la façon dont Urgèle coupe le pain, ramasse les miettes, boit directement au récipient...

   la façon dont les convives mangent, en silence, en lapant leur soupe...

Rédaction (écrite)

À votre tour, décrivez (500 mots environ) une scène de votre choix, en essayant de communiquer une impression bien déterminée.

Joignez à votre devoir un plan d'une demi-page qui indiquera :

a. l'impression à communiquer (froid, peur, saleté, confort, joie, tristesse...).

b. les deux ou trois éléments sur lesquels vous allez vous attarder (comme le fait une caméra qui converge sur deux ou trois éléments d'une scène) : objets matériels, personnages... , et images qui contribueront à l'unité d'impression.

Soulignez au cours du devoir les mots choisis pour créer l'impression recherchée.

EXEMPLE DE PLAN :

Un port de mer en hiver

impression : froid et désolation

éléments :

1) *les rues* désertes, sombres. Quelques rares passants pressés, emmitouflés dans des fourrures comme des ours, les voitures glissent sans bruit comme des fantômes. Les fenêtres éclairées, symboles de chaleur, de refuge...
2) *la végétation*. Pas de verdure. Les arbres dénudés ressemblent à la paille qui reste après la moisson, sèche et raide. Couleurs tristes...
3) *le port*. Rivage couvert d'une croûte de givre. Silhouettes des bateaux à peine visibles dans le brouillard, fantômes menaçants...

CHAPITRE CINQ

L'héritage de la langue

TEXTE I

Panorama littéraire du Canada français

On pourrait, à partir du XVIIIe siècle à nos jours, tracer deux lignes plus ou moins parallèles : la première, qui exprimerait le parler de l'élite ; la deuxième, celle du peuple. Il semble certain que, de 1713 à nos jours, l'élite québécoise a utilisé une langue qui a toujours ressemblé presque entièrement à la langue distinguée de France à la même époque. Il ne faut pas minimiser l'importance de cette élite : *seigneurs, clergé, bourgeois,* ***notaires****, avocats, médecins, ingénieurs et surtout écrivains* qui sont de plus en plus nombreux à mesure qu'on avance vers le XXe siècle. Le français que parle Papineau[1] en 1840 **ne le cède en rien** à celui des orateurs de France du même temps. À part évidemment quelques mots et tournures et l'accent, il n'y a pas de différence entre la langue d'un Canadien français cultivé et celle d'un Français **instruit**.

Parallèlement à cette langue de l'élite, il y a un autre niveau de langage, celui du peuple, au Canada comme en France. Au XVIIIe siècle, en France comme au Canada, les paysans ne **s'entretenaient** pas entre eux comme les gens instruits. *Qu'on lise Marivaux, par exemple.* Quand l'auteur de *La Surprise de l'amour*[2] (1722) met en scène des valets et des servantes, les mots et les locutions **populaires**, savoureuses, éclatent **de toute part**, et **tant pis** pour la syntaxe ! « Voilà tout fin dret ce que c'est ! » ou : « Je nous aimons, Jacqueline et moi ! » Dans le beau reportage cinématographique de *La Famille Tremblay*[3], on a remarqué avec étonnement combien les paysans normands de 1969 comprenaient comme naturellement nos **habitants** québécois. Qui niera la parenté ?

notaire : le notaire reçoit et rédige les actes, les contrats de vente, les contrats de mariage, liquide les successions, etc., tandis que l'avocat plaide en cour de justice et défend les accusés
ne le cède en rien : *n'est pas inférieur*
instruit : *qui a beaucoup de connaissances*. Ne pas confondre *instruction* (connaissances, savoir) avec *éducation* (ensemble des acquisitions morales, intellectuelles et culturelles)
s'entretenir : *converser*
populaire : *qui appartient au peuple, pris en tant que classe sociale*
de toute part : *de tous les côtés*. S'écrit aussi *de toutes parts*
tant pis : locution adverbiale qui indique la résignation devant un événement contraire, exprime le dépit (contraire : *tant mieux*)
habitant : (can.) *paysan, cultivateur*

La langue populaire canadienne s'est détachée plus profondément qu'en France de la langue de l'élite. La raison ? Après 1760, lorsqu'une bonne partie de l'élite est retournée en France, privant ainsi le peuple de l'occasion d'entendre un parler plus pur ; lorsque l'**analphabétisme** a régné pendant près d'un siècle ; lorsque seule la chanson folklorique pouvait soutenir le parler de tous ; lorsque les anglicismes et les déviations syntaxiques se sont inévitablement infiltrés ; lorsque le français cessa d'être la langue du commerce et de l'industrie ; lorsque le prestige et le succès dans les affaires dépendirent de l'anglais ; lorsque le français fut utilisé, non au niveau des centres de décision, mais seulement à celui des communications avec le public... alors on eut un « français devenu langue morte, en ce sens qu'il (fut) dissocié des réalités dynamiques et réservé à la communication populaire » (A. D'Allemagne, *Le Colonialisme au Québec*, p. 81) ; on eut le « **franglais** » avec toutes ses contaminations syntaxiques et sémantiques (voir Dagenais, *Réflexions sur nos façons d'écrire et de parler*, 1959 et *Liberté*, mars-avril 1964).

Bien avant le Frère Untel[4], l'élite avait dénoncé la pauvreté du langage populaire. En termes très durs parfois. « Langue de défaite, désarticulée comme la misère, évidée de sa substance comme une âme de renégat, gluante comme l'**arrivisme**, **folichonne** comme le clown qui roule dans l'arêne » (Hermas Bastien, *Conditions de notre destin national*, 1933, p. 216). « Langue indigente, impropre, mal articulée » (Mgr Camille Roy, *Des fleuves aux océans*, 1943, p. 95). « Nous sommes en présence d'une langue qui se défait depuis fort longtemps, qui est atteinte de l'intérieur » (J.-M. Léger, *Le français parlé*, 1963, p. 18).

Deux solutions

A. PARTIR DE LA LANGUE POPULAIRE POUR FONDER UNE LANGUE QUÉBECOISE. C'est la solution d'Henri Bélanger dans son ouvrage *Place à l'homme* (*Écrits*, 1960 — HMH, 1972). Son argùment de base est que les mots français, apportés d'outre-mer par les ancêtres, ont pris un symbolisme tout autre, un symbolisme nouveau, celui du contexte nord-américain. *La langue canadienne*, pense-t-il, *reflète un climat nouveau, des cieux nouveaux, une sensibilité nouvelle.* La longue démonstration d'Henri Bélanger qui exploite très adroitement les rapports de la langue et de la vie est fort intéressante et comporte une grande part de vérité. Est-elle absolument probante ? Qu'il soit permis d'en douter. Par exemple, si les termes de « **cabane à sucre** », « **drave** », « **chantier** » ont dans l'âme canadienne une résonance toute particulière parce qu'ils expriment une réalité d'ici, est-ce que le mot « neige » ne désigne pas en France la même chose qu'ici ? Dans les mots, dans la sensibilité qu'ils manifestent, y a-t-il plus de différence entre un Français et un Canadien qu'entre un Breton et un Provençal ? Si on poussait jusqu'au bout l'argumentation de M. Bélanger, on devrait dire que chacun de nous devrait posséder son langage propre, puisque la personnalité et la sensibilité varient d'une personne à l'autre et que les mots révèlent pour chacun un symbolisme différent. M. Bélanger déteste la locution de « français universel » : **elle colle** cependant à une réalité authentique. Surtout, pourquoi ne pas mentionner l'existence d'une langue de l'élite

---

analphabétisme : *manque d'instruction*. Un analphabète ne sait ni lire ni écrire
franglais : terme vulgarisé par l'ouvrage d'Étiemble *Parlez-vous franglais ?* (1964) sur l'emprunt excessif de mots anglais et de constructions anglaises en français
arrivisme : *ambition excessive, désir de réussir à tout prix*
folichon : *d'une gaieté un peu folle*
cabane à sucre : (can.) *maisonnette érigée dans une érablière, et où on fait le sirop et le sucre d'érable*
drave : (can.) *flottage du bois, transport du bois par voie d'eau*
chantier : (can.) *exploitation forestière, lieu où elle se fait*. En France, *tout lieu où l'on construit*
elle colle : *elle convient bien, elle correspond parfaitement*

au Canada ? Comment ne pas admirer **ceux des nôtres** qui manient une langue française **avec le même bonheur** que les grands écrivains des pays francophones ? Quand on possède un instrument aussi parfait et aussi souple que la langue française, aussi capable d'interpréter les nuances de l'âme les plus fines, ce serait une erreur douloureuse de ne pas l'utiliser. LA LANGUE FRANÇAISE EST NOTRE LANGUE.

Il est exagéré de ne reconnaître de droits qu'à la langue du peuple : c'est celle qui « est », dit Bélanger. **Et de se gausser** de Grévisse[5], des grammaires « pointilleuses et **farfelues** », du ministère de l'Instruction publique, des écoles, du Rapport Parent[6]. Bélanger a raison contre ceux qui veulent détruire les mots populaires, les locutions populaires qui constituent la richesse d'une langue. Ce serait un désastre si « la puristique » et « les petits papes du bon langage » les supprimaient. « Loin d'être une corruption, une contrefaçon, les archaïsmes, les provincialismes dont nous avons hérité sont les **lettres de noblesse** de notre langue. Les **manants** du roi ne s'exprimaient pas autrement que ne s'expriment nos campagnards. N'est-ce pas un sujet d'émerveillement que cette pérennité du français du XVIIIe siècle ? *Qu'il survive en plusieurs coins de France est déjà étonnant.* Qu'il ait survécu au Canada défie la vraisemblance. **Entamé**, **grignoté**, sans le moindre doute déformé... mais, néanmoins, toujours vivace et fleuri. Il est notre premier titre à la qualité de peuple français » (Victor Barbeau, *Le français du Canada*, 2e édit., 1970, p. 22).

Notre problème ne réside pas dans les mots, mais dans la syntaxe, mais dans les verbes. Notre langue populaire est douloureusement déficiente à ce sujet. Pour la rendre plus capable d'exprimer les sentiments les plus nuancés, il lui faut accéder aux ressources du subjonctif et de la syntaxe. Il est faux de **soutenir** que « la parole qui est n'a pas à être bonne ou mauvaise ». Une chose peut être et être en même temps mauvaise. C'est précisément cette impuissance de la langue populaire que tant des nôtres ont dénoncée. Ainsi, *ils sont à blâmer ceux qui*, sachant et pouvant écrire un français très beau, l'abîment volontairement, cassant la syntaxe, acceptant tous les mots anglais, comme si écrire québécois était **de propos délibéré** accoucher **de travers.**

B. STRUCTURER LE QUÉBÉCOIS PAR LE FRANÇAIS — ET ENRICHIR LE FRANÇAIS PAR LE QUÉBÉCOIS. De tout ce qui précède, il nous paraît évident que « faire québécois » ne doit pas être synonyme de vulgaire et de grossier. Il nous paraît évident qu'il faut choisir dans le vocabulaire du peuple, puisque toute la poésie d'une langue réside dans l'âme du peuple. Il ne faut pas distinguer entre québécois et français, mais entre français de France et français québécois. Illuminer et enrichir l'un par l'autre. Le québécois soutenu par l'armature de la syntaxe française et le français

---

ceux des nôtres : *ceux de nos compatriotes*
avec le même bonheur : *avec autant de succès, aussi bien*
et de : devant un infinitif dit **historique** ou **de narration**, exprime une action passée et (ici) pose l'action comme la conséquence de l'affirmation qui précède. L'emploi de la conjonction *et* souligne une liaison logique entres les faits
se gausser : (de quelqu'un ou de quelque chose) : (litt.) *se moquer ouvertement*
farfelu : *bizarre, irrationnel*
lettres de noblesse : documents prouvant l'authenticité des titres de noblesse d'une famille. Ici, preuves de l'ancienneté de la langue
manant : autrefois : *paysan, roturier.* A pris plus tard une valeur péjorative
entamé : ébranlé, atteint dans son intégrité
grignoté : détruit peu à peu
soutenir : *assurer, prétendre, affirmer*
de propos délibéré : *à dessein, avec intention*
de travers : *pas droit* ou *pas comme il faut*

embelli par la **parlure** québécoise. **Sans quoi** on va tout droit au ghetto ; pire que cela, à la mort de la langue française au Canada. Si on peut laisser entrer tous les mots anglais dans notre langue, pourquoi ne pas parler anglais tout de suite ? Qu'est-ce qui vaut mieux ? Parler bien l'anglais ou mal le français ?

5 **Conclusion**

Entre le **joual** et « la correction glacée du français universel, écrit Jean Simard... la sagesse sera peut-être de **couper la poire en deux** : nous appuyer sur le français universel quand il s'agit de normes syntaxiques et grammaticales ; mais accueillir avec reconnaissance les richesses de vocabulaire que peut nous apporter le "fran-
10 çais local" (*Une façon de parler,* Hurtubise HMH, 1973, p. 56). *Ainsi sera maintenue ce que le même auteur appelle 'l'action civilisatrice du langage'* ».

Paul Gay. *Notre Roman I, Panorama littéraire du Canada français*, Montréal, Hurtubise HMH, 1973, p. 121-125

NOTES

1. **Papineau** : grand orateur et homme politique canadien (1786-1871)
2. ***La Surprise de l'amour*** : comédie de Marivaux, écrivain français très apprécié pour la finesse de son analyse psychologique et la délicatesse de son style
3. ***La Famille Tremblay*** : il s'agit du film de Pierre Perrault *Le Règne du jour*, qui retrace la quête d'Alexis Tremblay qui va en France à la recherche de ses ancêtres. Le montage parallèle fait ressortir les ressemblances et les différences qui existent entre le Perche (région du Bassin parisien) et le Québec.
4. **le Frère Untel** : pseudonyme du Frère Pierre-Jérôme, religieux mariste qui, dans ses articles et ses ouvrages, a attiré l'attention (en 1959, 1960) sur le problème de la langue au Québec
5. **Grévisse** : grammairien contemporain, auteur entre autres du *Bon Usage*
6. **le Rapport Parent** : Rapport de la Commission royale d'enquête sur l'enseignement dans la province de Québec (1965)

ÉTUDE ET EXPLOITATION DU TEXTE

1. Quels sont les divers éléments qui ont contribué à la formation du français québécois ?
2. Pourquoi la langue parlée en général au Canada français a-t-elle un caractère plus populaire que celle qui est parlée en France ? Qu'est-ce qui explique l'abondance d'anglicismes et de déviations syntaxiques qu'on y trouve ?
3. Est-il tout à fait juste de dire que « le problème » du français québécois « ne réside pas dans les mots » ? De quels mots s'agit-il ? Quels sont ceux qui enrichissent la langue et lui donnent son caractère propre, et quels sont ceux qu'il faut proscrire ?
4. G. Dagenais, C. Roy, J.-M. Léger et bien d'autres prônent l'alignement du français parlé au Canada sur le « français universel » sous peine d'isolement. Qu'en pensez-vous ?

parlure : (can.) *manière de s'exprimer*
sans quoi : *sinon*
joual : (prononciation défectueuse de *cheval*) désigne le dialecte parlé par les classes populaires dans l'Amérique francophone. Le mot vient du Frère Untel
couper la poire en deux : *arriver à un compromis*

5. Selon l'auteur, le subjonctif et la syntaxe permettent d'exprimer la nuance des sentiments. Pouvez-vous en donner des exemples ?
6. Doit-on systématiquement rejeter tout apport étranger du vocabulaire d'une langue ?
7. L'auteur examine deux solutions à la crise de la langue française au Canada. Résumez chacune de ces solutions. Quelle est l'opinion de l'auteur ?
8. Quelles différences y a-t-il entre l'anglais d'Angleterre et l'anglais d'Amérique ? L'anglais présente-t-il un aussi grave problème que le français ? Expliquez votre réponse.

TEXTE II

Jacques Renaud fait partie d'un groupe de jeunes écrivains qui écrivent en « joual » pour montrer le point d'humiliation et de déchéance politique et économique d'une partie du peuple canadien français à qui il ne reste plus rien, même pas sa langue. *Le Cassé* est un document sociologique sur la condition du « paria » montréalais, écrit dans la langue des Canadiens français les moins évolués et qu'il faut parfois lire à haute voix pour comprendre. L'auteur transcrit phonétiquement les conversations, traduit systématiquement du français au joual. Le joual, c'est plus que le langage de son héros, c'est sa condition de paria. « C'est le langage à la fois de la révolte et de la soumission, de la colère et de l'impuissance. C'est un non-langage et une dénonciation ». (J. Renaud, *Le Journal du Cassé*)

La messe de minuit

La messe de minuit — **envouèye**, marche. Perds pas ton ticket. Les **malengueuleries** familiales. Les ruelles du bas de la ville où aucun sapin ne viendra traîner après le premier janvier. ***Y a** des bonnes âmes qui se font appeler les amis des pauvres.* Une fois par année, **y rapaillent** une **gagne** de **cassés pis** y **leû** payent un festin-de-jouâ. O sainte nuit. **Y les aiment-tu donc.** Y les aiment comme y sont. Y les aiment cassés. Faibles. Pitoyables. Y les aiment ignorants. Carencés. Aliénés. Y les aiment étouffés. Viciés. Vicieux. Y les aiment comme ça. La pauvreté est une nécessité sociale. Une fois par année, ça nous permet de nous **retaper** la conscience. 5

Les cassés. Culpabilisés. Conditionnés à la petitesse morale. Aimez-les comme y sont, y resteront comme y sont. La tactique, c'est d'leû **calfeutrer** l'estomac à intervalles réguliers. Le **bourrage de crâne** fait le reste. Crânes bourrés, dindes farcies, joyeux Noël. 10

Ils ont besoin d'amour ? Non. Ils ont besoin d'aimer. Et ils haïssent. Ils se haïssent eux-mêmes. S'aimer eux-mêmes comme ils sont, c'est du masochisme. Quand ils

---

[L'abréviation **j.** indique un mot particulier au joual.]
envouèye : (j.) *marche, va* (= *envoie*)
malengueuleries : (j.) *disputes violentes*
y a : (pop.) *il y a*
y rapaillent : (j.) *ils ramassent*
gagne : (j.) *bande, bon nombre* (prononciation altérée du mot anglais *gang*)
cassé : (j.) *qui n'a plus un sou* (traduction littérale de l'anglais *broke*)
pis : (pop.) *puis, alors*
leû : *leur.* Notez tout au long du texte les accents circonflexes qui soulignent la prononciation de la voyelle (allongée et grave)
y les aiment-tu donc : (construction pop. can.) *comme ils les aiment !*
retaper : *réparer, remettre en bonne santé*
calfeutrer : *boucher soigneusement tous les interstices.* Ici, *remplir*
bourrage de crâne : *mensonges, propagande intensive pour persuader quelqu'un et lui présenter les choses sous un jour favorable*

s'aimeront eux-mêmes **pour de vrai**, ils auront honte. Ils feront la révolution. Ils se voudront autres.

Les cassés. Même pas l'instinct sûr des bêtes.

Incarcérés pour vols et viols. Remis dans le droit chemin de Saint-Vincent-de-Paul[1]. Mets-**toé** à genoux. Baise-**moé** la main. Baise-moé **le cul**. Plaide coupable, ça coûte pas **une cenne**. **T'as** péché par ivrognerie. T'as péché par impureté. T'as péché par **icitte** pis t'as péché par là. Mon frère en **Crisse**. Le **bonyeu** vâ t'pardonner **tes zaveuglements**. **Nouzôt** on vâ t'les conserver. Mange pis **fârme ta yeule**.

Jacques Renaud. « La messe de minuit », *Le Cassé et autres nouvelles*, Montréal, les éditions du Parti pris, 1977, p. 88-89

NOTES

1. **Société de Saint-Vincent-de-Paul** : société de laïcs qui se consacrent à l'assistance aux pauvres, fondée à Paris en 1833. Saint Vincent de Paul (1576-1660) est connu pour son œuvre de charité

ÉTUDE ET EXPLOITATION DU TEXTE

1. Que reproche le Cassé aux personnes charitables qui viennent offrir un repas de Noël aux pauvres de son quartier ?
2. Expliquez la phrase : « La pauvreté est une nécessité sociale ».
3. Quels sont, d'après lui, les vrais motifs qui se cachent derrière cette charité ? Pourquoi les « amis des pauvres » les aiment-ils tels qu'ils sont ? Quelle sorte de reconnaissance attendent-ils d'eux ?
4. Montrez comment, en recevant la charité, les « cassés » renoncent à leur dignité humaine, et à tout espoir de réhabilitation.
5. Expliquez la dernière phrase du texte. Pouvez-vous l'appliquer à d'autres situations (politiques, par exemple) ?
6. Certains critiques voient dans *Le Cassé* un document psychologique et sociologique, mais lui refusent la qualité d'œuvre littéraire. Qu'en pensez-vous ? La beauté du langage, le génie verbal sont-ils une condition *sine qua non* de la valeur littéraire ?

---

pour de vrai : (fam.) *véritablement, réellement*
toé, moé : *toi, moi*. Cette prononciation subsiste encore dans certaines provinces de France, dans la campagne normande notamment
le cul : *le derrière* (pop.)
une cenne : (can.) *un cent, la centième partie du dollar*
t'as : (pop.) *tu as*
icitte : (pop. can.) *ici*
Crisse : *Christ*
bonyeu : *le bon Dieu*
tes zaveuglements : *tes aveuglements*. La langue populaire agglutine souvent aux mots le son final de l'article qui précède
nouzôt : *nous autres* (fam. pour *nous*)
fârme ta yeule : *ferme ta gueule* (pop.) : *tais-toi*

7. Analysez la langue de ce passage : vocabulaire, syntaxe, images, etc. Quel est le ton qui domine ?

8. Renaud veut montrer que : « il n'y a plus de langue au Québec, que le Québec, c'est fini. À moins qu'il n'y ait une révolution ». Ses personnages ne savent ni le français ni l'anglais, ils ne pensent guère et sont prisonniers de leur silence. Étudiez les rapports qui existent entre la langue et la pensée, entre la langue et la conscience sociale.

Remarques de style

« ... seigneurs, clergé, bourgeois, notaires, avocats, médecins, ingénieurs et surtout écrivains... »
Remarquez l'omission de l'article dans cette énumération. Quel est l'effet de cette omission ? Ajoutez les articles et comparez.

« Qu'on lise Marivaux, par exemple. »
L'emploi du subjonctif au lieu de l'impératif pour s'adresser à quelqu'un ajoute une nuance d'impersonnalité, de généralité, et donne donc plus de force à l'argumentation. Comparez :

> *Lisez Marivaux, par exemple* : si vous lisez Marivaux, vous constaterez... (le raisonnement s'applique à un groupe réduit)
>
> *Qu'on lise Marivaux, par exemple* : toute personne qui lit Marivaux peut constater... (le raisonnement s'applique à un groupe très général)

« La langue canadienne... reflète un climat nouveau, des cieux nouveaux, une sensibilité nouvelle. »
Placé après le nom, l'adjectif *nouveau* insiste sur le caractère d'originalité de ce qui n'existe ou n'est connu que depuis peu. De plus, la répétition de l'adjectif insiste fortement sur l'idée qu'il exprime.

« Qu'il survive en plusieurs coins de France est déjà étonnant. »
La proposition *qu'il survive en plusieurs coins de France* est mise en valeur par sa position en tête de phrase. Elle a la fonction de sujet du verbe principal (*est*) ; c'est une proposition **substantive** (qui remplit la fonction grammaticale du nom). Comparez avec : *Il est déjà étonnant qu'il survive en plusieurs coins de France.*

« Ils sont à blâmer ceux qui... »
Dislocation de l'ordre des mots (ordre normal : *ceux qui... sont à blâmer*) et pléonasme (*ils*, *ceux qui*). Par ce procédé, le sujet est rapproché du verbe, et l'accent est mis sur l'idée de blâme.

« Ainsi sera maintenue ce que le même auteur appelle *l'action civilisatrice du langage.* »
= *C'est ainsi que sera maintenue...* .
Placé en tête de phrase, *ainsi* a le sens de *c'est ainsi que*. Dans les deux cas on fait l'inversion du sujet. Lorsque *ainsi* introduit une conclusion (= *alors*), l'inversion ne se fait pas :

> Ainsi, vous ne voulez pas venir ?

L'inversion se fait également après *peut-être, sans doute, aussi* (exprimant une conséquence), *à plus forte raison, du moins, encore, en vain, tout au plus, à peine* ou *toujours*, placés en tête de phrase ou de proposition.

« **Y a des bonnes âmes qui se font appeler les amis des pauvres.** »
Il y a est un tour de présentation qui permet de mettre l'accent sur le substantif.

Exercices de style

1. *Refaites les phrases suivantes en mettant en valeur les mots indiqués :*

- *au moyen d'un tour de présentation* (*c'est, ce sont, il y a*) :

a. Les Acadiens ont été déportés **sur ces navires-ci.**

b. Ils ont été déportés **en Virginie**.

c. L'élite québécoise a toujours utilisé **la même langue**.

d. **Certains** disent que la langue du peuple est la seule valable.

e. **Les archaïsmes et les provincialismes** sont les lettres de noblesse de notre langue.

- *au moyen d'une dislocation de la phrase* :

f. Dans les ruelles du bas de la ville, on n'a pas de **sapins** !

g. La démonstration d'Henri Bélanger est **fort intéressante**.

h. Vous m'avez légué **cette malédiction** avec votre héritage.

i. Il n'aurait pu dire **combien de temps**...

j. Il n'est pas toujours facile de saisir **la personnalité des étrangers**.

- *en mettant la proposition en tête de phrase* :

k. Il n'est pas étonnant **que la langue populaire se soit détachée de la langue de l'élite**.

l. Il est exagéré de **ne reconnaître de droits qu'à la langue du peuple.**

m. Il vaut mieux **parler bien l'anglais** que parler mal le français.

n. C'est l'avis d'Henri Bélanger **qu'il faut partir de la langue populaire pour fonder une langue québécoise**.

o. Cela n'a rien d'étonnant **que Colomb n'ait pas su qu'il avait découvert l'Amérique**.

2. *Refaites les phrases suivantes en employant* ***aussi***, ***peut-être***, *etc. placé en tête de proposition* :

a. La langue est en danger. Il faut la préserver. (aussi)

b. Ils n'ont pas besoin d'amour mais ils ont besoin d'aimer. (peut-être)

c. Sa femme était sortie. (sans doute)

d. La lune était levée, Agaguk se mit en route. (à peine)

e. Écrire, c'est bien, mais il faut avoir quelque chose à dire. (encore)

Traduction

Traduisez les phrases suivantes en employant le vocabulaire et les expressions des textes :

1. More than one observer during the 18th century has affirmed that Canadian French is identical to the best speech of France.
2. It appears that an adequate standard of speech was maintained among the Canadian-born, even in the most remote parts of the country.
3. "Nowhere else," declares Father de Charlevoix, "is our language spoken with greater purity. One cannot discern here the least accent."
4. Canadian French was essentially popular spoken French, for the colonists were in the main farmers and labourers, plain, rough people, many of whom could neither read nor write.
5. The characteristics of the popular speech of rural Quebec — archaism and the survival of dialectal terms — are the letters patent of nobility of our language.
6. Unfortunately, the language spoken in the cities has absorbed a large number of anglicisms. It has become degraded, its pronunciation coarse and deformed.
7. While the Franco-American speech of New England is substantially the same as the French of Quebec, the French dialect spoken in parts of Louisiana today is a linear descendant of Acadian French.
8. A parallel development was taking place in the speech of the middle and professional classes, as English had become the language of trade and business.
9. On the other hand, Canadian-born purists go to the extreme of translating even sensible borrowings such as "hockey", "pipeline" and "tennis", thus creating a vocabulary that will not be understood anywhere else in the French-speaking world.
10. Between these zealous purists and the ones who slavishly imitate the "French from France", it is wise, perhaps, to reach a compromise.
11. The Creole of New Orleans and of the plantations speaks good French. As for the Cajun — whose name is a palatalization of the word "Acadian" — his speech betrays its rural origin.
12. Most Francophones of Louisiana came from Acadia; thus many of the words and expressions used in Cajun French are the same.

Étude de vocabulaire

Les niveaux de langue

Pour formuler une même idée, toute langue dispose de diverses possibilités d'expression syntaxique et lexicale, reflets des variations que présentent les divers groupes qui constituent une communauté linguistique. La situation sociale, le niveau d'éducation, les exigences du métier, les circonstances de la vie prescrivent un usage particulier de la langue et créent toute une gamme de niveaux.

En français, les principales différences grammaticales entre la langue écrite littéraire et la langue parlée se manifestent dans les verbes :

- le passé simple est remplacé par le passé composé
- le passé antérieur est remplacé par le passé surcomposé

- le subjonctif ne s'emploie qu'au présent et au passé
- les tournures interrogatives et négatives sont altérées

Par souci de simplification, on distinguera quatre niveaux de langue principaux :

- **la langue littéraire** qui peut devenir, à l'extrême, langue poétique
- **la langue écrite***, c'est-à-dire la langue correcte la plus commune dans un groupe linguistique donné
- **la langue familière**, langue parlée correcte mais moins recherchée que la langue écrite
- **la langue populaire**, vulgaire et incorrecte, qui devient, à l'extrême, de l'argot

*Le terme de *langue écrite* désigne ici un niveau de langue, et non pas seulement la langue que l'on écrit. À ce niveau appartiennent également un certain nombre de langues spécialisées : administrative, commerciale, juridique, scientifique, etc.

1. *Classez les mots donnés selon le niveau de langue auxquel ils appartiennent* :

litt. : langue littéraire — **écr.** : langue écrite

fam. : langue familière — **pop.** : langue populaire

a. la tête_____, le chef_____, la caboche_____, le crâne_____

b. être las_____, crevé_____, épuisé_____, claqué_____, fatigué_____

c. craintif_____, peureux_____, poule mouillée_____, trouillard_____

d. un mec_____, un gars_____, un jeune homme_____, un jeune_____

e. un fâcheux_____, un importun_____, un casse-pieds_____

f. mourir_____, trépasser_____, crever_____, passer l'arme à gauche_____

g. un copain_____, un pote_____, un ami_____, un camarade_____

h. dormir_____, roupiller_____, sommeiller_____, pioncer_____

i. l'onde_____, la mer_____, les flots_____, la flotte_____

j. s'entretenir_____, causer_____, jaser_____, tailler une bavette_____

k. bouffer_____, manger_____, casser la croûte_____, se restaurer_____

l. la piaule_____, la demeure_____, la maison_____, le domicile_____

m. des fonds_____, de l'argent_____, des ronds_____, du fric_____

n. l'azur_____, l'éther_____, les cieux_____, le ciel_____

o. être fauché_____, à sec_____, à court_____, démuni_____

2. *Dites à quel niveau de langue appartiennent les phrases suivantes, et indiquez les indices sur lesquels vous vous appuyez* :

a. Lorsque la plus grande partie de l'élite fut retournée en France, le peuple se trouva privé de l'occasion d'entendre un français plus pur.

b. Ce qu'il a dû apprendre, le pauvre !

c. À peine venu que déjà il céderait au froid du nord. Viendrait le court automne.

d. T'as qu'à pas y aller, si t'as la trouille.

e. Fort heureusement, le roi prit connaissance de la supplique que Cartier venait d'adresser à l'amiral de Chabot.

f. Il savait les dangers de l'hiver dans l'Arctique.

g. Quand il a été parti, elle s'est mise à laver la vaisselle.

h. Le niveau des revenus ayant augmenté considérablement, un nombre de plus en plus élevé de familles sont en mesure de satisfaire leurs aspirations.

i. Ils eussent voulu devenir historiens qu'ils fussent restés court.

j. L'enseignement se donne en français dans les classes maternelles, dans les écoles primaires et secondaires sous réserve des exceptions prévues au présent chapitre.

Sens de certains adjectifs

« Est-elle absolument probante ? » (p. 146, lig. 31–32)

Probant(e) signifie : *qui apporte la preuve.*

3. *Remplacez la proposition qui précise chacun des noms ci-dessous par l'adjectif convenable, choisi dans la liste donnée* :

aberrant, abstrus, aléatoire, alambiqué,
captieux, encyclopédique, érudit, évasif,
fallacieux, farfelu, fictif, indélébile,
inédit, inéluctable, infaillible, insidieux,
irréfutable, laconique, pointilleux, probatoire,
prolifique, prolixe, spécieux, suggestif,
synoptique, vraisemblable

a. une preuve ________ (qui ne peut être détruite)

b. un argument ________ (qui trompe parce qu'il est faux)

c. une question ________ (qui constitue un piège)

d. une théorie ________ (qui s'écarte du bon sens)

e. un examen ________ (qui permet de prouver ses connaissances)

f. une œuvre ________ (qui n'a pas été publiée)

g. une culture ________ (qui embrasse de nombreux domaines)

h. un écrivain ________ (qui écrit beaucoup)

i. un poème ________ (qui fait naître des idées, des sentiments)

j. un orateur ________ (qui se perd en développements superflus)

k. un juge ________ (qui ne peut pas se tromper)

l. une réponse ________ (qui est particulièrement brève)

m. un argument ________ (qui cherche à tromper)

n. un raisonnement ________ (qui n'a qu'une apparence de vérité)

o. une réponse ________ (qui n'est pas catégorique)

p. un exposé ________ (qui est difficile à comprendre)

q. une phrase ________ (qui est trop compliquée)

r. un personnage ________ (qui n'a rien de réel)

s. une conséquence ________ (qui ne peut pas être évitée)

t. une idée ____________ (qui est bizarre, extravagante)

u. une grammaire ____________ (qui étudie les moindres détails)

v. un dénouement ____________ (qu'on peut estimer vrai)

w. une impression ____________ (que le temps ne peut effacer)

x. un événement ____________ (qui dépend de circonstances incertaines)

y. un mémoire ____________ (qui témoigne de connaissances profondes)

z. un tableau ____________ (qui permet de saisir toutes les parties d'un seul coup d'œil)

à mesure (que)/au fur et à mesure (que)

A. *À mesure que* (ou *au fur* et à mesure que*) locution conjonctive proportionelle, marque la simultanéité dans le développement de deux actions. Elle ne peut s'employer que lorsque les deux actions simultanées présentent également un caractère progressif et proportionnel :

> **Au fur et à mesure que** l'heure avançait, elle s'inquiétait davantage. (Plus l'heure avançait, plus elle s'inquiétait ; son inquiétude augmentait proportionnellement au temps qui passait.)

Par conséquent, elle ne peut s'employer qu'avec les verbes signifiant des procès susceptibles de se prolonger sans limitation à moins d'être interrompus par une circonstance extérieure, dits **verbes imperfectifs**. Par contre, elle ne peut pas s'employer avec les **verbes perfectifs** qui comportent par eux-mêmes une limitation, une fin nécessaire, et ne sont donc pas susceptibles de se prolonger indéfiniment quand les deux actions sont faites par un même sujet, (*entrer, partir, naître*, etc.) Ces verbes peuvent s'employer avec *à mesure que* lorsque le procès est accompli successivement par plusieurs sujets :

> **À mesure qu**'ils entrent, on les fait asseoir.
>
> **À mesure que** les gens mouraient, on les enterrait.

**fur*, du latin *forum* (*marché*) est un vieux mot qui signifiait *taux*. La locution *au fur* (XVᵉ), qui signifiait *à proportion*, fut renforcée par *à mesure* lorsque le sens de *fur* se perdit.

4. *Traduisez les phrases suivantes en employant* ***(au fur et) à mesure que*** *toutes les fois que c'est possible* :

a. As I was walking in the park, it got colder and colder.

b. As success in business became more dependent upon English, French ceased to be the language of commerce and industry.

c. As you get closer, you can see the bridges, the lighthouses and the small fishing villages nestled among the sand dunes.

d. As our ancestor Robert was about to fire, the father raised his hands uttering some curse or other.

e. As the animal got closer, Agaguk became sure that it was the Big White Wolf.

f. While he was growing up, he dreamed of voyages and adventures.
g. As the years went by, he became more and more absorbed in the past.
h. As the sail vanished in the distance, she fell fainting on the ground.
i. As I entered the wood, I thought I heard voices whispering in my ear.
j. We eat the tomatoes as they ripen.
k. As night was falling, more and more lights appeared in the valley.
l. As one gets older, one realizes the importance of the relationship between language and life.

5. « À mesure qu'ils reprenaient leur souffle, leur grande faim s'éveillait, et bientôt ils commencèrent à manger avec avidité ».

Sur ce modèle (*à mesure que* entraînant deux imparfaits progressifs, interrompus par un passé simple) *et en conservant le rythme de la phrase, composez deux phrases décrivant deux situations différentes.*

B. La locution adverbiale *au fur et à mesure* (ou, plus rarement *à mesure*) signifie : *par degrés successifs, d'une manière progressive* :

Faites votre travail **au fur et à mesure**. (= faites-le peu à peu, sans attendre d'en avoir trop à faire à la fois)

La locution prépositive *au fur et à mesure de* signifie : *d'une manière progressive* :

Je verrai les candidats **au fur et à mesure de** leur arrivée. (= je les verrai l'un après l'autre, dès qu'ils arriveront)

6. *Complétez les phrases suivantes au moyen de* **(au fur et) à mesure (de, que)** :

a. On vendra les tickets ______ on les aura.
b. La route devenait ______ plus difficile.
c. ______ elle sortait les biscuits du four, les enfants les mangeaient.
d. Nous vous communiquerons les nouvelles ______ leur réception.
e. Je vous donnerai les nouvelles ______

Les néologismes

Certains néologismes (mots nouveaux) se forment par nécessité, pour répondre à des besoins nouveaux ou pour décrire des réalités nouvelles, dans les domaines scientifique et technique surtout. D'autres, répandus par la presse, la radio, la télévision, ne répondent à aucun besoin réel, et ne sont compris que par les initiés. Pour former des mots nouveaux, la langue a recours :

- à la dérivation : chauviniste (adjonction du suffixe **-iste** à un mot déjà existant)
- à la composition : hélicoptère, homme d'affaires, motoneige
- à l'emprunt aux langues étrangères : wagon, bakchich, guérilla
- à l'extension sémantique de mots déjà existants : débrayer (au sens de *faire grève*), marcher (au sens de *fonctionner*), éclater (au sens de *se diviser*)

7. *Remplacez les néologismes suivants par un synonyme d'usage plus courant :*

sélectionner des joueurs
solutionner un problème
investir des capitaux
réceptionner une demande
planifier un voyage
visionner un film
traumatiser quelqu'un
programmer une soirée
sensibiliser l'opinion
ovationner un orateur

un enfant **culpabilisé**
un enfant **scolarisé**
une machine **opérationnelle**
une personne **commotionnée**
une personne **accidentée**
un étudiant **politisé**
des prix **majorés**
un bâtiment **réfectionné**
des idées **catégorisées**
un étudiant **gradué**

8. *Expliquez les néologismes suivants* :

la **gérontologie**
la **marée noire**
la **bureaucratisation**
les **estivants**
les **aoûtiens**
les **technocrates**
une **bretelle** (sur les routes)
un **échangeur**
l'**environnement**
l'**hydrocution**
l'**alunissage**
une **implosion**
un **ordinateur**
une **micheline**
un **téléroman**

une cabine **pressurisée**
un avion **supersonique**
des prix **inflationnistes**
un corps **atomisé**
un **hypermarché**
des troupes **aéroportées**
une personne **hypertendue**
une pièce **climatisée**
une pièce **télévisée**
un produit **surgelé**
un sous-marin **atomique**
une substance **cancérigène**
une rue **piétonnière**
un **logiciel**
un ingénieur **reconverti**

Les anglicismes

L'anglais occupe une place importante dans l'évolution linguistique de nombreux pays. Le français dit « universel » a tendance à faire un usage abusif d'anglicismes condamnés par de nombreux grammairiens, linguistes, hommes de lettres, etc. Le gouvernement français a pris diverses mesures pour lutter contre cette tendance et a publié notamment une liste de plusieurs centaines de mots et de tours « franglais » à bannir du vocabulaire. Le même mouvement se fait sentir au Canada francophone.

9. *Trouvez un équivalent français pour les anglicismes ou pseudo-anglicismes suivants* :

un appartement de **grand standing**
un projet **sous considération**
un scientifique **de haut niveau**

tester un appareil
le **planning familial**
une **star** du cinéma

les personnes **concernées**
faire **un barbecue**
faire du **camping** (du **caravanning**)

faire du **shopping**
un **leader** politique
five o'clock à toute heure

Les Canadiens français, dont la langue est plus exposée à subir l'influence de l'anglais, reprochent au français universel d'avoir adopté des termes anglais, et ils les remplacent par des termes français. Cependant, certains de ces termes ont subi un glissement sémantique et ne signifient pas la même chose qu'en français standard.

10. *D'après les phrases données, expliquez la différence de sens. Quel est le mot anglais utilisé en français standard et évité en français canadien ?* (c. = français canadien, s. = français standard) :

c. Je vais passer la **fin de semaine** à la campagne.
s. Je passerai vous voir en **fin de semaine**.

c. Un nouveau **casse-croûte** vient de s'ouvrir au coin de la rue.
s. Quand nous partons pour la journée, nous emportons un **casse-croûte**.

c. À minuit, on servira un petit **goûter** aux invités.
s. Quand les enfants rentrent de l'école, il prennent leur **goûter**.

c. Tu viens voir le **jeu** de hockey, ce soir ?
s. En France, le **jeu** de hockey n'est pas aussi populaire qu'au Canada.

c. Ma tante me donne toujours un **casse-tête** pour mon anniversaire.
s. Ma déclaration d'impôts est très compliquée, c'est un vrai **casse-tête** !

11. *Trouvez dans la liste B les mots correspondant à ceux de la liste A* :

A	B
container	stationnement
tanker	gomme à mâcher
parking	présentateur
pipeline	arrêt
speaker	haute-fidélité
chewing gum	pétrolier
stop	conteneur
(chaîne) hi-fi	oléoduc

12. Pour chacun des mots anglais qui suivent, on a donné deux équivalents français de sens voisin, mais qui ont des emplois différents. *Complétez les phrases suivantes au moyen d'un des mots donnés* :

sale : *solde/vente*

a. Cet article est en __________ dans tous les bons magasins.
b. Cette robe ne m'a pas coûté cher, je l'ai eue en __________.

beverage : *breuvage/boisson*

c. Il fait chaud. Prenez donc un(e) __________ glacé(e).
d. On me servit un(e) __________ bizarre, chaud(e) et amer(ère)...

oil : *huile/mazout*

e. Est-ce que vous vous chauffez au (à l') ______ ou au gaz ?

f. Une vinaigrette est un condiment composé d' (de) ______ et de vinaigre.

barber : *barbier/coiffeur*

g. Autrefois, les ______ ne faisaient pas que raser la barbe.

h. Mon frère va chez le ______ tous les quinze jours.

copy : *copie/exemplaire*

i. Tu peux garder ce livre, j'en ai deux ______.

j. Joignez un(e) ______ de vos diplômes à votre demande.

Les régionalismes (Canada et Louisiane)

Certains termes, certaines locutions ou certaines tournures ne s'emploient que dans certaines régions. Les colons français ont apporté avec eux de leur province d'origine les particularités linguistiques, qui, grâce à l'éloignement géographique et culturel d'avec la mère-patrie, se sont conservées plus vivantes qu'en France. Ces particularités se retrouvent non seulement au Canada, mais dans les communautés linguistiques des États-Unis, en Louisiane notamment.

13. *Trouvez dans la liste B les mots et locutions du français standard correspondant aux régionalismes de la liste A :*

A	B
une écore	des moustiques
un chassis	une averse
un char	une fenêtre
des maringouins	un grand manteau
les fèves	les haricots
un capot	une voiture
une avalasse	une rive escarpée
à c't'heure (asteure)	il pleut
ça fait beau	il fait beau
ça mouille	à présent

Locutions contenant un nom de fruit ou de légume

Couper la poire en deux signifie : *partager la différence, arriver à un compromis*. Toutes les expressions ci-dessous contiennent un nom de fruit ou de légume.

14. *Complétez les phrases au moyen d'un nom choisi dans la liste donnée :*

chou	poire
figue	pomme
haricot	poireau
oignon	radis
pissenlit	raisin

a. Il nous a accueillis avec un sourire mi-______, mi-______.

b. J'ai fait l______ sur le quai pendant deux heures.

c. Ne dépense pas tout. Il faut garder un ______ pour la soif.

d. Ça alors ! c'est la fin des ______ !

e. Je suis complètement fauché. Je n'ai plus un ______.

f. Il est tellement ______ qu'on lui fait faire tout ce qu'on veut.

g. *Manger les* ______ *par la racine* veut dire : ***être mort et enterré.***

h. Ça ne te regarde pas. Occupe-toi de tes ______.

i. Il faisait si chaud qu'elle est tombée dans les ______.

j. C'est une histoire bête comme ______.

Distinctions

Place et signification de certains adjectifs

un climat **nouveau**, des cieux **nouveaux** : inconnus jusqu'alors
un **nouveau** climat, de **nouveaux** cieux : autres, différents

une église **ancienne** : qui existe depuis longtemps
une **ancienne** église : qui n'est plus une église

Certains adjectifs qualificatifs qui se placent généralement après le nom peuvent se placer avant le nom. Ils perdent alors leur sens explicatif pour prendre une valeur expressive ou intensive ou encore un sens figuré.

Les adjectifs ordinaux *premier* et *dernier* changent de sens et deviennent qualificatifs lorsqu'ils sont placés après le nom.

1. *Mettez les adjectifs donnés à la place qui convient selon le sens :*

a. Il est si gentil ! Quel ______ garçon ______ ! (brave)

b. La France produit des ______ vins ______. (fameux)

c. Les montagnards ont des ______ mœurs ______. (rudes)

d. Chaque jour elle porte une ______ robe ______. (nouvelle)

e. Nos ______ soldats ______ ont bien mérité de la patrie. (braves)

f. Il ne s'occupe même pas de ses ______ enfants ______. (propres)

g. Les ______ voitures ______ consomment de moins en moins d'essence. (nouvelles)

h. Des pommes de terre au lard ? Quel ______ repas ______ ! (maigre)

i. Ce(t) ______ homme ______ vient de perdre sa femme. (pauvre)

j. Tiens, vous êtes rentrés ! — Oui, nous sommes rentrés la ______ semaine ______. (dernière)

k. Napoléon n'était pas un ______ homme ______ mais personne ne peut nier qu'il fut un ______ homme ______. (grand)

l. C'est le (l') ______ fils ______ qui me reste. (unique)

m. Un repas sans viande est un ______ repas ______. (maigre)

n. Son père était un ______ industriel ______. (gros)

o. Tu auras du mal à le vaincre. C'est un ______ adversaire ______. (rude)

p. Mets de côté les ______ assiettes ______. (propres)

q. Il se heurta à l'hostilité des ______ armateurs ______ que seules les pêcheries intéressaient. (riches)

r. Elle ne s'intéresse qu'à l'argent. Elle n'épousera jamais un ______ homme ______. (pauvre)

s. Il y a des ______ personnes ______ qui se font appeler les amis des pauvres. (riches)

t. Les ______ enfants ______ sont souvent gâtés par leurs parents. (uniques)

u. Pourquoi a-t-il fait ça ? C'est un ______ imbécile ______ ! (fameux)

v. Ils sont rentrés la ______ semaine ______ des vacances. (dernière)

w. Pourquoi me fais-tu ______ mine ______ ? (grise)

x. C'est la ______ chose ______ à faire. (seule)

y. C'est une pension pour ______ dames ______.(seules)

z. Jacques Cartier est né en 1491, l' (la) ______ année ______ où la bonne duchesse Anne de Bretagne épousait le roi Charles VIII. (même)

aa. De quoi avez-vous parlé ? — Oh, de ______ choses ______. (différentes)

bb. La correction de la syntaxe et le pittoresque du vocabulaire sont deux ______ choses ______. (différentes)

cc. Dans sa jeunesse, il avait pris part à (des) ______ expéditions ______ aux bancs de Terre-Neuve. (diverses)

dd. Je mets dans ce tiroir tout ce qui n'a pas de place précise. C'est pourquoi il contient de(s) ______ objets ______. (si divers)

2. *Mettez l'adjectif **faux** à la place qui convient et expliquez le sens* :

a. Ne vous affolez pas, c'est une ______ alarme ______.

b. Personne n'aime les ______ gens ______.

c. La réception s'est déroulée sans une ______ note ______.

d. Dans le commerce, il est interdit de se servir d'une ______ balance ______.

e. On vous a roulé, c'est un ______ billet ______.

f. Le prince voyage sous un ______ nom ______.

g. On ne vous acceptera pas dans la chorale, vous avez la ______ voix ______.

h. Il m'a présenté la question sous un ______ jour ______.

Certains adjectifs très courants forment avec un nom des unités, des mots composés (voir p. 83, *La composition*).

un grand magasin peut être : { *a large store* / *a department store* (unité)

3. *Dites si les groupes suivants constituent ou non des unités, et traduisez-les* :

a. une jeune fille
b. une grande pièce
c. une main longue
d. un ours blanc
e. un gros livre
f. une aiguille fine
g. un jeu complet
h. une petite annonce
i. un romancier allemand
j. un simple soldat
k. une réponse vague
l. un jeune garçon
m. le grand film
n. une chaise longue
o. un chat blanc
p. un gros mot
q. de fines herbes
r. du pain complet
s. une petite route
t. un berger allemand
u. une simple formalité
v. un terrain vague

retourner / revenir / rentrer

Il y a entre *retourner* et *revenir* le même rapport qu'entre *aller* et *venir*.

Je **vais** à Montréal. Je **retourne** à Montréal. (j'y vais de nouveau)

Je **viens** de Montréal. Je **reviens** de Montréal. (j'en viens de nouveau)

Rentrer s'emploie :

- quand on revient chez soi, à la maison, dans son pays, là où on habite :

  Je ne **rentrerai** pas pour dîner. (à la maison)

  Ils **sont rentrés** la semaine dernière. (de voyage)

- quand on reprend son travail, ses occupations, après une période d'arrêt :

  Les enfants **rentrent** en septembre. (en classe)

4. *Complétez les phrases suivantes avec* **revenir, retourner** *ou* **rentrer** :

a. Ayant été envoyé par le roi pour trouver un passage vers l'Est, Verrazano ______ déçu à Dieppe.

b. Jacques Cartier ______ plusieurs fois en Amérique.

c. Attends-moi, je ______ dans cinq minutes.
d. Mes parents me disent toujours de ne pas ______ trop tard.
e. Quand il ______, dites-lui de passer dans mon bureau.
f. Quand l'élite ______ en France, le peuple fut privé de l'occasion d'entendre un parler plus pur.

Les paronymes

Les paronymes sont des mots voisins par leur forme et leur sonorité et parfois par leur sens.

5. *Complétez les phrases suivantes en choisissant un des mots donnés :*

a. Au cours de son ______ prononcée devant le Canadian Club de Montréal, le Dr Camille Laurin affirmait... (allocution, élocution)
b. Je vous avertirai au moment ______. (importun, opportun)
c. Il n'a jamais ______ la santé. (recouvrer, recouvrir)
d. Soudain, les enfants firent ______ dans la pièce. (éruption, irruption)
e. Toute ______ à la loi sera sévèrement punie. (effraction, infraction)
f. Les nouvelles voitures ______ de moins en moins d'essence. (consommer, consumer)
g. Vous devriez demander un ______ de votre congé. (prolongement, prolongation)
h. Il s'est produit un ______ amusant. (incident, accident)
i. Vu la ______ actuelle, il est difficile de faire des ______ raisonnables sur l'avenir. (conjecture, conjoncture)
j. Les parents peuvent ______ l'article 73 pour envoyer leurs enfants à l'école anglaise. (invoquer, évoquer)
k. Les termes légaux ne sont ______ que pour les initiés. (compréhensif, compréhensible)
l. La faim commença à se faire sentir. Pour se faire ______, il alluma une pipe... (allusion, illusion)
m. Il se sentait ______ par le manque d'oxygène. (opprimé, oppressé)
n. Il n'y avait personne. Ce n'était pas une rue très ______. (passante, passagère)
o. Est-ce qu'il y a des serpents ______ dans votre région ? (vénéneux, venimeux)
p. Nous terminerons le ______ de la machine quand vous aurez effectué le ______ de la dernière facture. (réglage, règlement)
q. Cet exercice fait partie ______ du chapitre. (intégrale, intégrante)
r. Il sortit du métro et ______ dans la cohue de la ville. (émerger, immerger)

s. Un tramway le frôla ; il échappa de ______________ à l'______________. (justesse, justice ; incident, accident)

t. Le ______________ est chargé de ______________ les impôts. (percepteur, précepteur ; recouvrer, recouvrir)

apporter / emporter / amener / emmener

apporter signifie :

porter au lieu où est quelqu'un (la personne qui parle ou une personne dont on parle).

emporter signifie :

porter dans un autre lieu.

- Formés sur *porter*, ces verbes ont comme objet ce que l'on peut porter (à la main, dans les bras, etc.)

amener signifie :

mener au lieu où est quelqu'un (la personne qui parle ou une personne dont on parle).

emmener signifie :

mener dans un autre lieu.

- Formés sur *mener*, ces verbes ont comme objet ce qui accompagne, qui se meut seul.

6. *Traduisez les phrases suivantes* :

a. Don't forget to bring back the book I lent you.
b. When they went back to France, they took their servants with them.
c. He brought his sick dog and placed him on the table.
d. Bring the car around at about three o'clock.
e. The burglars did not take anything away.
f. I would like to meet your cousin. Bring her to me when you have time.
g. Cartier promised to bring back his sons the following year.
h. The settlers had brought with them their customs and their traditions.

sembler / paraître

Il n'y a pas de différence sémantique entre *sembler* et *paraître* quand ils introduisent un attribut ou un infinitif :

Les armateurs **semblaient** (**paraissaient**) hostiles.

Il ne **semble** (**paraît**) pas comprendre ce qu'on lui dit.

Mais en construction impersonnelle (au présent), il faut distinguer entre :

Il **semble** qu'il s'est noyé (simple apparence)

et : Il **paraît** qu'il s'est noyé (on le dit, le bruit court).

REMARQUE : *Il semble que* peut être suivi de l'indicatif (s'il exprime une probabilité, une évidence), du conditionnel (dans une phrase conditionnelle) ou du subjonctif (s'il exprime une simple apparence). Ne pas confondre avec *il me semble que* (*il lui semble que, il semble à ses parents que*) qui exprime une opinion et est donc suivi de l'indicatif à l'affirmatif et généralement du subjonctif à l'interrogatif et au négatif. *Il paraît que* ne peut être suivi que de l'indicatif.

7. *Complétez les phrases suivantes au moyen de* **sembler** *ou* **paraître**. *Indiquez si les deux sont possibles :*

   a. Il __________ certain que l'élite québécoise a toujours parlé une langue distinguée.
   b. Il __________ que Charles Quint et le roi du Portugal se soient partagé la terre entre eux.
   c. Il __________ qu'il va pleuvoir, le ciel se couvre.
   d. Il __________ que tu n'es pas rentré hier soir. Tes parents ne t'ont rien dit ?
   e. Il __________ que cette maisonnette occupait l'emplacement de l'hôtel où Chateaubriand devait voir le jour quelque trois cents ans plus tard.
   f. Il nous __________ évident que « faire québécois ne doit pas être synonyme de vulgaire et de grossier ».
   g. Il __________ que tu te maries ?
   h. Il __________ que les barbiers opéraient de la pierre.
   i. Il __________ que les recherches les plus intéressantes devraient se trouver du côté des marais salants.
   j. Il __________ qu'il fasse moins froid. Tu ne trouves pas ?
   k. Il __________ que vous allez repartir en France. Est-ce vrai ?
   l. La morue leur __________ meilleure que le hareng.

Étude de langue

Les verbes pronominaux

Les verbes pronominaux, c'est-à-dire les verbes qui sont accompagnés d'un pronom représentant la même personne que le sujet, se répartissent en quatre groupes :

A. Les verbes pronominaux **réfléchis** : le sujet fait l'action sur lui-même. Le pronom réfléchi peut être :

- complément d'objet direct : il se lave (on lave quelqu'un)
- complément d'objet indirect : il se demande (on demande à quelqu'un)

B. Les verbes pronominaux **réciproques** : deux (ou plusieurs) sujets font l'un sur l'autre (ou les uns sur les autres) l'action exprimée par le verbe. Le pronom réciproque peut être :

- complément d'objet direct : ils se battent (on bat quelqu'un)
- complément d'objet indirect : ils se parlent (on parle à quelqu'un)

C. Les verbes pronominaux **proprement dits**, ou verbes essentiellement pronominaux. Le pronom n'a aucune fonction grammaticale dans la phrase. Ils comprennent :

- les verbes qui n'existent qu'à la forme pronominale : s'évanouir (de) to faint (from)
- les verbes non réfléchis ou subjectifs. Ces verbes existent également à l'état simple, mais ils ont un sens plus ou moins différent quand ils sont employés à la forme pronominale :

  apercevoir (voir) / s'apercevoir (remarquer, se rendre compte)

D. Les verbes pronominaux **de sens passif** qui s'emploient à la forme pronominale dans un sens passif, mais presque toujours à la 3e personne, sans indication d'agent, soit qu'il soit inconnu, soit que l'action ou l'objet ait plus d'importance que le sujet. L'agent implicite est généralement *on.*

Les oranges **se vendent** à la douzaine. (agent : *on*)

La porte **s'ouvrit**... (agent : *on*, ou inexistant)

REMARQUE 1 : Cet usage est extrêmement fréquent. Il est toutefois impossible si le sens devient ambigu. *Le chien s'est jeté à l'eau* ne peut pas remplacer : *On a jeté le chien à l'eau.*

REMARQUE 2 : Le pronominal passif s'emploie également comme impersonnel :

Il se perd chaque année un grand nombre de bateaux.
Il se construit de moins en moins d'immeubles.

NOTE : Après le semi-auxiliaire *faire* on omet le pronom réfléchi de la forme infinitive sauf si le verbe est essentiellement pronominal :

On la fit asseoir.

mais : Cela la fit **s'**évanouir.

On l'omet fréquemment après *laisser, mener, emmener* (surtout suivis de *se promener*) :

On m'a laissé asseoir à côté de lui.

Il les a emmenés promener.

Attention à la différence entre :

Il les a envoyés promener. (rabrouer quelqu'un)

Il les a envoyés se promener. (faire une promenade)

1. *Dans les phrases suivantes, dites à quelle catégorie appartiennent les verbes pronominaux. Indiquez la fonction de* **se**, *s'il y a lieu* :

a. Au XVIIIe siècle, les paysans ne **s'entretenaient** pas entre eux comme les gens instruits.

b. La langue populaire **s'est détachée** de la langue de l'élite.

c. Les anglicismes et les déviations syntaxiques **se sont** inévitablement **infiltrés**.

d. Nous sommes en présence d'une langue qui **se défait** depuis fort longtemps.

e. Et de **se gausser** de Grévisse...

f. Les manants du roi ne **s'exprimaient** pas autrement que ne **s'expriment** nos campagnards.

g. Le joual ne **se parle** pas partout au Québec.

h. Petit à petit, la cuisine **s'est développée** en un art particulier.

i. Les Jésuites **s'aperçurent** qu'un résidu sucré **se déposait** sur la viande de gibier bouillie dans une eau de sève.

j. Ce fut l'origine du sirop d'érable, ce délicieux dessert du Québec qui **se mange** aussi sous forme de sucre.

k. Ça fait quelque chose de **se réveiller** un beau matin toute changée comme ça.

l. Les Acadiens ne **se trouvent** pas dans les villes. Si vous voulez les dénicher, prenez plutôt les sentiers qui mènent à la côte.

m. Ça lui est arrivé de **s'interroger** sur les psychologues... .

n. Certains d'entre eux **s'échappèrent** et **se réfugièrent** en Louisiane.

o. La pêche à la morue **se pratiquait** surtout dans les parages de Terre-Neuve.

p. À force de travail il finit par **s'élever** au poste de P.d.g. (Président-directeur général).

q. Le Mont Blanc **s'élève** à plus de 4 800 mètres.

r. Il faudrait **se rendre** en France y surprendre l'arrivée de la marée.

s. Ils **se précipitaient** les uns sur les autres...

t. Le gel de surface **se souderait** bientôt au permafrost.

2. *Remplacez la construction active par une forme passive. Employez la forme pronominale de sens passif toutes les fois que c'est possible* :

a. On doit exprimer la réalité canadienne au moyen de mots nouveaux.

b. Il faut blâmer ceux qui abîment volontairement le français.

c. On n'apprend pas une langue en n'étudiant que la grammaire.

d. On voit la tour d'ici.

e. On a déporté les Acadiens en Virginie et en Nouvelle-Angleterre.

f. On exprime clairement ce que l'on conçoit bien.

g. On l'avait nommé grand amiral.

h. Quelqu'un l'a tué d'un coup de revolver.

i. Dans certaines régions on perd de plus en plus l'usage du français.

j. Qu'a-t-on trouvé autour des maisons désertes ?

L'accord du participe passé des verbes pronominaux

A. Dans les verbes réfléchis et réciproques, l'auxiliaire *être* remplace l'auxiliaire *avoir* employé dans la conjugaison du verbe simple :

Elle s'est lavée. Mais : *elle **a** lavé le chien.*

Ils se sont battus. Mais : *ils **ont** battu les enfants.*

B. Le participe passé des verbes réfléchis et réciproques suit la règle des participes passés conjugués avec l'auxiliaire *avoir* : il s'accorde avec le complément d'objet direct si celui-ci est placé avant le verbe :

Elle s'est regardé**e** dans la glace. (objet direct *se* = *elle*)

Elle s'est cassé la jambe. (objet direct *la jambe*)

La jambe qu'elle s'est cassé**e**... (objet direct *qu'* = *la jambe*)

Ils se sont téléphoné. (pas d'objet direct)

Les nouvelles qu'ils se sont téléphoné**es**. (objet direct *qu'* = *nouvelles*)

C. Lorsque le participe passé est suivi d'un infinitif, l'accord a lieu si le sujet (repris par le pronom réfléchi) **fait** l'action exprimée par l'infinitif* :

Elle s'est laissé**e** mourir de faim. (c'est elle qui est morte)

Elle s'est laissé séduire. (ce n'est pas elle qui a séduit)

*pour les tolérances ministérielles voir p. 28

REMARQUE : Le participe passé de *se faire* reste invariable s'il est suivi d'un infinitif.

D. Le participe passé des verbes essentiellement pronominaux et des verbes pronominaux de sens passif s'accorde généralement avec le sujet. Excepté : s'arroger (suit la règle B précédente) ; se rire, se plaire (au sens de *se trouver bien*), se déplaire (au sens de *ne pas se trouver bien*), et se complaire qui restent invariables.

3. *Faites l'accord des participes passés s'il y a lieu* :

a. Toute son enfance s'est déroulé_____ dans la cité bretonne.

b. C'est une chose que je ne me serais jamais imaginé_____.

c. Ils ne se sont pas parlé_____ de la soirée.

d. Elle s'est donné_____ tout entière aux œuvres de Saint-Vincent-de-Paul.

e. Les deux jeunes gens se sont plu_____ au premier coup d'œil.

f. Les années se sont succédé_____, aussi mornes les unes que les autres...

g. Les privilèges qu'ils se sont arrogé_____ sont excessifs.

h. Elle ne s'est jamais plu_____ en Europe.

i. Dans cette région les patois se sont parlé_____ plus que le français.

j. Ils se sont fait_____ tuer plutôt que de se rendre.

k. Tous les bruits se sont tu_____.

l. Ils se sont vu_____ interdire l'accès du territoire.

m. Ils se sont assuré_____ assez de provisions pour soutenir un siège.

n. Elle ne s'est pas senti_____ mourir.

o. Les outardes s'étaient rassemblé_____ entre les dunes.

p. Les enfants qui ne se sont pas inscrit_____ ne seront pas admis.

q. Ils se sont assuré_____ de cette nouvelle.

r. Nous nous sommes rendu____compte de notre erreur.

s. Les enfants se sont précipité____dans l'escalier.

t. Ils se sont souri____ ; ils s'étaient reconnu____.

Omission et répétition de l'article dans les énumérations

A. Dans une énumération, l'article est fréquemment omis pour donner à la phrase un rythme plus vif, plus rapide, ainsi qu'une généralité plus grande. Comparez :

Il ne faut pas minimiser l'importance de cette élite : seigneurs, clergé, bourgeois, notaires, avocats, médecins, ingénieurs et surtout écrivains qui sont de plus en plus nombreux à mesure qu'on avance vers le XXe siècle.

Il ne faut pas minimiser l'importance de cette élite : les seigneurs, le clergé, les bourgeois, les notaires, les avocats, les médecins, les ingénieurs et surtout les écrivains qui sont de plus en plus nombreux à mesure qu'on avance vers le XXe siècle.

B. Cependant, si le premier nom est précédé de l'article, celui-ci devra être répété devant chaque nom :

Pour faire un gâteau, il faut **de la** farine, **des** œufs, **du** sucre...

Pour faire un gâteau, il faut farine, œufs, sucre...

C. Le premier article n'est pas répété lorsque les noms désignent une même personne, une même chose ou une même idée, ou encore plusieurs personnes, choses ou idées étroitement liées dans la pensée :

son seigneur et maître (même personne)

la date et heure de départ (idées étroitement liées)

les dates et lieux de départ (idées étroitement liées)

NOTE : Si l'article requis par chacun des noms n'est pas le même, on ne peut pas l'omettre :

la date et **le** lieu de départ

D. Quand un nom est précédé de deux adjectifs qualificatifs reliés par *et* ou par *ou*, on répète l'article s'il s'agit de deux personnes ou deux choses, en particulier si les adjectifs expriment des qualités inconciliables :

le dixième et **le** dernier chapitres (il ne s'agit pas du même chapitre)

les bonnes et **les** mauvaises graines (il s'agit de deux sortes de graines, qui possèdent des qualités inconciliables)

Par contre on ne répète pas l'article s'il s'agit d'une même personne ou d'une même chose, ou si l'on range les êtres ou les objets dans une même classe :

le dixième et dernier chapitre (il s'agit du même chapitre)

jusqu'à **la** troisième et quatrième génération (même classe)

Si les adjectifs ne sont pas unis par *et* ou par *ou*, il faut répéter l'article :

La bonne, **l'**honnête femme que voilà !

4. *Mettez l'article dans les cas où il s'impose seulement* :

a. Les myrtilles ou____bleuets (can.) se trouvent en abondance sur le continent américain.

b. Tout le monde aux canots ! ____femmes et____enfants d'abord.

c. À la troisième et____dernière malédiction, il s'évanouit.

d. Seuls____parents et____amis sont invités.

e. Pendant la guerre,____café,____sucre,____tabac étaient rares.

f. ____coutumes et____langue d'un peuple touchent à son essence même.

g. Toute l'université était là : ____professeurs,____étudiants,____ bibliothécaires,____secrétaires...

h. Envoyez-moi un chèque ou____mandat.

i. Une famille comprend____père,____mère et____enfants.

j. C'est le premier et____seul film québécois que j'aie vu.

k. Nous avons connu des bons et____mauvais jours.

l. Je vous présente M. Dupré, un collègue et____ami de mon frère.

m. Paris est une grande et____belle ville.

n. Ah, Paris ! ____grande,____belle ville !

o. Sur une carte d'identité figurent____nom,____prénom,____signature, et____adresse du titulaire.

La proposition substantive

A. « Qu'il survive en plusieurs coins de France est déjà étonnant.

Qu'il ait survécu au Canada défie la vraisemblance. » (p. 147, lig. 17-18)

Les propositions substantives (qui équivalent à un substantif) *qu'il survive en plusieurs coins de France* et *qu'il ait survécu au Canada* remplissent les fonctions de sujets des verbes *être* et *défier* respectivement.

La proposition sujet placée en tête de phrase peut être également reprise par un pronom neutre ou par un mot équivalent (*chose*, *fait*, etc.) Cette construction est utilisée de préférence lorsque la proposition sujet est d'une certaine longueur, ce qui nécessite une pause dans l'énoncé :

> **Qu'il survive au Canada** comme il survit encore en plusieurs coins de France, **cela** est étonnant.

La proposition sujet peut être placée après le verbe :

- quand la phrase commence par un complément :

  D'où vient que la langue populaire se soit détachée de celle de l'élite ?

- quand elle est annoncée par un sujet apparent :

  Il est certain qu'il vaut mieux parler bien l'anglais que mal le français.

- quand elle est en apposition :

  Une chose l'inquiétait, que le loup ne vînt pas.

B. La proposition substantive peut être aussi :

- complément d'objet :

  Je crains qu'il ne survive pas.

- attribut :

  La vérité est qu'il a survécu.

- complément d'un adjectif, d'un participe ou d'un adverbe :

  Elle est digne qu'on s'occupe d'elle.

Quand la proposition substantive est placée en tête de phrase et remplit une fonction autre que celle de sujet, la reprise est obligatoire :

Qu'il ne survive pas, je **le** crains.

Qu'il soit digne d'intérêt, je n'**en** doute pas.

C. **Mode du verbe** : Quand la proposition substantive est en tête de phrase, le verbe est généralement au **subjonctif**, car le verbe principal dans la plupart des cas entraîne ce mode :

Qu'il le **sache**, j'en doute.

Cependant il est possible d'employer l'**indicatif**, si le verbe principal ne gouverne pas le subjonctif, pour souligner la réalité du fait :

Qu'il l'**aimait**, elle le savait depuis longtemps.

5. *Au moyen des éléments donnés, faites une phrase commençant par une proposition substantive introduite par* ***que****, proposition que vous reprendrez si nécessaire* :

a. L'Acadien est le citoyen le plus forgé de ce côté-ci de l'océan ; on ne peut pas le nier.

b. Elle était horrifiée parce que ses enfants ne savaient pas le nom de la province dans laquelle ils vivaient.

c. Colomb n'a jamais su qu'il avait découvert l'Amérique, mais cela importe peu.

d. Il savait que quand viendrait l'hiver, le gel de surface se souderait au permafrost.

e. Agaguk lâcherait le coup si le loup venait assez près, c'était probable.

f. Il semble certain que, de 1713 à nos jours, l'élite québécoise a utilisé une langue qui a toujours ressemblé à la langue distinguée de France.

g. Qui niera la parenté entre les paysans normands et les « habitants » québécois ?

h. L'Assemblée nationale reconnaît aux Amérindiens le droit de maintenir et de développer leur langue et culture d'origine.

i. Il nous paraît évident qu'il faut choisir dans le vocabulaire du peuple.

j. Je savais qu'ils étaient retournés en France.

Les noms en apposition et l'article

A. Devant un nom en apposition, on **supprime** l'article :

- si le nom en apposition n'a qu'une valeur descriptive de simple adjectif. Il souligne dans ce cas un trait de la personne ou de la chose dont il s'agit :

Évangéline, jeune et belle Acadienne,... (Évangéline est *jeune, belle, acadienne* : trois caractéristiques)

- si le nom en apposition n'est qu'un simple équivalent périphrastique de la personne ou de la chose dont il s'agit :

    Saint-Malo, nid de corsaires et de marins...

- si l'apposition précède le nom, l'article est toujours omis :

    Chasseur accompli, Agaguk sentait d'instinct la présence de la bête.

B. On **emploie** l'article si le nom en apposition conserve sa valeur substantive, c'est-à-dire s'il marque l'exclusivité, ou l'identification :

M. Jean, **le** médecin du village... (il n'y a qu'un seul médecin, c'est lui)

Henri IV, **le** roi d'Angleterre... (à distinguer d'Henri IV, le roi de France)

Grévisse, **un** grammairien belge... (identification)

Examinons les exemples suivants :

- Grévisse, grammairien belge, ...

    L'apposition est une simple détermination du nom qui précède, elle joue le rôle d'une étiquette.

- Grévisse, **un** grammairien belge,...

    L'apposition sert à identifier le nom. L'article indéfini isole Grévisse parmi tous les grammairiens belges. C'est comme si l'on disait :

    Grévisse, un grammairien belge parmi les autres,...

- Grévisse, **le** grammairien belge,...

    L'apposition sert à identifier le nom. L'article défini exprime la supposition que la personne dont il s'agit est connue de l'interlocuteur. C'est comme si l'on disait :

    Grévisse, ce grammairien belge bien connu...

6. *Mettez l'article toutes les fois que c'est nécessaire.*

a. Paris, _____ reine du monde,
Paris, c'est une blonde...

b. Vous êtes bien Jean Comeau, _____ instituteur ?

c. Jacques Cartier, _____ célèbre navigateur français, est né à Saint-Malo en 1491.

d. James Isham, _______________ jeune Écossais qui arriva chez les Cris à l'âge de seize ans...

e. Je voudrais vous présenter à M. Marchand, _____ ami de mon père.

f. _____ langue du commerce et de l'industrie, l'anglais a peu à peu supplanté le français.

g. Ils abordèrent chez les Nascapis, _____ tribu du groupe des Algonquins.

h. _____ explorateur intrépide, Lavérendrye était allé à pied jusqu'aux Rocheuses.

i. Montpellier, ____ ville du Midi de la France, s'écrit avec deux *l*, tandis que Montpelier dans le Vermont n'en prend qu'un.

j. La maison, ____ cabane de rondins mal équarris, se cachait au fond de la forêt...

k. Nous avons passé l'été à Yarmouth, ____ petite ville située sur la côte ouest de la Nouvelle-Écosse.

l. Son père, ____ peintre, s'était tué en tombant d'une échelle.

7. *Traduisez les phrases suivantes* :

a. Two years later he sent out Verrazano — a Florentine — to explore the Atlantic seaboard from Florida to Cape Breton.

b. Our grandmother, an exile from Acadia, would relate to us the stirring scenes she had witnessed.

c. The lecture will be given by Dr. X, a professor of French at Yale University.

d. John, our neighbour's son, has left for New Orleans.

e. They came back on foot — an extraordinary feat!

f. An orphan from infancy, she had been adopted by my grandmother.

g. "Evangeline", the famous poem by Longfellow, relates the story of two young lovers at the time of the Deportation.

h. It was not Montreal, it was Longueuil, a suburb three or four miles out of the city.

Stylistique comparée

here / there

En français comme en anglais, *ici* indique généralement *l'endroit où l'on se trouve* (un lieu proche), tandis que *là* indique *un endroit autre que celui où l'on est* (un lieu plus éloigné).

Cependant le français emploie *là* et non *ici* (alors que l'anglais emploie *here*) lorsque le contexte est explicite :

Nous commencerons quand tout le monde sera **là**.

Mets-toi **là**, à côté de moi.

Me voi**là** !

Par contre on emploiera *ici* pour marquer l'opposition avec *là* ou avec un lieu quelconque autre que celui où l'on est, et lorsque le contexte n'est pas suffisamment explicite :

Ne t'assieds pas **ici**, mets-toi **là**.

M. X n'habite plus **ici**. Il a déménagé le mois dernier.

Ici et *là* peuvent aussi indiquer la différence des lieux, sans idée précise de proximité ou d'éloignement :

Ici, une vieille église de pierre ; **là**, un cimetière ombragé.

Here and there au sens de *en divers endroits* se traduit par :

- *ici et là* = de côté et d'autre :

  Ici et là il y avait encore des flaques d'eau.
- *ici et là* = en divers endroits :

  Il a encore des amis ici et là.
- *par-ci par-là* = en divers endroits (avec nuance de rareté) :

  J'ai relevé par-ci par-là quelques fautes de style.
- *de-ci de-là* = de côté et d'autre, d'une manière dispersée :

  Le papillon volette de-ci de-là.
- *çà et là* = de côté et d'autre (avec nuance de dispersion) :

  On voyait çà et là quelques bouquets d'arbres verts...

1. *Traduisez les phrases suivantes* :

a. My husband isn't here. May I take a message ?

b. Here and there you can see a few steep peaked roofs...

c. He started walking here and there, looking for a place to eat.

d. Here, Fido, here !

e. Over the years one gathers many recipes here and there...

f. Why did you decide to come here?

La caractérisation (adjectifs de relation)

the mother tongue = la langue maternelle

La caractérisation se fait souvent en anglais au moyen de noms utilisés comme adjectifs. Le français n'a pas cette ressource et dispose seulement d'adjectifs ou de locutions adjectivales. Dans les deux cas il s'agit de **composés** dans lesquels l'adjectif qualificatif est en fait un adjectif de relation qui diffère d'un adjectif ordinaire. On ne peut pas dire par exemple : *cette langue est maternelle*, ou *cette langue-ci est plus maternelle que celle-là*. La langue maternelle est celle que l'on a apprise de ses parents ; il y a une relation entre *langue* et *mère.*

2. *Traduisez en employant soit un adjectif de relation, soit une locution adjectivale selon l'usage (ou encore un nom simple)* :

the school year
a university diploma
registration fees
a bank clerk
a church wedding
the birthplace
a paper bag
a lady doctor
a village church
a university professor
Louisiana Acadians
entrance fees
a bank cheque
a country school
a soup plate
the Maple Leaf
the Montreal Region
city dwellers

the coastline
bed sheets
the work days
spelling mistakes
government employees

a chocolate cake
a mosquito bite
a lady teacher (in primary school)
a morning breeze
midnight mass

REMARQUE : Aujourd'hui, sous l'influence du style de la publicité et de la presse, on emploie de plus en plus fréquemment :

- des substantifs qui remplacent des adjectifs ou des locutions :
  l'allure province, la télé couleurs, une voiture sport
- des adjectifs remplaçant des locutions adjectivales :
  la politique gouvernementale (= du gouvernement)
  une traversée océanique, le problème paysan

Différences dans l'emploi du comparatif

- **comparatif = superlatif** (il s'agit de deux personnes ou choses) :
  He is the richer of the two : C'est le plus riche des deux.
- **comparatif = positif** (comparaison implicite) :
  the upper classes : la haute société
  sooner or later : tôt ou tard
- **comparatif répété = *de plus en plus* + adj.** ou **comparatif irrégulier :**
  They were more and more numerous : Ils étaient de plus en plus nombreux.
  He is getting better and better : Il va de mieux en mieux.
- ***the* + comparatif répété : *plus ... plus*** ou **comparatif irrégulier :**
  The more I eat, the hungrier I get : Plus je mange, plus j'ai faim.
  The faster I run, the better I feel : Plus je cours vite mieux je me sens.
- ***the more ... as = d'autant plus ... que* :**
  I am all the more proud of it as I did it by myself.
  J'en suis d'autant plus fier que je l'ai fait tout seul.

Les mêmes constructions s'emploient pour le comparatif d'**infériorité** : *le moins, de moins en moins, moins ... moins, d'autant moins que.*

3. *Traduisez les phrases suivantes* :

a. The more you tell me about it, the less I am interested.
b. Which one of the brothers is the older?
c. The less you smoke, the better you will feel.
d. It is all the more surprising as he has never learned the language!
e. On sale at all the better stores.
f. If the patient doesn't take any food, he will get worse and worse.
g. Egypt was divided into two kingdoms, Upper Egypt and Lower Egypt.
h. More and more writers condemn the use of anglicisms.

i. Old Queen Victoria had had nine children. She appeared to Luzina all the more deserving as she was not bound by Catholic obligations.

j. "What are you getting at?" asked Mr. Finlay, more and more ill at ease.

Texte à traduire

The Spoken French of Louisiana

French is spoken in daily life throughout the Acadian parishes of Louisiana, or Acadiana, a region consisting of twenty-two parishes from Avoyelles in the north to the Gulf of Mexico in the south, from Calcasieu Parish on the west to the Mississipi River on the east. Here French has survived almost exclusively through oral transmission after three centuries of linguistic separation from the mother tongue, a testimony to the vitality of the language and culture of a group which seeks to keep its heritage alive.

Some say that as many as a million and a half Louisianians speak French as their first or second language, and, even though the exact number is uncertain, *there is no doubt* that a large number of Louisianians do speak French...

There are three kinds of French spoken in Louisiana. *One kind,* quite similar to Standard French, we shall call Louisiana French. *It has, however, incorporated a number of structures and vocabulary items from* Acadian French. It is spoken by older persons who *were educated* in French in private schools. These people also received their religious instruction in that language *from* French priests and nuns, *using* catechisms published in France or in Quebec...

Their children and grandchildren speak French, but less frequently than their elders. In the home or with friends, neighbours, servants, tradesmen and workmen, they speak Acadian French...

Louisianians who speak Acadian French, the most widespread variety of French in Louisiana, *can* easily understand one another, despite the differences which could be *expected* among people living in geographically isolated regions. Louisiana Acadians speak a *langue commune,* a common language, which, according to Ferdinand Brunot*, was developed by French colonists who spoke different *patois* and were obliged to resort to French as a common tongue. In Louisiana, the French spoken by the majority is Acadian French so that the speakers of standard Louisiana French will often use Acadian French in speaking with family, servants, and tradesmen in *informal* situations.

A much smaller group, unfortunately *growing* smaller as time goes by, uses a language in which the phonetic, syntactical and grammatical systems have been simplified. It is often called *Negro French* or *"gumbo French"*, but I prefer to call it *Creole French.*

The three kinds of French *in* Louisiana — Louisiana French, Acadian French and Creole French — are almost exclusively spoken languages. Standard Louisiana French is the only one which is written, *and not often at that, as* already noted.

*Ferdinand Brunot, *Histoire de la langue française des origines à 1900* (Paris, 1917), p. 1072-73.

Hosea Phillips. "The Spoken French of Louisiana" in *The Cajuns : Essays on their History and Culture,* Lafayette University of Southwestern Louisiana, Center for Louisiana Studies, 1978, p. 173–75

NOTES

there is no doubt : *Il ne fait aucun doute* ou *il n'en reste pas moins*
One kind : traduire comme s'il y avait : *The first is quite similar to Standard French ; we shall call it...*
It has [...] incorporated [...] from : *incorporer* (= mêler une substance à une autre) ne convient pas ici. Trouver un verbe qui exprime la provenance
a number of : il est toujours nécessaire de qualifier *nombre* : *un certain nombre de, un grand nombre de, un nombre important de* etc.
were educated : il s'agit ici d'études
from : étoffer
using : employer une proposition relative
can : ne se traduit devant *comprendre* que si l'on veut insister sur la capacité (ou l'incapacité)
to expect : *s'attendre à*
langue commune : indiquer par des guillemets que c'est en français dans le texte
patois : mettre entre guillemets
informal : *ordinaires* ou *courantes*
growing : employer une proposition relative
Negro French, "gumbo French" : ne pas traduire (mettre entre guillemets)
Creole French : *le créole*
in : étoffer la préposition
and not often at that : *et encore, pas souvent*
as : étoffer

Composition : la dissertation

La dissertation a pour objet d'exposer, de prouver, de réfuter ou de commenter. Elle doit convaincre en présentant des arguments de façon claire et logique. Pour faire une dissertation, il faut :

- *bien comprendre le sujet*, dégager les questions à discuter, analyser le sens des mots-clés, au besoin les replacer dans le contexte historique, social, politique, littéraire qui les éclairera. Bien voir les limites du sujet.
- *rechercher les idées* qui vont soutenir le développement, les arguments que l'on va présenter. Il faut faire appel à son expérience personnelle, à ses souvenirs de lecture etc., et parfois effectuer un travail de recherche. Quelques citations et références bien choisies rendent l'argumentation plus convaincante.

  Faire un choix dans les idées, bannir celles qui digressent du sujet.
- *classer les idées sous forme de plan détaillé*, par catégories, afin de traiter chaque catégorie en une seule fois. S'assurer qu'elles s'enchaînent logiquement, et ne se contredisent pas.

Le plan :

l'introduction (un seul paragraphe de cinq à six lignes) :

- — elle amène le sujet (par une phrase générale)
- — elle pose le sujet proprement dit (citation que l'on recopie, ou résumé du sujet proposé), mais sans annoncer de réponse à la question posée. Elle doit rester interrogative
- — elle introduit les grandes lignes du plan que l'on va suivre, mais sans faire d'annonces comme : *nous allons dire..., on va démontrer...*, etc.

le développement (quelques paragraphes groupés en deux ou trois grandes parties)

- — chaque paragraphe est centré sur une idée principale et est logiquement construit
- — les paragraphes s'enchaînent sans heurts au moyen de mots de liaison, de phrases de transition (*considérons par exemple..., il semble évident que..., par ailleurs..., ainsi..., finalement...*, etc.)

la conclusion (un seul paragraphe de quelques lignes) :

— elle reprend les principales idées auxquelles a abouti la discussion et en dégage l'essentiel. Ne pas en faire un simple résumé, mais une synthèse
— elle peut également aboutir sur un bref élargissement qui laisse entrevoir un prolongement possible du sujet, mais sans introduire d'idée nouvelle sur la question qui vient d'être traitée

la langue :

— éviter de parler à la première personne du singulier. Pour donner son opinion, on emploie plutôt la première personne du pluriel, en faisant accorder les participes passés et adjectifs avec la personne qui parle (singulier, masculin ou féminin)
— éviter l'emploi du pronom *on* au sens de *je* ou *nous*. Le pronom *on* s'emploie pour s'adresser au lecteur : *qu'on examine, par exemple*... (au lieu de : *examinez*...)

Préparation (orale)

En nous basant sur le TEXTE I, proposons un plan pour traiter le sujet suivant :

Faut-il, au Canada, rejeter le français de France, et s'attacher à développer une langue purement québécoise ?

Introduction : d'où vient le problème ? — très brève explication des circonstances historiques

Développement : a. arguments pour... (trouvez-en deux ou trois)
b. arguments contre... (quels sont-ils ?)

Conclusion : une question se tranche rarement de façon nette, peut-être serait-il sage de couper la poire en deux... donnez votre opinion personnelle.

Rédaction (écrite)

Au cours de son discours prononcé devant le Parlement du Québec lors de l'étude en deuxième lecture du projet de Loi 101, le 19 juillet 1977, le Dr Camille Laurin, Ministre d'État au développement culturel et parrain de la Charte de la langue française (voir ch.VI) affirmait :

« ... la langue est le fondement même d'un peuple, ce par quoi il se reconnaît et il est reconnu, qui se racine dans son être et lui permet d'exprimer son identité. »

Expliquez et discutez cette affirmation (1 000 mots environ).

conseils :

— bien délimiter le sujet. Cette citation s'applique-t-elle au Québec ? au Canada ? ou est-elle plus vaste ?
— analyser la citation. Quel plan y voit-on ? Peut-on suivre ce même plan dans le développement ?
— déterminer le sens des mots-clés
— rechercher les exemples qui vont étayer l'argumentation
— rédiger l'introduction et la conclusion avec beaucoup de soin, en s'assurant qu'elles correspondent bien à la discussion
— la présentation doit être claire, les paragraphes bien marqués
— enfin, vérifier la correction de la langue

CHAPITRE SIX

L'éducation

TEXTE I

La charte de la langue française, chapitre VIII

ASSEMBLÉE NATIONALE DU QUÉBEC

Trente et unième législature

Deuxième session

Charte de la langue française

1er JUILLET 1984

PRÉAMBULE

Préambule. Langue distinctive d'un peuple majoritairement francophone, la langue française permet au peuple québécois d'exprimer son identité.

L'Assemblée nationale reconnaît la volonté des Québécois d'assurer la qualité et le rayonnement de la langue française. Elle est donc résolue à faire du français la langue de l'État et de la Loi aussi bien que la langue normale et habituelle du travail, de l'enseignement, des communications, du commerce et des affaires.

L'Assemblée nationale entend poursuivre cet objectif dans un esprit de justice et d'ouverture dans le respect des institutions de la communauté québécoise d'expression anglaise et celui des minorités ethniques, dont elle reconnaît l'apport précieux au développement du Québec.

L'Assemblée nationale reconnaît aux Amérindiens[1] et aux Inuit[2] du Québec, descendants des premiers habitants du pays, le droit qu'ils ont de maintenir et de développer leur langue et culture d'origine.

Ces principes s'inscrivent dans le mouvement universel de revalorisation des cultures nationales qui confère à chaque peuple l'obligation d'apporter une contribution particulière à la communauté internationale.

SA MAJESTÉ, de l'avis et du consentement de l'Assemblée nationale du Québec, décrète ce qui suit :

CHAPITRE VIII

LA LANGUE DE L'ENSEIGNEMENT

Langue d'enseignement.

72. *L'enseignement se donne en français dans les* **classes maternelles**, dans les écoles primaires et secondaires **sous réserve des** exceptions prévues au présent chapitre. 5

Champs d'application.

Cette disposition **vaut pour** les organismes scolaires au sens de **l'Annexe** et s'applique aussi aux enseignements **subventionnés** dispensés par les institutions déclarées d'intérêt public ou **reconnues pour fins de** subventions en vertu de la Loi de l'enseignement privé (chapitre E-9). 10

1977, c.5, a.72.

Dérogation.

73. Par **dérogation** à l'article 72, peuvent recevoir l'enseignement en anglais, à la demande de leur père et de leur mère, 15

a) les enfants dont le père ou la mère a reçu un enseignement primaire en anglais au Québec, pourvu que cet enseignement constitue la majeure partie de l'enseignement primaire reçu au Québec,

b) les enfants dont le père ou la mère est, le 26 août 1977, domicilié au Québec et a reçu, hors du Québec, un enseignement primaire en anglais pourvu que cet enseignement constitue la majeure partie de l'enseignement primaire reçu hors du Québec, 20

c) les enfants qui, lors de leur dernière année de scolarité au Québec avant le 26 août 1977, recevaient légalement l'enseignement en anglais dans une classe maternelle publique ou à l'école primaire ou secondaire, 25

d) les frères et sœurs cadets des enfants visés au paragraphe c.

1977, c.5, a.73 ; 1983, c.56, a.15.

Demande par parent ou tuteur.

74. Lorsqu'un enfant est **à la charge d'un seul de ses parents**, ou à la charge d'un tuteur, la demande prévue à l'article 73 est faite par le parent ou le tuteur. 30

1977, c.5, a.74.

Vérification de l'admissibilité.

75. Le ministre de l'Éducation peut conférer à des personnes qu'il désigne le pouvoir de vérifier l'admissibilité des enfants à l'enseignement en anglais et de **statuer** à ce sujet.

1977, c.5, a.75. 35

---

classes maternelles : *classes pour enfants de quatre à six ans*
sous réserve de : *sauf, mis à part*
vaut pour : *s'applique à, concerne, est valable pour*
l'Annexe : *document annexé à la Charte*
subventionné : *qui reçoit de l'État une partie ou la totalité de ses ressources*
reconnues pour fins de : *assimilées aux institutions d'intérêt public pour ce qui est du droit aux subventions*
dérogation : *exception. Déroger à la loi, à un règlement,* c'est ne pas s'y conformer
à la charge d'un seul de ses parents : seul le père ou seule la mère subvient aux besoins de l'enfant, le fait vivre
statuer : *décider, ordonner juridiquement*

Vérification de l'admissibilité. **76.** Les personnes désignées par le ministre de l'Éducation en vertu de l'article 75 peuvent vérifier l'admissibilité des enfants à l'enseignement primaire en anglais même si ces enfants reçoivent déjà ou sont sur le point de recevoir l'enseignement en français.

5 **Présomption.** Les enfants dont l'admissibilité a été confirmée conformément à l'**alinéa** précédent sont **réputés** recevoir l'enseignement en anglais **aux fins de** l'article 73.

1977, c.5., a.76.

Fraude. **77.** Une déclaration d'admissibilité obtenue par fraude ou sur le fon-
10 dement d'une fausse représentation est nulle.

1977, c.5., a.77.

Annulation. **78.** Le ministre de l'Éducation peut annuler une déclaration d'admissibilité délivrée par erreur.

1977, c.5, a.78.

15 **Prohibition.** **78.1.** Nul ne peut permettre ou tolérer qu'un enfant reçoive l'enseignement en anglais, alors qu'il n'y est pas admissible.

1986, c.46, a.7.

Autorisation pour enseignement en anglais. **79.** Aucun organisme scolaire qui ne donne pas déjà dans ses écoles l'enseignement en anglais n'est **tenu** de le donner, ni ne peut en prendre
20 l'initiative sans l'autorisation expresse et préalable du ministre de l'Éducation.

Autorisation pour enseignement en anglais. Toutefois, tout organisme scolaire doit, ***le cas échéant***, **se prévaloir des** dispositions de l'article 450^3 de la Loi sur l'instruction publique pour assurer l'enseignement en anglais à tout enfant qui y aurait été
25 déclaré admissible.

Autorisation pour enseignement en anglais. Le ministre de l'Éducation accorde l'autorisation prévue au premier alinéa s'il est d'avis qu'elle est justifiée par le nombre d'élèves qui **relèvent de la compétence** de l'organisme et qui sont admissibles à l'enseignement en anglais en vertu de l'article 73.

30 1977, c.5, a.79.

Procédure. **80.** Le gouvernement peut, par règlement, statuer sur la procédure à suivre lorsque des parents invoquent l'article 73 et sur les éléments de preuve que ces derniers doivent apporter **à l'appui de** leur demande.

1977, c.5, a.80.

---

alinéa : *paragraphe*
réputé : *considéré, présumé*
aux fins de : *en ce qui concerne les dispositions de*
tenu : *obligé*
le cas échéant : *si le cas se présente* ; du verbe *échoir*, signifiant : *tomber, arriver par hasard* ne s'emploie qu'à la 3e personne du singulier et du pluriel des temps composés et de certains temps simples
se prévaloir de : *faire valoir, mettre en avant*
relever de la compétence : *être sous la dépendance, la juridiction*
à l'appui de : *pour confirmer, prouver la validité de*

Enfants exemptés. **81.** Les enfants présentant des difficultés graves d'apprentissage doivent être exemptés de l'application du présent chapitre. Les frères et sœurs de ces enfants, qui ne fréquentent pas déjà l'école au Québec, peuvent aussi être exemptés.

Catégories définies par règlement. Le gouvernement peut, par règlement, définir les catégories d'enfants visés à l'alinéa précédent et déterminer la procédure à suivre en vue de l'obtention d'une telle exemption. 5

1977, c.5, a.81 ; 1983, c.56, a.16.

Appel. **82.** Il y a appel des décisions des organismes scolaires, des institutions visées au second alinéa de l'article 72 et des personnes désignées par le ministre de l'Éducation, portant sur l'application de l'article 73, ainsi que des décisions du ministre de l'Éducation prises en vertu de l'article 78. 10

Délai. L'appel doit être **interjeté** dans les 60 jours qui suivent la communication d'une décision. 15

1977, c.5, a.82 ; 1983, c.56, a.17.

Commission d'appel. **83.** Une commission d'appel est instituée pour entendre l'appel prévu à l'article 82. Cette commission est formée de trois membres nommés par le gouvernement après consultation des associations ou organisations les plus représentatives des parents, des enseignants, des commissions scolaires, des administrateurs scolaires et des groupes socio-économiques. Les décisions de cette commission sont sans appel. 20

1977, c.5, a.83 ; 1983, c.56, a.18.

Pouvoirs. **83.1.** La Commission a tous les pouvoirs nécessaires à l'exercice de sa juridiction ; elle peut rendre toute ordonnance qu'elle estime propre à sauvegarder les droits des parties et décider de toute question de fait ou de droit. 25

1983, c.56, a.18.

Procédure. **83.2.** L'appel est formé et entendu selon la procédure et les règles de preuve prescrites par règlement du gouvernement. 30

1983, c.56, a.18.

Immunités. **83.3.** Pour l'exercice des fonctions que leur confère la présente loi, les membres de la commission sont investis des immunités prévues aux articles 16 et 17 de la Loi sur les commissions d'enquête (chapitre C-37). 35

1983, c.56, a.18.

Certificat d'études secondaires. **84.** Aucun certificat de fin d'études secondaires ne peut être délivré à *l'élève qui n'a du français*, parlé et écrit, *la connaissance exigée* par les programmes du ministère de l'Éducation.

1977, c.5, a.84. 40

---

interjeté : dans l'expression *interjeter appel* : *demander un second jugement*

Séjour temporaire au Québec. **85.** Les personnes qui séjournent au Québec de façon temporaire ou leurs enfants peuvent **être soustraits** par le ministre de l'Éducation à l'application du présent chapitre dans la mesure où le gouvernement le prescrit par règlement.

5 **Exemption.** Ce règlement prévoit les cas, les conditions ou les circonstances où certaines personnes, catégories de personnes ou leurs enfants peuvent être exemptés, la période pendant laquelle l'exemption peut être accordée de même que les modalités suivant lesquelles elle peut être demandée ou renouvelée.

---

10 1977, c.5, a.85 ; 1983, c.56, a.19.

Appel rejeté. **85.1.** Lorsque la commission d'appel ne peut faire droit à un appel portant sur une demande d'admissibilité d'un enfant à l'enseignement en anglais mais qu'elle estime que la preuve révèle une situation grave d'ordre familial ou humanitaire, elle fait rapport au ministre de l'Édu-
15 cation et lui transmet le dossier de cet enfant.

Admissibilité déclarée par le ministre. Le ministre peut déclarer admissible à recevoir l'enseignement en anglais un enfant dont le dossier lui est transmis par la commission d'appel en vertu du premier alinéa.

Contenu du rapport. Le ministre indique, dans le rapport prévu à l'article 4 de la Loi sur
20 le ministère de l'Éducation (chapitre M-5), le nombre d'enfants déclarés admissibles à recevoir l'enseignement en anglais en vertu du deuxième alinéa et les motifs qu'il a retenus pour les déclarer admissibles.

1986, c.46, a.8.

Entente de réciprocité. **86.** Le gouvernement peut faire des règlements pour étendre l'appli-
25 cation de l'article 73 aux personnes visées par une entente de réciprocité conclue entre le gouvernement du Québec et le gouvernement d'une autre province.

Entrée en vigueur. Malgré l'article 94[4], ces règlements peuvent **entrer en vigueur** dès la date de leur publication dans la Gazette officielle du Québec[5].

---

30 1977, c.5, a.86.

Enseignement en anglais **86.1.** Le gouvernement peut, par décret, autoriser géneralement à recevoir l'enseignement en anglais, à la demande de leur père et de leur mère :

a) les enfants dont le père ou la mère a reçu la majeure partie de
35 l'enseignement primaire en anglais ailleurs au Canada et qui avant d'établir son domicile au Québec était domicilié dans une province ou un territoire qu'il indique dans le décret et où il estime que les services d'enseignement en français offerts aux francophones sont comparables à ceux offerts en anglais aux anglophones du Québec ;

40 b) les enfants dont le père ou la mère établit son domicile au Québec et qui, lors de la dernière année scolaire ou depuis le début de l'année scolaire en cours, ont reçu l'enseignement primaire ou secondaire en anglais dans la province ou le territoire indiqué dans le décret ;

être soustrait : *ne pas être soumis* (à un règlement, une obligation)
entrer en vigueur : *être mis en application*

c) les frères et sœurs cadets des enfants visés dans les paragraphes a et b.

Demande d'un parent ou tuteur. Lorsqu'un enfant à qui un tel décret est applicable est à la charge d'un seul parent ou à la charge d'un tuteur, la demande prévue au premier alinéa peut être faite par le parent ou le tuteur. 5

Dispositions applicables. Les articles 75 à 83 s'appliquent aux personnes visées dans le présent article.

1983, c.56, a.20.

Amérindiens et Inuit. **87.** Rien dans la présente loi n'empêche l'usage d'une langue amérindienne dans l'enseignement dispensé aux Amérindiens ou de l'**inuktitut** 10 dans l'enseignement dispensé aux Inuit.

1977, c.5, a.87 ; 1983, c.56, a.21.

Langue d'enseignement des Cris et des Inuit. **88.** Malgré les articles 72 à 86, dans les écoles relevant de la commission scolaire Crie[6] ou de la commission scolaire Kativik[7], conformément à la Loi sur l'instruction publique, les langues d'enseignement sont respec- 15 tivement le cri et l'inuktitut ainsi que les autres langues d'enseignement en usage dans les communautés cries et inuit du Québec à la date de la signature de la Convention visée à l'article 1 de la Loi approuvant la Convention de la Baie James et du Nord québécois[8] (chapitre C-67), **soit** le 11 novembre 1975. 20

Commissions scolaires Crie et Kativik La commission scolaire Crie et la commission scolaire Kativik poursuivent comme objectif l'usage du français comme langue d'enseignement en vue de permettre aux diplômés de leurs écoles de poursuivre leurs études en français, s'ils le désirent, dans les écoles, collèges ou universités du Québec. 25

Rythme d'introduction du français et de l'anglais. Les commissaires fixent le rythme d'introduction du français et de l'anglais comme langue d'enseignement après consultation des comités d'école, dans le cas des Cris, et des comités de parents, dans le cas des Inuit.

Mesures nécessaires. Avec l'aide du ministère de l'Éducation, la commission scolaire Crie 30 et la commission scolaire Kativik prennent les mesures nécessaires afin que les articles 72 à 86 s'appliquent aux enfants dont les parents ne sont pas des Cris ou des Inuit.

Naskapi de Schefferville. **Compte tenu** des changements nécessaires, le présent article s'applique aux Naskapi de Schefferville[9]. 35

1977, c.5, a.88 ; 1983, c.56., a.22, a.51.

Charte de la langue française. (Projet de loi N° 101) *et Règlements*, Québec, éditions CCH Canadienne Ltée, 1977, préambule et chapitre VIII, p. 11-13

inuktitut : *langue du peuple inuit*
soit : *c'est-à-dire*
compte tenu de : *ayant pris en considération*

NOTES

1. **Amérindiens** : *Indiens d'Amérique*
2. **Inuit** : nom officiel du peuple esquimau. C'est ainsi qu'ils se sont toujours désignés eux-mêmes. *Inuit* veut dire le peuple. L'origine du mot *esquimau* est incertaine. Une des théories les plus plausibles fait remonter ce mot à la langue des Cris dans laquelle il signifie : *mangeurs de viande crue*
3. **l'article 450 de la Loi sur l'instruction publique** : article qui stipule que « toute commission régionale peut, avec l'autorisation préalable du ministre, conclure pour une période déterminée une entente en vertu de laquelle des enfants relevant de sa compétence peuvent, à ses frais, fréquenter une école d'une autre commission ou une institution d'enseignement privée. »
4. **l'article 94** : article qui établit les modalités d'entrée en vigueur des divers règlements, en ce qui concerne la date
5. **la Gazette officielle du Québec** : publication mensuelle du gouvernement qui publie les textes officiels, lois, règlements, décrets et informations administratives diverses (en France, c'est le *Journal officiel*)
6. **Crie** : les Cris sont un tribue des Algonkins qui occupait un vaste territoire dans le centre du Canada
7. **Kativik** : la commission scolaire Kativik a juridiction sur les écoles inuit
8. **la Convention de la Baie James et du Nord québécois** : accord signé entre le Gouvernement du Québec, la Société d'énergie de la Baie James, la Société de développement de la Baie James, la Commission hydro-électrique du Québec, le Grand Conseil des Cris (du Québec), l'Association des Inuit du Nord québécois et le gouvernement du Canada. Le chapitre 46 reconnaît les droits linguistiques des Cris et des Inuit, et stipule que les diverses langues d'enseignement seront peu à peu remplacées par le français
9. **les Naskapi de Schefferville** : Indiens algonquins du Nord québécois, près de la frontière du Labrador, pour lesquels on a bâti des habitations dans la ville de Schefferville

ÉTUDE ET EXPLOITATION DU TEXTE

1. Essayez d'expliquer comment les circonstances historiques, politiques et économiques ont causé chez beaucoup de Québécois une dissociation entre la langue et la vie professionnelle.
2. La volonté du gouvernement de créer un milieu de vie où l'on fonctionnera en français dans tous les domaines suffira-t-elle à résoudre le problème linguistique au Québec ? La législation dans le domaine culturel est-elle souhaitable ? Est-elle efficace ?
3. Le chapitre VIII de la Charte de la langue française (*Bill 101*) met-il en péril l'enseignement de l'anglais au Québec ? Ces mesures risquent-elles d'entraîner éventuellement l'extinction des écoles anglaises et, partant, la disparition de la collectivité anglophone au Québec ?
4. Les dérogations accordées à l'obligation de l'enseignement en français (art. 73) vous paraissent-elles adéquates, généreuses ou trop limitées ?
5. Comment interprétez-vous le deuxième alinéa de l'article 76 ? Quelle en est la portée ?
6. Avant l'entrée en vigueur de la Charte, trois Néo-Québécois sur quatre choisissaient de s'angliciser. Pourquoi ? Cela présentait-il un danger pour la survivance de la langue et de la culture françaises ? D'après les dispositions de la Charte, les Néo-Québécois peuvent-ils envoyer leurs enfants à l'école anglaise ? Si oui, dans quels cas ?
7. Tous les élèves qui font leurs études au Québec apprennent-ils le français ? L'apprentissage d'une deuxième ou troisième langue est-il souhaitable ? Expliquez vos raisons.

8. Pourquoi les écoles cries et inuit remplaceront-elles peu à peu la langue d'enseignement par le français ?

9. Est-il nécessaire de préserver sa langue d'origine pour préserver sa culture ? Appuyez votre réponse sur des exemples précis.

10. Est-il souhaitable qu'une partie assez importante d'un pays parle une autre langue que celle de la majorité ?

11. Connaissez-vous d'autres pays où le problème de la langue et de la culture se pose actuellement ou s'est posé à une époque de leur histoire ? Comment ces pays ont-ils résolu la question ?

12. Relevez quelques termes qui font partie de la langue de l'administration.

TEXTE II

L'école de la Petite Poule d'Eau

Dans une île du nord du Manitoba habite une seule famille, les Tousignant. À mesure que les enfants grandissent, leur mère déplore l'isolement qui les prive d'instruction. Elle écrit au gouvernement provincial et obtient une école dans l'île, puisque, à elle seule, la famille peut fournir le nombre d'élèves nécessaire pour justifier un établissement scolaire. Au cours des deux étés suivants (l'île est à peu près inaccessible en hiver), elle verra arriver successivement la charmante Mlle Côté et la sèche Miss O'Rorke qui ne comprend pas le français.

L'école était commencée depuis environ une heure. De temps en temps, de sa cuisine, Luzina entendait une explosion de petites voix ; vers neuf heures et demie, un éclat de rire lui parvint, un vrai petit **fou rire** d'enfants à l'école, nerveux, agité et subitement réprimé ; mais le plus souvent, *elle* ***eut beau*** *guetter, marcher sur la pointe des pieds, s'avancer jusqu'à sa porte ouverte, elle ne saisit aucun bruit...*

Que pouvaient-ils faire maintenant à l'école ? Qu'est-ce qui les avait fait rire tous, un instant auparavant ? Mais surtout, à quelle occupation pouvaient-ils se livrer dans un tel silence ? Vers dix heures et demie, Luzina eut besoin de copeaux pour alimenter son four où cuisait un gâteau à la mélasse, et elle s'en alla tout naturellement ramasser ceux qui étaient tombés du rabot d'Hippolyte tout autour de l'école...

Le dos penché, la tête rentrée dans les épaules, elle s'apprêtait à dépasser le coin de l'école sans être vue par la fenêtre ouverte, lorsqu'une question bien précise cloua Luzina sur place.

— Dans quelle province vivons-nous ? voulait savoir Mlle Côté.

Quelle question ! Luzina s'apprêtait à répondre. Il se trouvait une souche, tout contre l'école, exactement sous la fenêtre ouverte. Luzina s'y laissa **choir**.

— Quel est le nom de notre province ? répéta Mlle Côté.

Aucun enfant ne répondait.

Luzina commença de se sentir mal à l'aise. « Bande de petits ignorants ! » pensa Luzina. « Vous devriez pourtant savoir cela. » ...

---

fou rire : *rire nerveux, qu'on ne peut pas arrêter*
avoir beau : *s'efforcer en vain*. Implique une idée d'effort prolongé ou répété
choir : *tomber*. Ne s'emploie plus qu'à l'infinitif et aux temps composés dans la langue littéraire exclusivement

Une voix s'éleva enfin, défaillante, peureuse :

— La Poule d'Eau, Mademoiselle.

Luzina avait reconnu la voix de Pierre.

— « *Si c'est pas honteux, un grand garçon de onze ans !* se dit Luzina. **Je m'en vas lui en faire** des Poule d'Eau quand il va revenir à la maison, celui-là ! »

La maîtresse continuait avec patience.

— Non, Pierre, la Poule d'Eau est le nom de cette région seulement. Encore, **je ne sais pas trop** si c'est le véritable nom géographique. C'est plutôt, je crois, une expression populaire. Mais je demande le nom de la grande province dans laquelle est comprise la Poule d'Eau et bien d'autres comtés. Quelle est cette province ?

Aucune illumination ne frappait l'esprit des écoliers Tousignant.

— C'est une très grande province, les aida encore un peu plus Mlle Côté. Elle est presque aussi grande à elle seule que toute la France. Elle part des États-Unis et va jusqu'à la baie d'Hudson.

— Le Manitoba !

C'était Edmond qui venait de lancer le mot. Sa petite **voix pointue** avait pris l'accent même de la victoire. De l'autre côté du mur de l'école, Luzina était tout aussi fière. Son gras visage rose s'attendrissait. Edmond vraiment ! Une petite graine qui n'avait pas encore huit ans. Où est-ce qu'il avait appris celui-là que l'on vivait dans le grand Manitoba ? Il avait le nez partout **aussi**, cet Edmond, **fureteur**, toujours occupé à écouter les grandes personnes. Luzina lui accorda une vaste absolution.

— Très bien, approuvait la maîtresse. Cette province est en effet le Manitoba. Mais elle est comprise ainsi que huit autres provinces dans un très grand pays qui se nomme…

— Le Canada, offrit Pierre sur un ton de voix humble, comme s'excusant.

— Mais oui, mais oui, très bien, Pierre. Puisque nous habitons le Canada, nous sommes des… Cana… des Canadi…

— Des Canadiens, trouva Pierre.

— C'est cela, c'est très bien, le félicita Mademoiselle.

Luzina convint que Pierre **s'était** quelque peu **racheté**. **Tout de même :** aller dire qu'on vivait dans la province de la Poule d'Eau. Quel enfant imbécile !

— Nous sommes des Canadiens, poursuivait la maîtresse, mais nous sommes surtout des Canadiens français. Il y a bien longtemps, il y a plus de trois cents ans, le Canada n'était habité que par des Peaux-Rouges. Le roi de France envoya alors un Français découvrir le Canada. Il se nommait Jacques Cartier.

Le soleil réchauffait Luzina, bien à l'abri du vent, le dos contre le mur de l'école. Elle avait croisé les mains. **Ravie**, elle écoutait la belle, vieille, vieille histoire, qu'elle avait connue un jour et, par la suite, presque oubliée. C'était beau ! Plus beau encore que dans les livres **à l'entendre** raconter par la maîtresse avec tout ce talent, cette jeunesse fervente qu'elle y mettait. Luzina avait envie de rire, de pleurer.

— Les premiers colons furent des Français… le gouverneur de Montréal, Mai-

---

je m'en vas lui en faire : exprime une menace. *Vas* est mis pour *vais* dans le langage populaire de certaines régions
je ne sais pas trop : *je ne sais pas bien, je ne sais pas vraiment*
voix pointue : *voix aiguë, perçante, au timbre très élevé*
aussi : exprime la cause de ce qui vient d'être dit
fureteur : *qui fouille, qui cherche partout avec curiosité*
se racheter : *réparer ses fautes*
tout de même : s'emploie comme exclamation pour exprimer l'indignation
ravi(e) : employé ici au sens fort : *l'âme transportée (d'admiration)*
à l'entendre : exprime la cause

sonneuve[1]... Celui de Québec se nommait Champlain[2]... les explorateurs du Nouveau-Monde, presque tous étaient des Français : Iberville[3], des Groseilliers[4], Pierre Radisson[4]. Le Père Marquette[5] et Louis Joliet[5] avaient découvert le chemin des grands lacs. Lavérendrye[6] était allé à pied jusqu'aux Rocheuses. Cavelier de la Salle[7] avait navigué jusqu'à l'embouchure du Mississipi. Tout ce pays était à la France...

— La Poule d'Eau aussi ? demanda Edmond.

— La Poule d'Eau aussi, acquiesça la maîtresse en riant.

Luzina sourit également avec indulgence.

Tous les matins, c'était des protestations et des larmes. Les enfants ne voulaient plus aller à l'école. Miss O'Rorke leur tenait **à longueur de journée** des discours patriotiques qu'ils ne comprenaient pas, et elle était courroucée parce qu'ils n'avaient pas saisi ses explications. Elle les appelait : ungrateful children ; very ungrateful children. D'après elle, le gouvernement ne pouvait pas être plus mal payé de ses bontés que par cette famille Tousignant : favorisée comme elle l'était par un gouvernement anglais, elle **entendait** rester française. Où pouvait-on trouver pire **en fait d'**ingratitude ? « Le gouvernement est anglais, la province est anglaise, se tuait à expliquer Miss O'Rorke ; vous devez vous mettre avec la majorité et la volonté générale. » Deux ou trois des écoliers cherchaient à se sauver de l'école tous les matins. Luzina **avait fort à faire** pour les rattraper. Elle **tenait bon**. L'instruction ne pouvait être que joie. Une si grande richesse, une si profonde expérience pouvaient bien coûter quelques pleurs. Elle raisonna les enfants. « L'été dernier, vous avez bien appris le français avec Mlle Côté. Cette année, apprenez l'anglais ; **profitez-en** pour apprendre l'anglais. »

Très opportuniste **au fond**, Luzina avait fini par découvrir au moins une qualité à son Anglaise : c'était l'anglais. *Quoique incapable de l'apprécier, Luzina ne le tenait pas moins pour une qualité.* **Trouvait-on à redire** de Miss O'Rorke, Luzina l'excusait :

— Elle parle bien l'anglais, **en tout cas**.

Miss O'Rorke possédait pourtant une autre vertu, plus méritoire, mais elle devait rester à peu près invisible aux Tousignant. Le cœur de Miss O'Rorke, solitaire et peu aimable, battait d'une excessive loyauté envers l'empire britannique et particulièrement envers le Royaume-Uni, sauf l'Irlande catholique, où elle n'avait jamais mis les pieds. Animée d'une passion tout aussi déraisonnable, Mlle Côté avait fait rayonner la folie autour d'elle, *Mlle Côté en avait laissé derrière elle des noms de personnages* aussi loin des Tousignant que la lune. Cavelier de la Salle, Lavérendrye, Radisson, Frontenac[8], le mauvais intendant Bigot[9] ; tous, même les méchants, avaient droit à un souvenir fidèle. Peut-être Mlle Côté conservait-elle l'avantage d'être venue la première dans l'île. Quelle chance de soulever les imaginations Miss O'Rorke pouvait-elle avoir avec son acte de capitulation, la défaite des Français, ses Pères de la Confédération[10] et son Dominion of Canada[11] ? De plus, elle commit l'imprudence de s'attaquer aux héros de Mlle Côté. Le général anglais Wolf[12] avait **bel et bien**

à longueur de journée : *toute la journée, du matin au soir*
entendre : *avoir la ferme intention*
en fait de : *pour ce qui est de, en ce qui concerne*
avoir fort à faire (pour) : *avoir beaucoup de mal (à)*
tenir bon : *ne pas céder*
profiter (de quelque chose) : *saisir l'occasion*
au fond : *en réalité*
trouvait-on à redire : *si on critiquait*
en tout cas : sert à présenter une affirmation en opposition à ce qui vient d'être avancé
bel et bien : *réellement, véritablement*

battu, **selon ses dires**, le Montcalm[12] de Mlle Côté, lequel, *en Français qu'il était*, vint à la bataille en jabot de dentelle et poliment offrit à son ennemi de tirer le premier...

Et, tout à coup, Miss O'Rorke s'aperçut qu'il n'y avait pas de drapeau dans l'île...

— Mrs. Tousignant, there must be a flag here.

— Qu'est-ce qu'elle demande ? s'informa Luzina auprès d'Hippolyte.

— **La v'la qui veut** un drapeau ! traduisit Hippolyte.

— Un drapeau ! s'exclama Luzina, fort conciliante. C'est bien vrai, il faut un drapeau, mais quelle sorte de drapeau ?

— The flag of His Majesty the King, dit Miss O'Rorke.

Luzina saisit le mot : majesté. En fait de majesté britannique, Luzina était plutôt en retard sur son temps ; **elle en était restée à** la vieille reine Victoria qu'elle respectait parce que, *toute protestante qu'eût été Victoria*, elle avait eu neuf enfants. Pour Luzina, les familles nombreuses paraissaient être une obligation purement catholique, qu'il n'y avait pas à éviter puisque le ciel en dépendait. Victoria, qui n'était pas tenue par de telles conditions, lui semblait d'autant plus méritante...

Pleine de bonne volonté, Luzina déchira en bandes un drap tout usé. Elle les teignit et les assembla sous la direction de la maîtresse... Cependant, Miss O'Rorke s'était mise à **talonner** Hippolyte. Apparemment, il ne suffisait pas d'avoir l'Union Jack. Il fallait qu'il pût se dérouler à l'aise, planté devant l'école et visible de tous les côtés. Stimulée par le symbole de l'empire, Miss O'Rorke avait repris de l'énergie. Hippolyte finit par comprendre que l'Anglaise voulait un poteau. En vérité, c'était volontairement qu'il mettait beaucoup de temps à comprendre les désirs de Miss O'Rorke. Luzina et les enfants prenaient énormément plus d'intérêt au drapeau... Pierre-Emanuel-Roger tailla une perche de huit pieds de hauteur telle que l'exigeait la maîtresse. Mais alors se présenta une difficulté ; il était nécessaire, au dire de Miss O'Rorke, de hisser le drapeau, le matin, à l'ouverture de l'école, et de le descendre à quatre heures **sonnantes**. Hippolyte ne voyait pas pourquoi le drapeau, une fois installé au bout de la perche, ne pourrait pas y rester **à perpète.** Moins indocile, Luzina cousit un profond ourlet sur un côté du drapeau. Pierre glissa une corde dans l'ourlet ; il grimpa fixer la corde de telle sorte que, selon qu'on en tirait un bout ou l'autre, l'Union Jack filait en haut du mât, descendait, remontait. D'en bas, l'on pouvait actionner le mécanisme ; on n'avait aucune peine à mettre le drapeau en berne, à le hisser en plein vent pour le plaisir de le voir battre et claquer. On avait sous la main tout ce qu'il fallait pour signaler le deuil, les fêtes, les réjouissances, les jours de travail et les départs. À sa manière, Miss O'Rorke laissait sa marque dans l'île.

Gabrielle Roy. *La Petite Poule d'Eau*, Montréal, Beauchemin, 1950, p. 78-82, 99-101

NOTES

1. **Maisonneuve (1612-1676)** : fonda le bourg de Ville-Marie, aujourd'hui Montréal
2. **Champlain (entre 1567 et 1570-1635)** : explora le Saint-Laurent jusqu'aux rapides de Lachine. Après avoir fondé Québec (1608), il s'allia aux Algonquins et aux Hurons contre les Iroquois. Il consacra

selon ses dires : *d'après ce qu'elle disait.* Indique un certain scepticisme de la part du locuteur
la v'la qui veut : *voilà maintenant qu'elle veut*
elle en était restée à : *elle s'était arrêtée à, elle ne savait rien de ce qui avait suivi*
talonner : *presser vivement*
sonnantes : *précises*
à perpète : (pop.) *à perpétuité, pour toujours*

ses séjours au Canada à l'exploration du pays, et surtout à l'organisation de la colonie dont il fut nommé gouverneur en 1619
3. **Iberville (1661-1706)** : fils d'un colon français, Iberville participa à la lutte contre les Anglais en Acadie et à Terre-Neuve avant de fonder la Louisiane dont il devint le premier gouverneur
4. **des Groseilliers (1625-1685) et Radisson (vers 1636-vers 1710)** : pratiquèrent la traite des fourrures à la baie d'Hudson, et fondèrent la Compagnie du même nom
5. **le Père Marquette (1637-1675)** : missionnaire jésuite, explora avec **Joliet** (1645-1700) les cours du Wisconsin et du Mississipi et remonta l'Illinois
6. **Lavérendrye (1685-1749)** : explora l'intérieur du pays, du lac Supérieur jusqu'aux montagnes Rocheuses
7. **Cavelier de La Salle (1643-1687)** : explora le cours de l'Ohio et la région des Grands Lacs, puis descendit le Mississipi jusqu'au golfe du Mexique. Il mourut en Louisiane, assassiné par un de ses compagnons
8. **Frontenac (1622-1698)** : l'un des plus grands gouverneurs de la Nouvelle-France
9. **Bigot (1703- ?)** : intendant de la Nouvelle-France de 1748 à 1759, se rendit coupable de malversations (détournements de fonds) et fut condamné à son retour en France
10. **Pères de la Confédération** : les 24 délégués des différentes provinces du Canada qui prirent part aux délibérations qui aboutirent à la proclamation de l'Acte créant la Confédération canadienne le 1er juillet 1867
11. **Dominion of Canada** : nom employé de 1867 à 1949. Le pays faisait partie de l'Empire britannique jusqu'en 1931, puis du *Commonwealth*.
12. **Wolf** : orth. erronée de **Wolfe** (**1727-1759**), général anglais qui battit **Montcalm** (**1712-1759**) sur les plaines d'Abraham, où tous deux trouvèrent la mort. Cette victoire rendit les Anglais maîtres de la Nouvelle-France (13 septembre 1759). L'anecdote selon laquelle Montcalm aurait offert à Wolfe de tirer le premier n'est pas exacte. C'est à la bataille de Fontenoy (1745) entre les troupes françaises et les troupes anglo-hollandaises que ce fait s'est produit

ÉTUDE ET EXPLOITATION DU TEXTE

1. Que raconte le premier passage ? À travers quel personnage la scène nous est-elle présentée ? Donnez des exemples.
2. Étudiez les diverses réactions de Luzina et les sentiments successifs qu'elle éprouve.
3. Relevez les passages, dans les deux extraits, qui montrent le respect de Luzina pour l'instruction.
4. Quelle idée vous faites-vous de la personnalité de Luzina d'après les données de ces deux passages ?
5. Expliquez l'attitude des enfants dans le premier et dans le deuxième passage.
6. Montrez le contraste qu'établit l'auteure entre les deux institutrices.

Remarques de style

« L'enseignement se donne en français dans les classes maternelles. »

Ici, le présent traduit, non un fait réel, mais l'impératif : *l'enseignement doit se donner en français, aux termes de la loi.* En présentant l'action au mode de la réalité, l'ordre apparaît comme un fait accompli, n'admettant pas la possibilité d'une contestation ou d'un refus.

« ... le cas échéant... »

En construction absolue, le participe présent peut remplacer une proposition conditionnelle : *si le cas se présente.*

« ... l'élève qui n'a du français... la connaissance exigée... »
La deuxième partie de la négation (*pas*) est parfois omise, dans le style littéraire ou dans le style recherché. En ancien français, le *ne* suffisait à marquer la négation. Notez que dans la langue populaire, c'est le *ne* qui est souvent omis.

« ... elle eut beau guetter, marcher sur la pointe des pieds, s'avancer jusqu'à sa porte ouverte, elle ne saisit aucun bruit. »
Avoir beau est une locution concessive, donc est toujours suivi d'un deuxième énoncé qui complète la pensée (*elle ne saisit aucun bruit*).

« Aucun enfant ne répondait. »
L'imparfait pittoresque étire les actions, prolonge les états, laisse l'action en suspens. *Aucun enfant ne répondit* indiquerait un fait accompli. Par l'imparfait, l'auteur nous fait participer à l'attente de Luzina. En fait, un des enfants finit par répondre, mais après un assez long silence.

« Si c'est pas honteux, un grand garçon de onze ans ! »
La construction exclamative avec *si* exprime ici l'indignation. Elle peut aussi exprimer la crainte, l'espoir, le souhait, le regret etc. En construction interrogative, *si* présente une suggestion ou insiste sur l'évidence de la réponse implicite.

« Quoiqu'incapable de l'apprécier, Luzina ne le tenait pas moins pour une qualité. »
Ne... pas moins exprime une idée d'opposition, de concession. On emploie *n'en... pas moins* lorsqu'il n'y a pas de complément direct avec lequel *en* constituerait un pléonasme (*en* et *le* dans l'exemple ci-dessus) :

Il ne dit rien mais il n'en pense pas moins.

Sans doute as-tu raison. Il n'en est pas moins vrai que...

Je savais qu'ils seraient fâchés, mais je ne leur en ai pas moins dit ce que je pensais.

« Mlle Côté en avait laissé derrière elle des noms de personnages... »
Le pléonasme peut être un procédé de style. Ici, l'emploi de deux mots ayant la même fonction dans la phrase (*en* et *des noms*) insiste sur la surabondance des noms laissés par Mlle Côté.

« ... en Français qu'il était... »
En + nom sert à donner une explication complétée d'une généralisation : parce qu'il était Français et que tous les Français agissent ainsi.

« ... toute protestante qu'eût été Victoria... »
Tout(e)... que (+ subjonctif) souligne la valeur d'opposition.

Exercices de style

1. *Terminez les phrases suivantes* :

a. Elle a beau faire un régime...

b. L'institutrice avait beau interroger les enfants...

c. Il a beau crâner, faire l'indépendant...

d. Edmond a eu beau faire semblant d'être malade...

2. *Dites ce qu'expriment les phrases commençant par* ***si*** :

a. Les enfants détestaient Miss O'Rorke. Si elle avait pu s'en aller !

b. Tous ses ancêtres étaient morts en proie à une horrible épouvante. Si c'était là le sort qui l'attendait !

c. Si seulement l'ancêtre n'avait pas tué les Français !

d. Si je la connais cette histoire ? Je pense bien !

e. « Si on fabriquait un drapeau ? » dit un jour l'institutrice.

f. Ils entrèrent dans une baie. Si c'était le fameux passage tant cherché ?

3. *Récrivez la deuxième partie de cette phrase en vous servant des mots ou groupes de mots donnés* :

La commission scolaire Crie et la commission scolaire Kativik poursuivent comme objectif l'usage du français comme langue d'enseignement **en vue de permettre aux diplômés de leurs écoles de poursuivre leurs études en français** :

a. afin que...

b. de sorte que...

c. afin de...

d. pour que...

e. ce qui...

f. dans le but de...

g. ainsi...

h. pour...

i. de façon à...

j. de façon à ce que...

4. *Refaites les phrases suivantes en employant* ***ne*** *(****n'en****)* ***... pas moins*** :

a. Cette belle histoire la ravissait autant que si elle ne la connaissait pas.

b. Quoique favorisée par un gouvernement anglais, cette famille Tousignant entendait rester française.

c. Bien que Miss O'Rorke fût antipathique, Luzina lui reconnaissait des qualités.

5. « Le dos penché, la tête rentrée dans les épaules, elle s'apprêtait à dépasser le coin de l'école sans être vue par la fenêtre ouverte, lorsqu'une question bien précise cloua Luzina sur place. » (p. 187, lig. 12-14)

Employez une construction analogue, en augmentant au besoin le nombre des attributs, pour évoquer :

- quelqu'un qui cherche à voir par une fenêtre trop haute
- quelqu'un qui cherche à quitter une pièce sans être vu

Traduction

Traduisez les phrases suivantes en employant le vocabulaire et les expressions des textes :

1. French is the official language of Quebec, and every person eligible for instruction in Quebec has the right to receive that instruction in French.

2. When this act came into force, nearly 40 percent of primary and secondary school students were registered in English schools, but more than half of them belonged to a diversity of ethnic groups that could not be classified as Anglophone.

3. The fundamental requirement was to determine which criteria were to be used in the limitation and the regulation of accessibility to English instruction.
4. English instruction is maintained only for those children whose parents have received their elementary instruction in English, either in Quebec or elsewhere.
5. If need be, certain persons may be exempted from the application of this chapter of the law.
6. Most of the time, the children would try to miss school. However, their mother was adamant.
7. She wanted them to take advantage of Miss O'Rorke's presence to learn English, which she considered an advantage.
8. However opportunist the Tousignants were, they meant to stay French and preserve their original language and culture.
9. Finally she understood what Miss O'Rorke wanted and, urged by her all day long, she cut and dyed a worn sheet and sewed a passable Union Jack.
10. With six children to support, Hippolyte had much to do. However, with good grace, he started to build the school his wife wanted so much.
11. Young as she was, one could see right away that her youth would not lessen her authority.
12. Miss O'Rorke found fault with everything. The animals kept her from sleeping, the food was too heavy, the children were ungrateful and laughed at her... She couldn't wait to leave the island.

Étude de vocabulaire

Le style administratif

De tous les langages professionnels, c'est celui de l'administration qui touche le plus grand nombre de gens. Tout le monde a affaire à l'administration et doit pouvoir saisir clairement le sens d'un texte administratif. En outre, tout le monde a l'occasion d'écrire à des administrations, de remplir des formulaires, de faire des demandes etc. Le langage administratif vise surtout à être correct, poli, clair, concis et impersonnel.

A. **correction :** c'est-à-dire le respect des règles de la langue écrite (l'emploi des temps inusités dans la vie courante, par exemple)

B. **politesse :** qui s'exprime par :

- le respect de la hiérarchie qui détermine les termes à employer :

  un supérieur prie son subordonné de vouloir bien...

  un subordonné prie son supérieur de bien vouloir...

- la modération dans l'expression, pour éviter de blesser :

  J'ai le regret de vous informer que...

  C'est avec regret que...

- l'emploi d'euphémismes, qui permettent d'atténuer l'expression :

  les contributions (plutôt que : les impôts)

  les économiquement faibles (plutôt que : les pauvres)

C. clarté et **concision** pour que les textes administratifs soient compris par ceux qu'ils concernent qui appartiennent à des milieux divers :

- emploi de termes propres et précis, d'expressions claires
- emploi de tournures hypothétiques et du conditionnel pour couvrir toutes les éventualités, ce qui entraîne l'emploi de phrases assez longues :

  le cas échéant, dans l'hypothèse où, dans le cas où

D. impersonnalité, qui résulte en un style froid, impersonnel et solennel :

- usage de tournures impersonnelles qui présentent les faits comme nécessaires et impartiaux, et dépersonnalisent l'autorité :

  Aucun certificat ne sera délivré. (au lieu de : on ne délivrera aucun certificat)

  Il nous a été signalé que... (au lieu de : on nous a signalé que)

- emploi de tournures négatives qui atténuent le caractère absolu de l'affirmation :

  Il ne paraît pas certain que, il n'est pas impossible que

- emploi d'un vocabulaire et de formules standardisés, qui excluent un certain nombre de locutions et de tournures du langage quotidien : on n'annonce pas ; on informe, on fait savoir, etc.

1. *Dites si le correspondant auquel on s'adresse est un supérieur hiérarchique ou un subordonné* :

a. Je vous serais reconnaissant de bien vouloir...

b. Je vous demande donc de veiller à ce que...

c. Je vous engage vivement à...

d. Je me permets de vous suggérer...

e. Je vous prie d'agréer l'expression de mon dévouement...

f. J'ai l'honneur de solliciter de votre bienveillance...

g. Je vous ferais observer que...

h. Je me permets d'attirer votre attention sur le fait que...

i. Je vous prie d'agréer, Monsieur, l'assurance de ma considération distinguée.

j. Vous voudrez bien me rendre compte de...

2. *Remplacez les euphémismes suivants par un terme plus direct* :

a. les employés de maison

b. les personnes déplacées

c. les auxiliaires familiales

d. les délestages d'électricité

e. les personnes du troisième âge

f. le débrayage

g. les personnes décédées

h. un fonctionnaire qui a été remercié

i. les pays en voie de développement

j. les malentendants

k. les économiquement faibles

3. *Groupez les locutions suivantes en catégories selon qu'elles indiquent :*

a. les différentes étapes du raisonnement (ex. : tout d'abord)

b. une opinion personnelle (ex. : à mon avis)

c. une restriction de l'idée (ex. : en particulier)

d. un élargissement de l'idée (ex. : de plus)

pour ma part
à cet égard
pour terminer
notamment
en outre
par ailleurs
enfin

toutefois
à mon sens
cependant
en définitive
à ce sujet
en conclusion
or

entre autres
en tout état de cause
à titre accessoire
en ce qui me concerne
d'une manière générale
en ce qui concerne
à tous égards

4. *Groupez les locutions suivantes selon leur sens :*

compte tenu de
étant donné
en vertu de
afin de
dans le but de
sauf
par suite

vu
à cette fin
dans cette intention
à cet effet
à l'exception de
à l'exclusion de
à l'égard de

pour ce qui est de
en égard à
en ce qui concerne
en raison de
en vue de
du point de vue de
du fait de

5. *Choisissez dans la liste donnée le complément qui convient le mieux aux verbes suivants :*

abroger
accorder
accuser
adopter
ajourner
amender
appuyer
conférer
délivrer
déterminer

faire
interjeter
percevoir
poursuivre
prendre
proroger
ratifier
reconnaître
rédiger
relever

appel autorisation certificat compétence délai demande droit
loi mesure objectif pouvoir procédure projet de loi rapport
réception résolution requête réunion taxe traité

6. *Parmi les synonymes donnés, trouvez le(s) terme(s) administratif(s) :*

décès, mort, trépas
abolir, abroger, supprimer
proroger, prolonger, étendre
acquitter, payer, régler
époux, couple, conjoints
(être) obligé, tenu, forcé

informer, dire, annoncer
(un délai) exigé, demandé, requis
demeurer, habiter, être domicilié
émaner, venir, provenir (de)
ultérieurement, plus tard
percevoir, encaisser, toucher

7. *Dans les phrases ci-dessous, remplacez le verbe ou l'expression entre parenthèses par l'un des verbes donnés* :

émaner	déférer	différer	exonérer	ratifier
promulguer	statuer	révoquer	soustraire	stipuler
relever de	sanctionner	se prévaloir	mettre en disponibilité	
relever de ses fonctions				

a. Le gouvernement peut ______________ (prendre une décision) sur la procédure à suivre.

b. Cette décision ______________ (vient) du ministre de l'Éducation nationale.

c. Les personnes séjournant au Québec de façon temporaire peuvent ______________ (échapper) à l'application de la présente loi.

d. Les personnes du troisième âge sont ______________ (dispensées) de la taxe.

e. Tout organisme scolaire peut ______________ (s'autoriser) des dispositions de l'article 496.

f. Le ministre a ______________ (approuvé) la décision.

g. Les personnes prises en flagrant délit seront ______________ (poursuivies) devant le tribunal.

h. C'est le chef de l'État qui ______________ (ordonne l'exécution des) lois.

i. Les traités doivent être ______________ (confirmés authentiquement) par le Parlement.

j. L'article 85 ______________ (spécifie) que certaines personnes peuvent être soustraites à l'application du présent chapitre.

k. Un certain nombre de fonctionnaires ont été ______________ (renvoyés).

l. Le débat sur le projet de loi a dû être ______________ (remis à plus tard).

m. C'est une question qui ne ______________ (tombe pas sous) ma compétence.

n. À la suite du scandale, le ministre a été ______________ (destitué).

o. Il a demandé à être ______________ (temporairement déchargé de ses fonctions).

8. *Donnez les substantifs qui correspondent aux verbes suivants* :

abroger	adopter	appuyer
réglementer	révoquer	remanier
bloquer	gérer	surseoir
suspendre	enregistrer	payer
intervenir	ratifier	prévoir
restreindre	considérer	prescrire
titulariser	exonérer	amender

9. *Accolez à chacun des noms ci-dessous un adjectif choisi dans la liste donnée* :

bienveillant	conforme	détaillé	expédient
favorable	formel	frauduleux	judicieux
opportun	pertinent	rétroactif	subsidiaire

une déclaration ______________ un accueil ______________

une copie ______________ une décision ______________

un rapport ______

une remarque ______

un choix ______

un moyen ______

un effet ______

une preuve ______

une question ______

une réponse ______

10. *Remplacez les phrases données par des formules à caractère impersonnel* :

a. Je souhaiterais que vous interveniez.

b. Je crois qu'il est opportun d'intervenir.

c. Je suis certain que cette exemption constituerait un précédent.

d. Nous espérons que notre demande recevra une suite favorable.

e. On m'a signalé que...

f. Si l'appareil ne fonctionne pas, adressez-vous au guichet numéro 2.

g. Je ne pense pas qu'il me soit possible de donner une suite favorable à votre requête.

h. Ne vous penchez pas à la portière.

11. *Expliquez en langage courant ce que signifient les phrases suivantes* :

a. Une commission nommée à cet effet statuera sur toutes les réclamations qui lui seront soumises.

b. Je vous serais obligé de bien vouloir me faire parvenir les formulaires requis.

c. J'ai l'honneur de vous faire connaître que, malgré l'intérêt particulièrement bienveillant avec lequel cette demande a été examinée, il n'a pas paru possible de l'accueillir.

d. J'ai l'honneur de porter à votre connaissance cette information à toutes fins utiles.

e. Je reste à votre disposition pour tous renseignements complémentaires dont vous pourriez avoir besoin.

f. En cas de fausse manœuvre, d'occupation ou de non réponse, raccrochez le combiné et les pièces vous seront rendues. (Note dans les cabines téléphoniques).

g. En raison de l'affluence du Public au 3e étage, la Direction informe les Visiteurs qu'ils auront à attendre au 2e étage pour faire l'ascension du Sommet. (avis affiché à la tour Eiffel)

h. Le présent certificat est délivré aux termes de la loi sur la citoyenneté et atteste que la personne ci-nommée est un citoyen canadien.

i. La prestation débute le dimanche de la semaine où la rémunération a pris fin ou le dimanche de la semaine où la demande a été présentée (il s'agit des prestations de l'assurance-chômage).

j. Les usagers peuvent obtenir notamment du dit service la communication du numéro d'appel d'un abonné dont ils indiquent le nom et l'adresse, sous réserve que ce dernier n'ait pas demandé à ne pas figurer sur l'annuaire.

L'hyperbole

L'hyperbole est l'emploi de mots ou de locutions dont le sens dépasse de beaucoup ce que l'on veut dire et va même jusqu'à l'exagération. La plupart des locutions comparatives présentent un caractère hyperbolique.

12. *Complétez les locutions suivantes au moyen d'un des mots donnés ci-dessous, et essayez de trouver des locutions anglaises de même sens* :

un astre	une barrique	un bâton	les blés	un bœuf
une carpe	Crésus	un clou	l'ébène	la gale
Job	un jour sans pain	un linge	un mouton	un mort
une mule	une porte de prison	une pomme	un pot	une soupe

a. muet comme ____________
b. blanc comme ____________
c. noir comme ____________
d. raide comme ____________
e. têtu comme ____________
f. trempé comme ____________
g. riche comme ____________
h. aimable comme ____________
i. plein comme ____________
j. long comme ____________
k. beau comme ____________
l. pâle comme ____________
m. blond comme ____________
n. frisé comme ____________
o. maigre comme ____________
p. fort comme ____________
q. méchant comme ____________
r. ridé comme ____________
s. pauvre comme ____________
t. sourd comme ____________

13. *Même exercice.*

un arracheur de dents	un champignon	un damné	une souche
deux gouttes d'eau	une cheminée	un dératé	un trou
dans un moulin	une feuille	un livre	un phoque
chien et chat	une flèche	une masse	un putois
sur des roulettes	une Madeleine	un oiseau	un sourd

a. tomber comme ____________
b. pleurer comme ____________
c. filer comme ____________
d. mentir comme ____________
e. taper comme ____________
f. boire comme ____________
g. souffler comme ____________
h. pousser comme ____________
i. entrer comme ____________
j. se ressembler comme ____________
k. manger comme ____________
l. crier comme ____________
m. courir comme ____________
n. fumer comme ____________
o. trembler comme ____________
p. souffrir comme ____________
q. dormir comme ____________
r. parler comme ____________
s. marcher comme ____________
t. se disputer comme ____________

La litote

La litote s'oppose à l'hyperbole. C'est l'expression par laquelle on dit moins que ce qu'on veut faire entendre.

La litote affaiblit l'idée en apparence, mais en fait elle lui donne plus de force. Elle s'apparente à l'ironie dans la mesure où elle donne un sens restrictif à l'énoncé tout en voulant faire comprendre le sens plein. La litote se distingue ainsi de l'euphémisme qui substitue à une expression blessante ou à une situation désagréable un mot ou une locution qui atténue l'expression de la pensée.

14. *Dites si les phrases suivantes constituent des litotes ou des euphémismes. Le cas échéant, distinguez la nuance ironique. Exprimez l'idée d'une autre façon en ramenant ces phrases à leur valeur réelle.*

a. C'est une dame d'un certain âge.
b. Il n'a pas été très gentil avec moi.
c. Eh bien, je ne vous retiens pas.
d. Il s'est éteint dans les bras de son fils.
e. Toi alors, tu n'es pas gêné !
f. On l'a porté à l'hôpital, il est bien fatigué !
g. Il ne s'en fait pas, allez !
h. Tu ne t'es pas beaucoup fatigué pour faire ce devoir.
i. Il paraît que sa femme est dans une situation intéressante.
j. Lorsque Chimène dit à Rodrigue : « Va, je ne te hais point, » que veut-elle dire exactement ? (Corneille. *Le Cid*, I, iv)

Mots dont le sens s'est affaibli

Ravie, elle écoutait... = *l'âme transportée* (sens fort)

Je suis **ravi** de vous voir. = *très content* (sens faible)

Au cours de l'évolution de la langue, le sens de certains mots, qui avaient à l'origine un sens très fort, s'est affaibli en passant dans la langue de tous les jours. Par exemple :

abîmer : d'un mot grec signifiant *sans fond*
charmer : d'un mot latin signifiant *chant sacré* ou *formule magique*
désoler : d'un mot latin signifiant *laisser seul*
enchanter : d'un mot latin signifiant *prononcer des formules magiques*
ennuyer : d'un mot latin signifiant *avoir de la haine*
étonner : d'un mot latin signifiant *frappé de stupeur, de tonnerre*
formidable : d'un mot latin signifiant *avoir peur*
gâter : d'un mot latin signifiant *ravager*
gêner : de l'ancien français *géhir* = *faire avouer par la torture*

15. *Composez neuf phrases qui font ressortir le sens actuel de chacun des mots ci-dessus.*

Distinctions

tenir à/tenir à ce que/tenir de/tenir pour

tenir à

sujet nom de personne + *tenir à* + nom ou pronom = *être attaché à* :

Il tient à ses habitudes.

sujet nom de chose + *tenir à* + nom ou pronom = ***avoir pour cause*** :

Sa fatigue **tient à** son état de santé.

sujet + *tenir à* + infinitif = ***désirer vivement, vouloir*** :

Je **tiens à** arriver à l'heure.

sujet + *tenir à ce que* + sujet différent + subjonctif = ***désirer, vouloir*** :

Je tiens à ce que tu rentres de bonne heure.

tenir de

sujet nom de personne + *tenir de* + nom de personne = ***ressembler à*** :

Elle **tient de** sa mère.

tenir de + nom de chose = ***avoir quelque chose de commun avec*** :

Sa guérison **tient du** miracle.

sujet nom de chose ou d'être animé + *tenir de* + nom d'être animé = ***participer de la nature de*** :

Le mulet **tient du** cheval et de l'âne.

tenir pour = ***considérer comme*** :

Je le **tiens pour** un homme honnête.

La forme passive *être tenu* exprime une obligation. Il est construit avec *à* (+ nom) ou avec *de* (+ infinitif) :

À l'impossible nul n'**est tenu**.

Vous **êtes tenus d**'arriver à l'heure.

1. *Traduisez les phrases suivantes* :

a. She considered them to be ungrateful children.

b. I don't care for it.

c. Amerindians are not bound to receive their education in French.

d. That is the result of a lack of education.

e. To what is it due?

f. He takes after his Acadian grandmother.

g. She insisted that her children take advantage of Miss O'Rorke's presence to learn English.

h. The life of Francis I sounds like a fairy tale.

livrer/délivrer

On *livre* des marchandises, alors qu'on *délivre* des papiers, des certificats, etc.

2. *Complétez les phrases suivantes au moyen de* ***livrer*** *ou de* ***délivrer*** *au temps, au mode et à la voix voulus, ou encore au moyen d'un mot de la même famille (nom ou adjectif)* :

a. Nous inviterons nos amis quand on nous ________ nos meubles.

b. Aucun certificat ne pourra ________ sans autorisation préalable.

c. Passeport ________ à Boston, le 28 janvier 1988.

d. Le __________ a laissé un paquet chez le concierge.

e. Les billets d'entrée __________ au guichet.

f. Il y a une voiture de __________ devant la porte.

g. À cause de la grève des minotiers, aucun boulanger n' __________ cette semaine.

h. Quel est le service chargé de la __________ des passeports ?

i. Le médecin lui __________ une ordonnance.

j. Certaines marchandises __________ à domicile, d'autres ne le sont pas.

Locutions à ne pas confondre

tout à coup = *soudain, subitement*
(tout) d'un coup = *(tout) en une fois* (aussi : *soudain, subitement*)
de suite = *d'affilée, sans interruption, l'un après l'autre*
tout de suite = *immédiatement*
par suite = *en conséquence*
par la suite = *à une époque postérieure*
prêt à = *disposé à*
près de = *sur le point de*
ne faire que = *être sans cesse occupé à* ou *se contenter de*
ne faire que de = *venir à peine de*
au moment où = *quand, lorsque*
du moment que = *puisque*
en ce moment = *à présent*
à ce moment(-là) = *alors, à l'époque dont on parle*
de face = *de façon à faire voir tout le devant*
en face = *vis-à-vis*
à travers = *en pénétrant sans résistance*
au travers (de) = *en pénétrant avec résistance ou obstacle*

3. *Complétez les phrases suivantes au moyen d'une des locutions données entre parenthèses :*

a. __________ Évangéline se précipita vers un jeune homme adossé à un arbre. (tout à coup/tout d'un coup)

b. Les malheureux avaient perdu __________ terre, maison, famille et patrie. (tout à coup/tout d'un coup)

c. Il refusa d'abord avec énergie. __________ il revint sur sa décision. (par suite/par la suite)

d. La photo doit être __________ pour être valide. (de face/en face)

e. __________ le gouvernement est anglais, expliquait Miss O'Rorke, vous devez vous mettre avec la majorité. (au moment où/du moment que)

f. Ses parents ont reçu l'enseignement primaire en anglais ; __________ il n'est pas tenu d'aller à l'école française. (par suite/par la suite)

g. Retenez-le, il est __________ tomber ! (prêt à/près de)

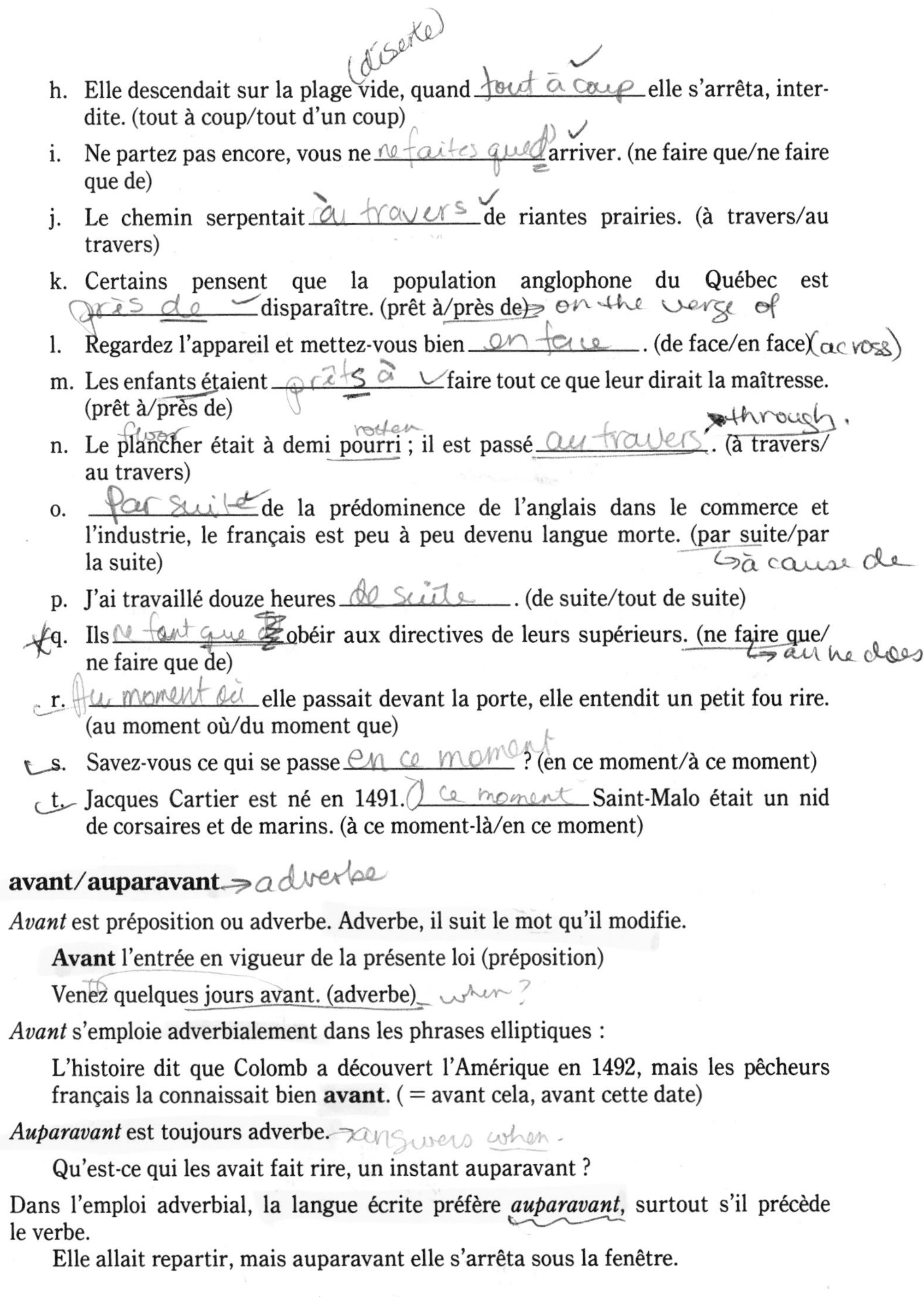

h. Elle descendait sur la plage vide, quand __________ elle s'arrêta, interdite. (tout à coup/tout d'un coup)

i. Ne partez pas encore, vous ne __________ arriver. (ne faire que/ne faire que de)

j. Le chemin serpentait __________ de riantes prairies. (à travers/au travers)

k. Certains pensent que la population anglophone du Québec est __________ disparaître. (prêt à/près de)

l. Regardez l'appareil et mettez-vous bien __________. (de face/en face)

m. Les enfants étaient __________ faire tout ce que leur dirait la maîtresse. (prêt à/près de)

n. Le plancher était à demi pourri ; il est passé __________. (à travers/au travers)

o. __________ de la prédominence de l'anglais dans le commerce et l'industrie, le français est peu à peu devenu langue morte. (par suite/par la suite)

p. J'ai travaillé douze heures __________. (de suite/tout de suite)

q. Ils __________ obéir aux directives de leurs supérieurs. (ne faire que/ne faire que de)

r. __________ elle passait devant la porte, elle entendit un petit fou rire. (au moment où/du moment que)

s. Savez-vous ce qui se passe __________ ? (en ce moment/à ce moment)

t. Jacques Cartier est né en 1491. __________ Saint-Malo était un nid de corsaires et de marins. (à ce moment-là/en ce moment)

avant/auparavant

Avant est préposition ou adverbe. Adverbe, il suit le mot qu'il modifie.

> **Avant** l'entrée en vigueur de la présente loi (préposition)
>
> Venez quelques jours avant. (adverbe)

Avant s'emploie adverbialement dans les phrases elliptiques :

> L'histoire dit que Colomb a découvert l'Amérique en 1492, mais les pêcheurs français la connaissait bien **avant**. (= avant cela, avant cette date)

Auparavant est toujours adverbe.

> Qu'est-ce qui les avait fait rire, un instant auparavant ?

Dans l'emploi adverbial, la langue écrite préfère *auparavant*, surtout s'il précède le verbe.

> Elle allait repartir, mais auparavant elle s'arrêta sous la fenêtre.

4. *Traduisez* :

a. Cartier left for Brazil in 1534, but before then, he had probably taken part in fishing expeditions to Newfoundland.

b. Before Cartier, Verrazano and the Cabots had looked in vain for the passage to China.

c. Before returning, Cartier had taken possession of the land in the name of the king.

d. He explored regions where no European had been before.

e. He didn't get married after his trip to Brazil; he got married before.

f. Since her fiancé had been taken away, several years before, she had not looked at another man.

apprendre/enseigner

Apprendre quelque chose, c'est acquérir une connaissance, recevoir une information :

J'**apprends** le français.

J'**ai appris** que vous étiez malade.

Apprendre quelque chose à quelqu'un, c'est lui faire acquérir une connaissance, l'informer :

J'**apprends** le français à mon frère.

Je vous **ai appris** toutes les nouvelles.

Apprendre au sens d'*enseigner* doit obligatoirement avoir **deux** compléments :

la chose enseignée (objet direct ou infinitif introduit par *à*) et la personne ou l'animal à qui l'on enseigne cette chose (objet indirect) :

J'**apprends** le français **à** mon frère.

J'**apprends** à sauter **à** mon chien.

Enseigner quelque chose à quelqu'un c'est lui faire acquérir une connaissance :

Je vous **enseigne** le français.

Enseigner peut avoir les deux compléments ou seulement le complément d'objet direct :

J'**enseigne** le français **à** mon frère.

J'**enseigne** le français.

5. *Complétez les phrases suivantes* :

a. Les enfants n'ont pas ____________ grand-chose à cette école.

b. Vous êtes professeur ? Qu'est-ce que vous ____________ ?

c. Il ____________ le japonais pour se préparer au voyage qu'il va faire en Orient.

d. Je n'ai jamais eu de voiture, aussi je n'ai jamais ____________ conduire.

e. Ma mère veut nous ____________ faire la cuisine.

6. *Traduisez* :

a. He was taught English as a child.

b. The Indians taught the settlers how to smoke meat.

c. She taught them Canadian history.

d. I heard that your father had died.

e. I am trying to teach my dog to hunt rabbits.

parce que/puisque

Parce que exprime l'énoncé objectif de la cause :

> Elle respectait la reine Victoria **parce que**, toute protestante qu'elle eût été, elle avait eu neuf enfants.

Puisque présente un fait connu, constaté ou vérifiable comme :

- une cause ayant une conséquence logique :

  > **Puisque** nous habitons le Canada, nous sommes des Canadiens.

- un justification :

  > Il n'y avait pas à éviter cette obligation **puisque** le ciel en dépendait.

REMARQUE : La proposition introduite par *puisque* est souvent placée en tête de phrase, alors que la proposition introduite par *parce que* n'est que très rarement en tête.

7. *Refaites les phrases suivantes en employant* **parce que** *ou* **puisque** :

a. La sensibilité varie d'une personne à l'autre ; chacun de nous devrait donc posséder son langage propre.

b. Il faut choisir dans le vocabulaire du peuple car toute la poésie d'une langue réside dans l'âme du peuple.

c. Si vous le trouvez étrange, c'est qu'il vous est étranger.

d. Il appela cette baie Baie des Chaleurs ; il y faisait très chaud à cette époque de l'année.

e. Certains termes ont dans l'âme canadienne une résonance toute particulière ; c'est qu'ils expriment une réalité d'ici.

f. Qu'on les ait déportés en Virginie ou ailleurs, qu'importe : de toute façon, tous les vivants de 1755 sont morts aujourd'hui.

Étude de langue

Concession et opposition

Pour souligner la valeur d'opposition d'un nom, d'un adjectif ou d'un adverbe, on met ce terme en tête de phrase, précédé de *tout*, *si*, *quelque* ou *pour*, et suivi de *que* :

> **Tout** professeur **que** vous soyez, vous ne savez pas tout.
>
> **Quelque** savant **que** soit votre ami, il ne sait pas tout*.
>
> **Si** vite **qu'**ils courent, elle les rattrapait toujours.
>
> **Pour** rapides **qu'**ils soient, elle les rattrape toujours.

*notez l'inversion verbe/sujet, si le sujet est un nom

Tout... que marque la réalité d'un fait et insiste sur l'opposition. Il doit normalement se construire avec l'indicatif, mais on le trouve le plus souvent avec le subjonctif par analogie avec les autres locutions d'opposition.

Si... que marque également la concession, avec en outre une nuance de degré (*si* est un adverbe d'intensité). Il se construit avec le subjonctif. *Si... que* ne peut s'employer qu'avec des mots qui peuvent exprimer une nuance de degré.

Quelque... que et *pour... que* peuvent marquer :

— la réalité d'un fait avec un verbe à l'indicatif
— une nuance de degré avec un verbe au subjonctif. Cependant, dans l'usage moderne, la tendance est de les construire toujours avec le subjonctif.

Dans tous les cas le conditionnel est possible s'il s'agit d'un fait éventuel ou hypothétique :

Tout docteur **que** tu **serais**, je ne suivrais pas tes conseils. (même si tu étais docteur, ce que tu n'es pas...)

REMARQUE 1 : Dans la langue soutenue, on trouve des propositions concessives avec *si* et *pour* non introduites par *que* :

Si intelligent **soit**-il, il risque de ne pas réussir.
Pour être roi, il n'en est pas moins hommes.

CONSEIL PRATIQUE : employer le subjonctif sauf :

- si l'on veut insister fortement sur la réalité du fait (indicatif)
- lorsqu'il s'agit d'un fait hypothétique (conditionnel)

REMARQUE 2 : *Tout*, adverbe, est invariable excepté devant un mot féminin commençant par une consonne ou par un **h** aspiré :

Tout protestants qu'ils soient...
Tout étrangère qu'elle soit...
Toute protestante qu'elle soit...

Quelque peut être :

- adjectif devant un nom :

  Quelques efforts que tu fasses...

- adverbe devant un adverbe ou un adjectif attribut :

  Quelque sérieusement que tu travailles...
  Quelque sérieux que soient tes efforts...

1. *Refaites les phrases suivantes en employant les locutions indiquées* :
   a. Luzina eut beau marcher doucement, elle ne saisit aucun bruit. (si... que)
   b. Bien qu'il soit illégal d'inscrire ses enfants à l'école anglaise (sauf cas prévus à l'article 73), un grand nombre de personnes refusent d'envoyer leurs enfants à l'école française. (tout... que)
   c. Quand bien même je serais marié, je n'en ferais pas moins à ma guise. (tout... que)
   d. Bien qu'il fût affamé, il n'osa pas se mettre à table le premier. (quelque... que)
   e. Quoiqu'il fût très habile, Hippolyte hésitait à se lancer dans une telle entreprise. (pour... que)

f. Le joual est une langue populaire, mais c'est aussi une langue très riche. (quelque... que)

g. Même si vous étiez ministre, vous ne pourriez échapper à la loi. (tout... que)

h. Vous auriez eu beau courir vite, je vous aurais rattrapé. (quelque... que)

i. Les protestations du chef furent énergiques ; cependant Jacques Cartier prit possession du territoire. (si... que)

j. Miss O'Rorke était désagréable, mais Luzina lui trouvait tout de même des qualités. (tout... que)

2. *Pour chaque phrase donnée, exprimez l'idée de concession au moyen des conjonctions, prépositions ou locutions indiquées* :

a. Le hareng a bon goût mais beaucoup d'arêtes.
- quelque... que
- tout en

b. Luzina était incapable d'apprécier l'anglais, mais elle ne le tenait pas moins pour une qualité.
- quoique
- pour

c. La démonstration d'Henri Bélanger est fort intéressante, mais elle n'est pas absolument probante.
- tout... que
- malgré (+ nom)

d. Leur besoin d'amour est grand certes, mais ils ont encore plus besoin d'aimer.
- si... que
- pour... que

e. Elle guettait, elle s'avançait jusqu'à la porte... mais elle n'entendait rien.
- avoir beau
- bien que

quelque... que/quel que

On emploie *quel que* (et non pas *quelque... que*) dans une proposition de concession ou d'opposition dans laquelle le verbe est *être*, *pouvoir être* ou *devoir être*. Le verbe se met au subjonctif, et *quel* s'accorde en genre et en nombre avec le sujet du verbe :

Je ne veux pas entendre vos excuses, **quelles qu**'elles soient.

Quelle que soit la loi, vous devez la respecter.

REMARQUE : Si le sujet est un nom, l'inversion est obligatoire :
Quelles que **soient vos raisons**...

3. *Remaniez les phrases suivantes en remplaçant* **quelque... que** *par* **quel que** :

a. Quelque maigre qu'elle soit, elle continue son régime !

b. Quelque monotone que fût sa vie, il ne pouvait en imaginer d'autre.

c. Quelque attachés qu'ils soient à leurs origines, les Canadiens français doivent connaître l'anglais.
d. Quelque affectueux que fussent ses enfants, ma grand-mère avait toujours l'air triste.
e. Quelque déçu qu'il pût être, Bagon se mit à table sans rien dire.

4. *Refaites les phrases suivantes en employant* ***quelque...*** *ou* ***quel que*** :

a. Tu as beau conduire rapidement, tu manqueras le train.
b. S'il a eu des doutes, il ne les a pas exprimés.
c. Il est familier avec tous les clients, peu importe qui ils sont.
d. Vous pouvez me donner les raisons que vous voulez, je ne vous trouve pas d'excuses.
e. Bien que le voyage soit long et pénible, ils l'ont entrepris avec courage.
f. Malgré les difficultés, ils sont revenus à pied.
g. Cartier avait beau être très habile capitaine, il ne put trouver le fameux passage vers la Chine.
h. Même s'ils le désiraient ardemment, ils ne pourraient pas annuler le contrat.
i. On est tenu d'obéir à toutes les lois, sans exception.
j. Les châteaux de la Loire sont merveilleux à toute heure et en toute saison.
k. En dépit de sa richesse, il lui manque l'essentiel.
l. Vous aurez beau lui exposer de bons arguments, je doute que vous réussissiez à le convaincre.

5. *Traduisez les phrases suivantes* :

a. I don't want any more excuses from you, whatever they may be.
b. No matter how hard she tried, they did not understand her.
c. Good cooks though they may be, many modern French women prefer to use pre-cooked foods to save time and effort.
d. No matter how late it may be, wake me up as soon as you get home.
e. However shy they may be, the Acadians are hospitable. Take it from me.
f. I always enjoy outdoor sports, whatever the season.
g. However cold it may be, I like to walk in the rain.
h. Whatever reasons he may have had, he should not have shot the four adolescents.
i. I shall attend the lecture, whatever the date may be.
j. Whatever the topic, he always has an opinion to express.

Opposition de valeur indéfinie

Pour marquer une opposition de valeur indéfinie, on utilise encore les locutions suivantes qui régissent le subjonctif :

A. Pour des personnes :

qui que (attribut avec *être*) : qui que tu sois...
qui que ce soit qui (sujet) : qui que ce soit qui ait fait cela...

qui que (objet) : qui que tu voies...
qui que ce soit que (objet) : qui que ce soit que tu voies...

quiconque* (pronom relatif indéfini) : quiconque vous a dit cela...

*régit l'indicatif ou le conditionnel. Ne pas confondre *quiconque* (= *toute personne qui*) et *n'importe qui*, qui indique que l'identité de la personne n'a pas d'importance. La proposition introduite par *quiconque* (proposition substantive) peut être sujet ou complément de la principale.

Quiconque te l'as dit s'est trompé. (sujet)

Parles-en à quiconque n'est pas au courant. (complément)

B. Pour des choses :

quoi qui (sujet) : quoi qui survienne...
quoi que ce soit qui (sujet) : quoi que ce soit qui survienne...

quoi que* (objet) : quoi qu'il veuille...
quoi que ce soit que (objet) : quoi que ce soit qu'il veuille...

où que (lieu) : où que tu ailles...

de quelque façon que : de quelque façon que tu travailles...

de quelque manière que : de quelque manière que...

*ne pas confondre *quoique*, conjonction (= *bien que*) qui introduit une subordonnée de concession ou d'opposition, et *quoi que*, pronom relatif + conjonction (= *quelle que soit la chose que*)

6. *Complétez les phrases suivantes* :

a. ________________ il fasse, il n'est jamais puni.
b. ________________ vienne, n'ouvre pas la porte.
c. ________________ vous vous adressiez, faites-le poliment.
d. ________________ arrivera en retard devra rester dehors.
e. ________________ tu te caches, je saurai te trouver.
f. ________________ vous a dit cela a menti.
g. ________________ vous soyez, répondez !
h. ________________ tu rencontres, ne lui dis rien.
i. ________________ elle veuille, il le lui donnait.
j. ________________ a cassé le carreau devra le payer.

7. *Complétez au moyen de* ***quoique*** *ou* ***quoi que*** :

a. ________________ il arrive, ne vous affolez pas.
b. ________________ vous me disiez, je ne vous croirai pas.
c. ________________ il soit le dernier de la classe, il ne fait rien.

d. ______________ habile, il avait eu du mal à construire l'école.
e. ______________ tu entendes, ne bouge pas.
f. ______________ on lui demande, il ne refuse jamais.
g. ______________ il en soit, vous n'avez pas raison.
h. ______________ il ne soit pas riche, il est généreux.
i. ______________ tu demandes, on te le donnera.
j. ______________ protestante, elle avait eu neuf enfants.

8. *Complétez au moyen de* ***quiconque*** *ou* ***n'importe qui*** :

a. ______________ vous indiquera la gare.
b. ______________ enfreindra la loi sera sévèrement puni.
c. Accepte l'offre de ______________ proposera de t'aider.
d. N'invitez pas ______________ à votre soirée !

La concordance des temps entre la principale et la subordonnée

Le tableau de la page suivante illustre la plupart des rapports de temps qui se présentent couramment. Il ne s'agit pas de règles à proprement parler, car la concordance des temps est affaire de logique et de sens. L'emploi des temps se conforme aux correspondances que la pensée établit entre les moments des divers procès considérés. Par exemple, lorsque le verbe de la principale est à un temps du passé ou régit le subjonctif, l'emploi des temps est limité par l'insuffisance des formes aux modes autres que l'indicatif, par les possibilités de correspondance dans le temps et par le sens :

Je savais qu'il partirait indique un conditionnel ou un futur dans le passé.

Je veux qu'il parte indique un présent ou un futur.

S'il est possible de dire : *Je doute qu'il soit parti hier*, il serait absurde de dire : *Je veux qu'il soit parti hier*, car la volonté ne peut porter que sur un présent ou un futur. Mais on pourra dire : *Je veux qu'il soit parti quand j'arriverai*, parce que, s'il s'agit d'un passé par rapport au verbe *arriver*, il s'agit bien d'un futur par rapport à l'énoncé.

A. Lorsque le verbe de la principale est au **présent** et n'exige pas le subjonctif, on peut avoir :

Je crois	qu'il **part**	bientôt, maintenant, dans huit jours
	qu'il **partait**	souvent, autrefois, quand je l'ai vu
	qu'il **est parti**	la semaine dernière
	qu'il **était parti**	quand vous êtes arrivé
	qu'il **partit**	la semaine qui précéda votre arrivée
	qu'il **partira**	quand il aura fini
	qu'il **sera parti**	avant que vous arriviez
	qu'il **partirait**	si on le lui disait
	qu'il **serait parti**	si on le lui avait dit

CONCORDANCE DES TEMPS

Subordonnée complément d'objet (ou sujet)

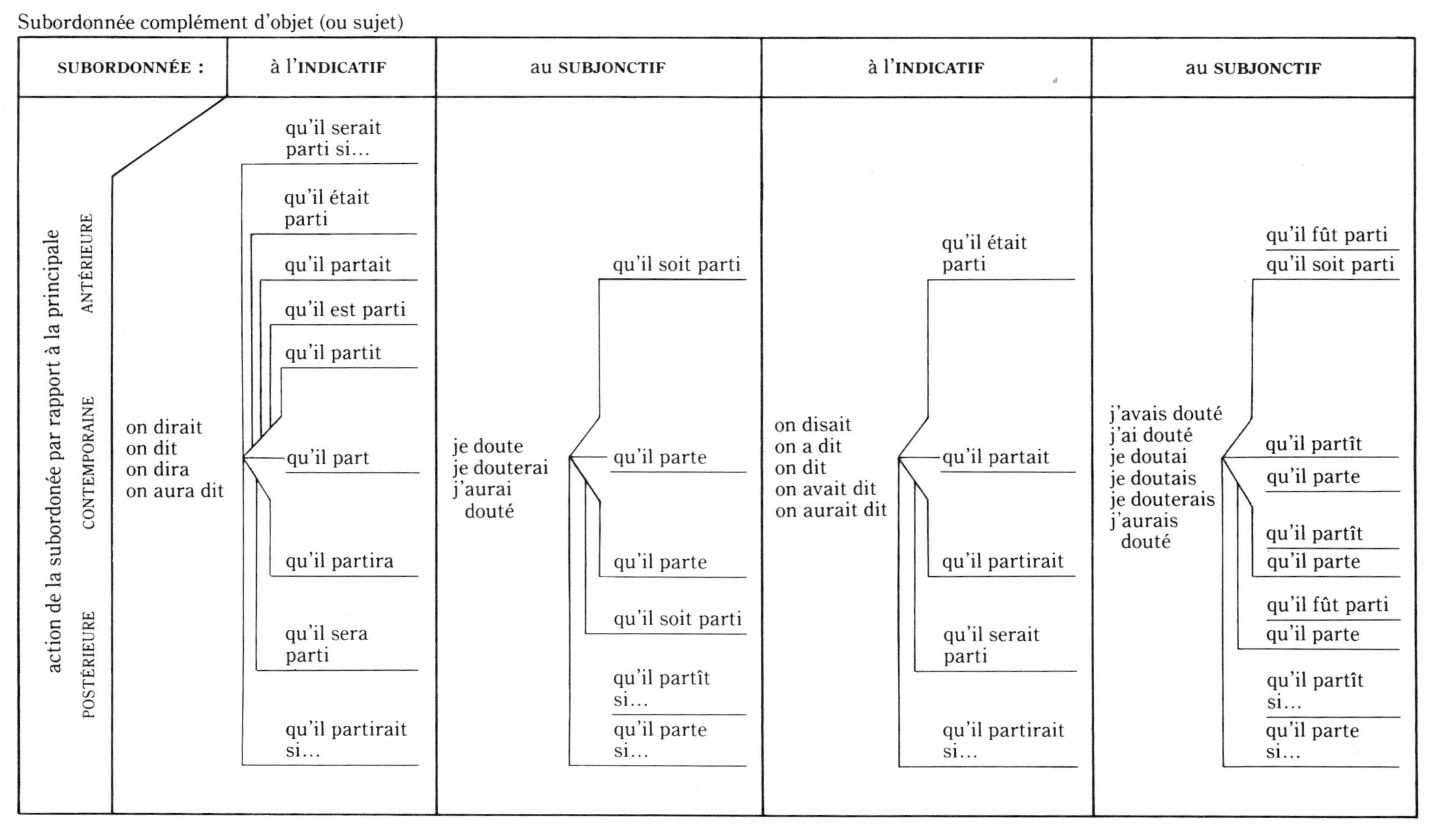

B. Lorsque le verbe de la principale est au **passé** et n'exige pas le subjonctif, on peut avoir :

J'ai appris que la terre **tourne**.	(souligne la permanence du fait)
J'ai appris que la terre **tournait**.	(concordance normale)
Je t'ai dit qu'il **a réussi**.	(contact avec le présent)
Je t'ai dit qu'il **avait réussi**.	(concordance normale)
Il a dit qu'il **viendra** demain.	(insiste sur la certitude)
Il a dit qu'il **viendrait** demain.	(futur dans le passé)
Ils ont dit qu'ils **auront fini** demain.	(insiste sur la certitude)
Ils ont dit qu'ils **auraient fini** demain.	(futur antérieur dans le passé)

C. Lorsque le verbe **régit le subjonctif**, quel que soit le temps du verbe principal, on emploie :

- le subjonctif **présent** pour indiquer la **contemporanéité** ou la **postériorité** :

Je regrette		maintenant, demain
J'ai regretté	qu'il **parte**	à ce moment, plus tard
Je regretterai		à ce moment, plus tard

- le subjonctif **passé** (forme composée) pour indiquer l'**antériorité** :

Je regrette		hier
J'ai regretté	qu'il **soit parti**	la veille
Je regretterai		avant mon arrivée

L'**imparfait** et le **plus-que-parfait** du subjonctif ont presque entièrement disparu du français contemporain, sauf à la troisième personne du singulier qui est toujours employée en français écrit quand le verbe principal est au passé ou au conditionnel. Aux autres personnes, ils sont remplacés par le présent et le passé du subjonctif respectivement :

Je regrettais J'ai regretté Je regretterais	qu'il **partît** = qu'il **parte** (contemporanéité, postériorité) qu'il **fût partie** = qu'il **soit parti** (antériorité)

9. *Complétez les phrases suivantes en respectant une correspondance logique entre les temps des verbes :*

a. C'est dommage que vous ne l' ______ pas quand il parle. (écouter)
b. Il a dit qu'il s'en ______ dès qu'il aurait le temps. (occuper)
c. Je ne savais pas que tu ______ à tes examens. Bravo ! (réussir)
d. Je souhaite que tu ______ le poste que tu désirais. (obtenir)
e. J'apprends qu'il ______ la semaine dernière. (revenir)
f. Il m'a assuré qu'il le (l') ______ dès qu'il pourra. (faire)
g. Saviez-vous que la reine Victoria ______ neuf enfants ? (avoir)
h. On constata bientôt que le français ______ une langue morte. (devenir)

i. Il est étonnant que le français ______ si longtemps. (survivre)

j. On présume que Cartier ______ partie des expéditions de pêche aux « bancs ». (faire)

k. La plupart des Français croyaient que les Canadiens ______ tous français. (parler)

l. Tu vois ! Je t'avais bien dit que tu ______ à finir ton travail avant de partir ! (avoir)

m. Il promit au chef qu'il lui ______ ses fils l'année suivante. (ramener)

n. J'ai voulu que tu ______ au courant de ce qui se passe. (être)

o. J'ai lu quelque part que le français ______ encore beaucoup dans certaines régions de la Louisiane. (se parler)

p. J'aurais aimé que tu ______ avant de partir. (finir)

q. Quand elle a eu compris qu'il ______ pour toujours, qu'il ne ______ jamais, elle a décidé de partir à sa recherche. (partir, revenir)

r. Les ouvriers ont promis qu'ils ______ de peindre le salon deux ou trois jours avant que nous rentrions de vacances. (finir)

s. Les Jésuites s'aperçurent qu'un résidu sucré ______ sur la viande bouillie dans une eau de sève. (se déposer)

t. Quand elle sortit le gâteau du four, elle s'aperçut qu'il ______ du tout. (ne pas lever)

u. Dans le reportage de la famille Tremblay, on a remarqué avec étonnement que les paysans normands ______ les « habitants » québécois. (comprendre)

v. Quelques minutes après, éclata le plus terrible orage que je (j') ______ de ma vie. (voir)

w. Elle voulait qu'il ______ une perche de huit pieds de hauteur. (tailler)

x. Il n'avait rien changé à ses habitudes ; on eût dit que rien ne ______ (se passer)

y. Le bruit court qu'on ______ les habitants au cours de la nuit qui vient. (déporter)

z. Ma grand-mère tricotait toute la journée ; c'était la seule occupation que je lui ______. (connaître)

aa. J'ai entendu dire que vous ______ bientôt déménager. (aller)

bb. Ah, on peut dire que tu m'en ______ des ennuis ! (attirer)

cc. Si on me l'avait dit, je (j') ______ ce qu'il faut faire. (savoir)

dd. Je regrette que mes parents ne me (m') ______ étudier le piano quand j'étais jeune. (ne pas faire)

10. *Remplacez les imparfaits et plus-que-parfaits du subjonctif par un temps d'usage plus courant en français contemporain :*

a. Ma mère se résignait à me traiter en malade et acceptait que je n'**apprisse** rien que par accroc. (A. Gide)

b. Je ne crois pas que vous me **jugeassiez** sans m'entendre. (Rousseau)

c. Il est fort étrange que je **fisse** ces rêves tout éveillée. (G. Sand)

d. Il a fallu que les hommes de par-là **fussent** des bourreaux de travail pour aménager de la sorte les parois des vallées et les flancs des montagnes. (H. Pourrat)

e. Il aurait fallu, Rica, que nous **eussions** un bien mauvais naturel pour aller faire cent petites insultes à des gens qui venaient tous les jours chez nous. (Montesquieu)

f. On m'avait dit tout cela avant que j'y **allasse**. (Racine)

g. Elle me donna à entendre qu'elle attendait que j'**eusse fini** pour desservir. (Gide)

h. Au reste, je n'avais pas peur, et la seule crainte que j'**éprouvasse** c'était que l'on s'**imaginât** que j'avais peur. (Mérimée)

i. Il arrivait que les rossignols du « quartier » **se tussent** ensemble. (Colette)

j. Il fallait, mon pauvre Bonnard, que tu **vécusses** jusqu'à présent pour apprendre exactement ce que c'est qu'une méchante femme. (A. France)

11. *Les phrases suivantes sont du style courant. Donnez-leur un caractère littéraire* :

a. Ils conclurent qu'il valait mieux appeler le « sea pie » d'un nom qui **indique** bien sa composition.

b. Il aurait fallu qu'il **vive** plus longtemps chez les Inuit.

c. Le roi préleva sur sa cassette personnelle pour qu'il **aille** « conquérir à Neuve France ».

d. Elle s'étonna que Louis l'**ait oubliée**.

e. Nous n'étions pas sûrs qu'il nous **reconnaisse**.

f. Nous n'étions pas sûrs qu'il nous **ait reconnus**.

g. Elle était honteuse qu'il ne **sache** pas le nom de la province dans laquelle ils habitaient.

h. Elle ne comprenait pas qu'il ne **veuille** plus aller à l'école.

i. Il était douteux que ça se **soit** vraiment **passé** ainsi.

j. Agaguk, rivé au sol, complètement immobile, attendit que le loup **vienne** encore plus près.

k. Auriez-vous imaginé qu'il **soit** si prolixe ?

l. Que voudriez-vous qu'il **fasse** ?

REMARQUE : Le passé simple et l'imparfait du subjonctif se prononcent de la même façon à la troisième personne du singulier, mais l'imparfait du subjonctif se termine toujours par un **t** et prend un accent circonflexe sur la voyelle qui le précède. La même différence orthographique existe entre le passé antérieur et le plus-que-parfait du subjonctif.

12. *Transformez les passés simples et passés antérieurs en imparfaits ou plus-que-parfaits du subjonctif lorsque cela s'impose* :

a. On apporta quelques gâteaux que l'on offrit aux invités.

b. On craignait qu'il ne se trouva mal.

c. Il ne suffisait pas d'avoir un Union Jack ; il fallait qu'il put se dérouler à l'aise.
d. Elle prit un œuf qu'elle ouvrit...
e. Les enfants restèrent dehors à jouer sans qu'on les entendit.
f. Il était contrarié qu'on n'eut pas pensé à lui.
g. Ce fut le moment que choisit mon ami pour partir en voyage.
h. Je n'ai jamais connu qu'un homme qui put soulever un tel fardeau.
i. Les paroles de son ancêtre l'avaient ému à un tel point qu'il s'effondra sans connaissance.
j. Quand elle se fut levée et qu'elle se regarda dans la glace, elle s'aperçut qu'elle avait l'air malade.
k. Je craignais qu'il ne vint pas me chercher.
l. Il ne pouvait supporter qu'on fut méchant.
m. Il n'avait aucune confiance en la science et mourut sans avoir accepté qu'on appela un médecin.
n. Quand elle eut fini, on hissa le drapeau.
o. Il ne voulait pas qu'on commença sans lui.

13. *Traduisez les phrases suivantes* :

a. She said she would sew the hem as soon as she had dyed the sheet.
b. It is a pity that he answered as he did.
c. It is time I went out shopping.
d. They told me that she had been dead four years.
e. It is impossible that the minister has been dismissed!
f. He must have thought that we were not coming.
g. How is it that you are always late?
h. He wanted to know at what time we arrived.
i. I'll leave as soon as I am ready.
j. Do you think you will pass without studying?

Stylistique comparée

one

One peut être :

- numéral ou adjectif numéral : **un, une, seul, un certain** :

one of the rules	une des règles
the one rule...	la seule règle...
one Mr. Smith	un certain M. Smith

- pronom indéfini : **on** (sujet), **vous**, **celui**, **quelqu'un**, **pronom personnel** ou non traduit (complément) :

  One must do one's best.
  On doit faire de son mieux.

  It does one no good at all.
  Ça ne (vous) fait aucun bien.

  He acts as one who does not know.
  Il fait celui qui ne sait rien. Il agit comme quelqu'un qui ne sait rien.

  Yes, sir, he is the one.
  Oui, monsieur, c'est lui.

- pronom de remplacement : ne se traduit pas

  His job is not a permanent one.
  Son poste n'est pas permanent.

- démonstratif : **celui**, **celle**, **ceux**, **celles**

  This application is the one I told you about.
  Cette demande est celle dont je vous ai parlé.

1. *Traduisez les phrases suivantes* :

a. "There is no flag," said Miss O'Rorke. "There must be **one**!"

b. Pierre-Emmanuel-Roger cut an eight foot pole. The **one** he had cut the day before was too short.

c. Of all these articles, the last **one** is the most important.

d. In Quebec, **one** must send one's children to a French school. Isn't that so?

e. I need a dictionary. Can you lend me **one**?

f. I know several languages, but French is the **one** I know best.

g. She found fault with all the children, especially the older **ones**.

h. Of all your mistakes, this is **one** I cannot forgive.

i. I received a letter from **one** Mr. Rousseau...

j. My letter is a business **one**.

k. He is the **one** man who can give you an exemption.

l. If anyone can do it, she is the **one**.

Les omissions

Certains mots sont omis en anglais, mais ne peuvent l'être en français. En particulier :

- *that* (conjonction ou pronom relatif objet) :

  He said he would come.
  Il a dit **qu'**il viendrait.

  During the years I spent in Paris...
  Pendant les années **que** j'ai passées à Paris...

- *it* après un comparatif :

  Don't work harder than is necessary.
  Ne travaille pas plus qu'**il** ne faut.

- groupe verbal après *as*, *if*, *though*, *when*, *while*, *whether*, *however*, *whatever* :

  You must obey him, whether right or wrong.
  Il faut lui obéir, qu'il **ait** raison ou tort.

- mots non répétés (noms, pronoms, prépositions, articles, adjectifs, démonstratifs, possessifs, etc.) :

    As she spoke, we drew close to her and grouped around her…
    Tandis qu'elle parlait, nous nous rapprochions et **nous** nous blottissions autour d'elle…

    At one time, we lived in peace and harmony.
    Autrefois, nous vivions en paix et **en** harmonie.

2. *Traduisez* :

a. He told us he could not allow it.

b. Whether right or wrong, he wants to be listened to.

c. It is the only reason I can give you.

d. I like to take a walk every day, whatever the season.

e. How long? He couldn't tell.

3. *Le cas échéant, ajoutez les mots qui manquent à ces phrases* :

a. Le terme « acadien » était alors synonyme d'honnêteté, hospitalité et générosité.

b. C'est un témoignage de la vitalité de la langue et culture d'un peuple qui cherche à garder vivant son héritage.

c. Des pêcheurs originaires de Saint-Malo et autres ports de France…

d. Les demeures de nos ancêtres n'étaient ni pittoresques ni grandioses, mais étaient aussi magnifiques dans leur simplicité que l'hospitalité sans bornes de leurs propriétaires.

e. Bien que riches, ils se nourrissent mal.

f. En échange, ils donnèrent aux Indiens leurs couteaux et hachettes.

g. La cuisine créole est plus raffinée et complexe que la cuisine « cajun ».

h. Nous n'étions que des enfants et ne savions rien du cœur humain.

i. On estime que l'Européen moyen mesurait 5 pieds et un sur dix était difforme.

j. Il semble hier, et cependant soixante années se sont écoulées… .

Texte à traduire

Avant de faire la traduction, étudiez ***Composition I : La correspondance****, p. 219–22.*

Jean Rousseau
14, rue Champlain
Québec (Québec)
H7G 1G1

August 10, 1989

To :
The Honorable Jean Lecancre
Minister of Education
Province of Quebec

Dear Sir :

I am writing this letter to request permission for my son Jean-Jacques to be exempt from attending a French school this September.

In support of my application, *I would like to* bring to your attention the following facts :

Two months ago, *I moved* with my family *to Quebec City* from Halifax, Nova Scotia, where I had been transferred by the Bank of Montreal *as* manager of *their* Quinpool Road Branch.

During the three years we spent in Halifax, my son attended a French immersion school, as we wanted to give him the opportunity *to be exposed to* both official languages — French in school and English out of school.

Here, however, the situation is reversed as we live in a totally *French environment* and speak only French in the home since our return. For our son to retain the advantage he has enjoyed up to now, he would have to be allowed to attend an English school. He would then be able to continue using both languages and eventually become perfectly bilingual.

I am quite aware of the fact that he does not *qualify* for English instruction according to the provisions in Article 73 of the Charter of the French Language, but I *do* hope an exception *can* be made in his favour.

Moreover, my appointment in Quebec City is in no way a permanent one, and *there is every possibility that* I may be transferred to Ontario within the next two or three years, in which case my son would be at a serious disadvantage and his academic progress gravely impaired.

I would be most *grateful if* you would *speak on my behalf* to the Appeal Board, *requesting that* my application be given serious consideration.

Yours truly,

Jean Rousseau

NOTES

I am writing this letter : ne pas essayer de traduire exactement. Employer une formule d'attaque qui convienne au rang du destinataire.
I would like to : *je me permets de*
I moved... to Quebec City : attention : *déménager* indique le mouvement, non le déplacement (voir p. 88)
as : *en qualité de*
their : employer l'article
to be exposed to : *se familiariser avec*
French : il ne s'agit pas d'origine mais de langue
environment : *environnement* serait trop technique ici
qualify : traduire comme s'il y avait *fulfill the necessary conditions*
do : rendre l'aspect d'insistance par un adverbe
can : attention au temps. Dans quelle temporalité se situe la réalisation espérée du procès ?
there is every possibility that : employer une tournure négative pour atténuer l'expression et effectuer une transposition sur *possibility* (nom/adjectif)
grateful if : *reconnaissant de* (ajouter une formule de politesse)
speak on my behalf : *intervenir en ma faveur*
requesting that : marquer qu'il s'agit ici du but de cette intervention
Yours truly : trouver une formule qui convienne au rang du destinataire et qui exprime les sentiments de respect et de reconnaissance

Composition I : la correspondance

Qu'elle soit personnelle ou à caractère officiel (lettre d'affaires, lettre administrative), la lettre obéit à un certain nombre de conventions précises qui diffèrent souvent de celles de l'anglais :

A. **Papier** blanc, non rayé, pour les lettres à caractère officiel, et papier blanc ou pastel (sans ornementation) pour les lettres personnelles.

   Marges régulières et bien marquées, texte bien centré.

   Date en haut et à droite :

      le 14 juillet 1988

      le jeudi 14 juillet 1988

      Saint-Malo, le 14 juillet 1988

   Pas de majuscule au nom du mois, pas de virgule devant l'année. Le **lieu** doit toujours être indiqué dans les lettres à caractère officiel (facultatif dans les lettres personnelles).

   Le nom (titre) et l'adresse du **signataire** en haut à gauche, ceux du **destinataire** en dessous de l'adresse, dans lettres à caractère officiel seulement.

B. L'**en-tête** varie selon le destinataire. Par exemple (par ordre croissant de formalité) :

      Mon cher Jacques, (à un ami)

      Mon cher cousin, (à un parent)

      Cher ami, (à un ami)

      Chère Madame, (à une personne amie)

      Monsieur, (pour lettres officielles, ou à quelqu'un que l'on connaît peu)

      Monsieur le Directeur,

      Monsieur le Ministre,

      (Cher) Maître, (à un avocat)

      Monseigneur, (à un évêque)

   Ne jamais dire *Cher Monsieur* si le correspondant n'est pas un ami.

   Ne jamais dire *Cher Monsieur Dupont* à moins que le correspondant ne soit un subordonné ou un fournisseur.

C. La **formule d'attaque** dans une lettre à caractère officiel commence généralement par *J'ai l'honneur* :

      J'ai l'honneur de vous faire parvenir

      J'ai l'honneur de solliciter de votre bienveillance

      J'ai l'honneur de solliciter de votre haute bienveillance (à une personne haut placée)

      J'ai l'honneur de vous faire savoir, de vous informer...

D. Le **corps** de la lettre se divise en **paragraphes** dont le premier indique la raison d'être de la lettre. On commence un nouveau paragraphe pour chaque idée principale ou chaque élément d'information.

Dans le corps de la lettre, on emploie les **formules** suivantes :

- pour **demander** quelque chose (par ordre croissant de formalité) :

<table>
<tr><td>Veuillez
Je vous prie de
Veuillez avoir l'obligeance de
Je vous serais obligé de
Je vous serais reconnaissant de
Je vous prie de bien vouloir
Je vous serais reconnaissant de bien vouloir
Je vous saurais gré de
Je vous saurais gré de bien vouloir</td><td>}</td><td>m'envoyer
m'adresser
me faire parvenir
m'indiquer</td></tr>
</table>

- pour **informer** de quelque chose (par ordre croissant de formalité) :

  Je vous informe que

  Je vous fais savoir que

  J'ai le plaisir (le regret) de vous informer (faire savoir) que

  J'ai l'honneur de vous informer que

  J'ai l'honneur de porter à votre connaissance

E. La **formule de politesse finale** varie selon le correspondant. Par exemple :

Je t'embrasse bien affectueusement (à un ami intime ou un parent)

Bien amicalement (à un ami moins intime)

Cordialement à vous (à un collègue)

Dans les lettres **à caractère officiel**, la formule de politesse obéit à des usages précis. Elle reprend toujours la formule d'en-tête :

Croyez, mon cher Collègue, à mes sentiments les plus cordiaux.

Je vous prie d'accepter, Monsieur le Maire, l'assurance de mes sentiments reconnaissants et dévoués.

Veuillez agréer, Madame la Présidente, l'expression de mes sentiments les plus distingués.

On peut nuancer avec prudence :

<table>
<tr><td>Recevez
Acceptez
Agréez
Croyez (à)
Veuillez croire (à)
Veuillez accepter
Veuillez agréer
Je vous prie d'accepter
Je vous prie d'agréer
Je vous prie de bien vouloir accepter
Je vous prie de bien vouloir agréer</td><td>}</td><td>mes salutations
mes sentiments
l'assurance de mes sentiments
l'expression de mes sentiments</td></tr>
</table>

Les salutations peuvent être :

sincères (devant le nom)

distinguées

les plus distinguées

Les sentiments peuvent être :

les meilleurs

cordiaux, les plus cordiaux

distingués, les plus distingués

respectueux, les plus respectueux

dévoués, les plus dévoués

reconnaissants, les plus reconnaissants

F. En dehors de formules d'en-tête et de salutation, il existe un certain nombre de **tournures** plus ou moins standardisées qui correspondent aux situations les plus courantes. En voici quelques-unes :

We received your letter :

Nous sommes en possession de votre lettre

Nous avons bien reçu votre lettre

Nous accusons réception de votre lettre (dans le commerce)

dated January 15, 1988 :

du 15 janvier 1988

du 15 courant (même mois que la réponse) (dans le commerce)

du 15 janvier dernier (mois antérieur à la réponse) (dans le commerce)

In response to your letter :

En réponse à votre lettre

Comme suite à votre lettre

Nous référant à votre lettre (dans le commerce)

In accordance with our telephone conversation :

Comme suite à notre conversation téléphonique

Please find enclosed :

Vous trouverez ci-joint (ci-inclus)*

Veuillez trouver ci-joint (ci-inclus)

Thanking you in advance :

Avec mes remerciements anticipés

Nous vous remercions à l'avance

Hoping to hear from you :

Dans l'attente de votre réponse

Dans l'attente d'une réponse favorable

Hoping that my request will be favourably considered :

Dans l'espoir que ma demande recevra un accueil favorable

**Ci-joint* et *ci-inclus* sont invariables lorsqu'ils sont placés immédiatement devant le nom auquel ils se rapportent, et variables lorsqu'ils sont placés après :

Vous trouverez ci-joint (ci-inclus) copie de la lettre

La copie ci-jointe (ci-incluse) vous renseignera sur

REMARQUE : Lorsque la première partie de la phrase ne contient pas de sujet, c'est celui du verbe principal qui en fait fonction. Par exemple, si on a : *Dans l'attente d'une réponse favorable,* le verbe suivant doit avoir pour sujet la personne qui est *dans l'attente* (*je* ou *nous*). On ne pourra pas écrire : *Dans l'attente d'une réponse favorable, veuillez agréer, Monsieur,* car ce n'est pas la personne à qui on s'adresse (*veuillez, Monsieur*) qui attend la réponse.

Préparation (orale)

1. *Trouvez une formule d'en-tête qui convient pour s'adresser aux personnes suivantes* :

le Maire* de votre ville
votre médecin de famille
un couple ami
un collègue
un ami de votre grand-père
le président de votre université
le consul de France de votre région
le rédacteur en chef de votre journal local

*Les noms de fonctions ou de professions traditionnellement occupées par des hommes posent des problèmes de genre : *maire, juge, préfet, colonel, général,* etc. La langue du XIXe siècle réservait le féminin de ces noms, quand il existait, aux épouses des titulaires de ces fonctions (*mairesse, préfète, colonelle, générale*). Aujourd'hui, les femmes ont accès à ces mêmes fonctions, mais le problème linguistique n'est pas encore résolu. Le français canadien a tendance à féminiser (*une professeure, une écrivaine*), le français standard est plus conservateur (*la mairesse* est la femme du maire, et on dira *Madame le Maire* pour s'adresser à une femme qui est maire).

2. *Quelles formules de politesse emploieriez-vous dans les circonstances suivantes :*

a. Demande de visa à un consul.

b. Lettre de félicitations à une amie qui va se marier.

c. Lettre pour demander des formulaires de demande d'inscription.

d. Lettre à un professeur pour vous excuser d'être absent.

e. Lettre à votre curé (pasteur, rabbin...) pour lui demander une recommandation.

f. Lettre à votre député pour le remercier de son appui.

g. Lettre de remerciement à la mère d'un ami chez qui vous venez de passer quelques jours.

h. Réponse à une demande de renseignements.

i. Demande de renseignements à une agence de voyages.

j. Lettre pour refuser une faveur qu'on vous a demandée.

Rédaction (écrite)

Posez votre candidature à cette offre d'emploi parue dans *L'Étoile* de Montréal (nom fictif) du 5 juin. Le C.V. étant joint à la lettre de candidature, celle-ci ne donnera pas trop de détails. Dans la lettre, il faut :

- faire acte de candidature
- indiquer brièvement en quoi vous répondez aux exigences requises
- demander quelques précisions sur l'emploi en question

ENSEIGNANTS/ENSEIGNANTES

requis pour enseigner les matières suivantes à l'École secondaire Montagne

1 professeur d'Arts visuels

1 professeur de Sciences et d'Éducation physique

1 professeur de Français

Les personnes intéressées sont priées de faire parvenir leur candidature avant le 31 mai à :

J. Delage, directeur
École secondaire Montagne
54, boulevard Montagne
Montréal, (Québec) H4T 1M3

Joindre son curriculum vitae

La composition II : le curriculum vitæ

Un **curriculum vitae** est un clair résumé qui permet de juger rapidement de la situation d'une personne et de prendre connaissance des étapes principales de sa carrière. Il doit être complet, sans être surchargé de détails étrangers à la situation. Le C.V. comprend les parties suivantes :

ÉTAT CIVIL

- Nom et prénoms :
- Date et lieu de naissance :
- Nationalité :
- Situation militaire[1] :
- Situation de famille[2] :
- Adresse et numéro de téléphone :

FORMATION REÇUE[3]

- Diplômes scolaires :
- Diplômes universitaires :
- Titres de capacité[4] :

ÉTAT DES SERVICES PROFESSIONNELS

Indiquer les différents emplois occupés dans l'ordre chronologique, en précisant les dates, le nom de l'entreprise, la fonction occupée. Ex. :

1982-1985 : Secrétaire au Ministère des Affaires Étrangères (Paris)

1985-1988 : Secrétaire de Direction, Établissement Dubout, Import-Export (Marseille)

Le cas échéant, ajouter diverses précisions utiles selon l'emploi postulé (permis de conduire, diplôme de natation, de secourisme, etc.)

1. **Situation militaire** : dans les pays où le service militaire est obligatoire, indiquer si l'on est ou non libéré des obligations militaires
2. **Situation de famille** : marié(e), divorcé(e), séparé(e), célibataire, veuf (veuve), nombre et âge des enfants (s'ils vivent avec les parents)
3. **Formation reçue** : doit renseigner non seulement sur les diplômes obtenus, mais sur la date et le lieu de leur obtention.
4. **Titres de capacité** : autres éléments de la formation, stages, périodes d'apprentissage, etc.

Exemple de C.V.

ÉTAT CIVIL

Nom : REYNAUD
Prénoms : Michel, Henri
Date et lieu de naissance : 28 novembre 1962 à Saint-Malo
Nationalité : française
Situation militaire : libéré de toute obligation
Situation de famille : marié, 2 enfants (2 et 4 ans)
Adresse : 35, avenue de Choisy, 75013 PARIS (tél. 484-88-75)

FORMATION REÇUE

Diplômes scolaires : Certificat d'études primaires (1973)
Baccalauréat (1980)
Établissements scolaires fréquentés : école primaire de Saint-Martory
lycée Jean Bart de Toulouse
Diplômes universitaires : D.E.U.G. Université de Toulouse (1982)
Licence de français Univ. de Toulouse (1983)
Langues étrangères pratiquées : anglais, espagnol

ÉTAT DES SERVICES PROFESSIONNELS

1983–1984 : Assistant de français Université du Massachusetts, Amherst
1984–1985 : Maître auxiliaire CES Jacques Cartier, Saint-Malo
1985–1987 : Adjoint d'enseignement Lycée Henri IV, Béziers
1987–1989 : Professeur de français École secondaire Montcalm, Québec

DIVERS

— Cours d'été à l'Alliance Française, Paris (1980 et 1981)
— Moniteur camp de vacances de la paroisse Saint André, Toulouse (1982)
— Président de l'Alliance Française d'Amherst (1983-84)

CHAPITRE SEPT

La mégalopole

TEXTE I
L'expansion urbaine

Depuis quelques années au Québec on parle beaucoup de planification dans les domaines de l'économie, de l'éducation et de l'aménagement du territoire. Les **pouvoirs publics**, les **corps intermédiaires**, les associations de citoyens sont sensibilisés à cette idée qui rallie, **de jour en jour**, de plus en plus d'adeptes. *Si l'idée de la planification dans les deux premiers domaines est bien comprise, il arrive souvent*, **en ce qui a trait à** l'aménagement du territoire, *que la planification soit associée aux seuls espaces ruraux* et régions sous-développées. **On ignore, de ce fait**, la nécessité du contrôle de l'expansion urbaine.

Il en est ainsi dans la région de Montréal dont l'expansion, au cours de la dernière décennie, est sans précédent dans son histoire. **À l'instar de** nombreuses autres agglomérations urbaines, elle a souffert, comme en témoigne sa croissance quelque peu désordonnée, de l'absence d'une politique de planification bien arrêtée.

Il ne se trouve plus personne pour nier le phénomène d'expansion urbaine qui se produit dans la région de Montréal. De nouveaux quartiers se construisent, des banlieues surgissent en périphérie de l'agglomération montréalaise, les superficies bâties s'étalent en taches d'huile et en longues antennes **au hasard des routes**, des rivières et des voies ferrées... et parfois, **selon le bon plaisir** des **sociétés immobilières**.

L'urbanisation qui prend place au milieu du XXe siècle **remet en cause** l'essence même de la ville.

---

pouvoirs publics : *ensemble des autorités administratives qui détiennent le pouvoir aux niveaux national et municipal*
corps intermédiaires : groupements intermédiaires entre l'administration et le public
de jour en jour : *peu à peu, graduellement*
en ce qui a trait à : *en ce qui concerne*
on ignore : *on n'est pas conscient (de)*
de ce fait : *à cause de cela, par suite de ce qui précède*
à l'instar de : *de même que, comme*
au hasard des routes : *suivant le tracé capricieux des routes, sans plan, sans ordre*
selon le bon plaisir : *suivant le caprice, la fantaisie*
sociétés immobilières : *sociétés qui s'occupent de construction, vente et achat d'immeubles*
remettre en cause : *remettre en question, rouvrir un débat sur*

« ... les **agglomérations** jusqu'alors individualisées les unes par rapport aux autres se sont, plus ou moins, soudées entre elles, constituant des "nébuleuses urbaines" dont la Mégalopolis[1] nord-américaine, les énormes **conurbations** anglaises et la "Randstad"[2] néerlandaise donnent trois exemples. » (1)

5 La ville apparaît souvent comme un milieu qu'il faut fuir. On la rend responsable de centralisations massives, des encombrements insolubles, des pollutions de tous genres, des espaces verts insuffisants. Il en résulte que :

« ... les fonctions traditionnelles de la ville s'affaiblissent, périclitent : activités commerciales, culturelles, sociales. Les supermarchés surgissent en pleine
10 campagne urbanisée... Tous les éléments qui, rapprochés sur un espace relativement réduit, créaient la ville ont été **atomisés** ; ils sont dispersés aux quatre coins de la zone **exurbaine** : écoles, cinémas, lieux de culte, centres de réunions... La plus grave... dissociation a été celle du lieu de résidence et du lieu de travail, car cette urbanisation "extensive" n'a pas été pensée et coordonnée
15 dans un plan de zonage qui aurait associé les zones industrielles, [les zones] de service et les zones de résidence. Chaque jour s'accroît l'immense cohorte des migrants quotidiens qui "**pendulent**" deux fois par jour de leur appartement à leur atelier ou leur bureau. Dans la journée, ces banlieues "exurbaines" sont de véritables déserts ; vidées des travailleurs, des collégiens, elles ne sont animées
20 que par les ménagères et les fournisseurs. » (2)

La société urbaine n'est pas sans subir les « contre-chocs » de cette expansion. On imagine souvent la ville comme étant un lieu d'échanges, d'épanouissement et d'ascension professionnelle. Toutefois, le mode de vie que nous nous imposons en ce XXe siècle *contribue à rendre beaucoup plus complexe l'existence en milieu urbain.*
25 La vie de l'homme est divisée entre son milieu de travail, celui de ses loisirs et son foyer. Chacun des membres de la famille a « son » univers de **relations sociales** souvent inconnu des autres, relations qui contribuent, elles aussi, à disperser les hommes dans l'espace.

Parler du présent, c'est aborder l'avenir. Tenter de comprendre la ville d'aujourd'hui,
30 c'est chercher à définir ce que sera, demain, notre milieu. On parle déjà de la ville d'aujourd'hui comme d'un phénomène. On dit : le phénomène urbain. **La mode est aux mots nouveaux**, aux expressions qui font « image ». Hier encore, nous parlions de « métropole » pour désigner les vastes ensembles urbains, les grandes capitales. Dans la réalité, ce mot **est dépassé**. Il ne suffit plus à décrire ces vastes
35 étendues de territoire urbanisé. Aux États-Unis, on se sert du mot « mégalopolis » pour décrire ce complexe.

Mégalopolis, c'est un concept qui évoque une réalité encore plus grande, plus gigantesque, plus vaste que métropole. *Mégalopole, c'est une région entière* qui devient totalement urbanisée. Mégalopole, c'est la négation de la ville traditionnelle. C'est
40 « l'éloignement, la fatigue due aux migrations quotidiennes, l'insuffisance des moyens de transport en commun ».(3) Mégalopole n'a plus de banlieue, n'a plus de périphérie. Mégalopole, c'est un tout...

---

agglomération : *groupe d'habitations constituant un village ou une ville*
conurbation : du latin *cum-* (avec) et *urbs* (ville), *agglomération formée d'une métropole et de ses satellites, ou encore d'un groupe de villes voisines constituant un même complexe urbain*
atomisés : *pulvérisés, séparés et dispersés*
exurbain : du latin *ex* (hors de) et *urbs* (ville), *situé en dehors de la ville*
pendulent : *oscillent comme un pendule, font un mouvement incessant d'aller-retour*
relations sociales : *personnes que l'on connaît, que l'on fréquente, mais avec qui on n'est pas très lié*
la mode est aux mots nouveaux : *les mots nouveaux sont à la mode*
est dépassé : *ne décrit plus la réalité*

Jusqu'à ces **toutes dernières** années, Montréal semblait vouloir exploiter à une échelle relativement élevée les espaces urbanisés. On y construisait principalement des habitations à étages multiples, en rangées, produisant ainsi une densité assez forte. Le développement à basse densité, caractérisé par d'immenses étendues couvertes de maisons unifamiliales détachées, constitue donc un phénomène relativement nouveau pour Montréal. Cependant, ce type de logement est de plus en plus recherché et provoque chaque année le déplacement de plusieurs milliers de foyers. Ces derniers sont attirés par de meilleures conditions de vie et le pavillon unifamilial en est le symbole le plus typique. Ces gens aspirent à de plus vastes espaces, un plus haut degré d'intimité, etc.

Le niveau des revenus ayant augmenté considérablement, un nombre de plus en plus élevé de familles **sont en mesure de** satisfaire cette aspiration. La publicité joue un rôle extrêmement important dans ce phénomène. Utilisant les mass media les plus populaires (presse-radio-TV), elle **véhicule à grands cris** la fallacieuse prétention que le « bonheur » se construit sur la possession d'une « gentillette » maison unifamiliale.

Il est indéniable que dans la **conjoncture actuelle** du marché de l'habitation, la maison unifamiliale offre des attraits incontestables et est quand même **à la portée d'**un très grand nombre de bourses. Cependant, on **camoufle** trop souvent **à** l'acheteur éventuel certains inconvénients qui le toucheront directement et qui affecteront d'autre part l'équilibre du milieu dans lequel il vit.

Qu'il suffise de mentionner :

— la difficulté d'établir un système de transport en commun dans ces zones : les voitures familiales deviennent alors une nécessité et non plus un moyen de transport secondaire. Le temps requis par chaque individu pour se rendre à son travail devient plus important.

— les distances qui séparent les habitations de certains équipements, tels les magasins et les écoles, les ressources de loisirs et les institutions de toutes sortes, sont trop grandes pour être parcourues à pied. D'autre part, la faible densité rend très coûteuse la **mise sur pied** d'un système de transport en commun efficace. On soupçonne alors les complications que l'on impose aux enfants, aux adolescents et aux vieillards, **en d'autres termes**, à tous ceux dont les déplacements doivent être assurés par un système de transport en commun. D'autre part, la prolifération **indue** de l'automobile individuelle provoque des problèmes de circulation et de stationnement dans le cœur de la ville en plus de rendre complètement inadéquat l'équipement routier existant.

— le coût des services municipaux est directement relié au territoire **desservi** par ces services. On imagine assez facilement que dans des secteurs de faible densité, ces coûts représentent des sommes fantastiques lorsqu'ils sont répartis par unité de logement. Les administrations municipales ont alors une alternative. Elles peuvent imposer des taxes très élevées ou fournir des services de **piètre** qualité pour les égouts et l'aqueduc, le pavage, les trottoirs, l'éclairage des rues, l'enlèvement de la neige, les fils souterrains, etc.

---

toutes dernières : *très récentes. Tout* adverbe marque l'intensité
être en mesure de : *avoir la possibilité de*
véhicule à grands cris : *répand avec une insistance bruyante*
conjoncture actuelle : *ensemble des éléments qui constituent la situation présente*
à la portée de : *accessible à*
camoufler à : *cacher à (dans le but de tromper)*
mise sur pied : *organisation, mise en fonctionnement*
en d'autres termes : *autrement dit, c'est-à-dire*
indu : *contraire à la raison, exagéré*
desservi : *desservir* une région, une ville, un quartier, c'est *assurer un service régulier*
piètre : *très médiocre* (précède toujours le nom)

— les développements à faible et basse densité n'offrent pas de variété et d'animation. De plus, ils ne répondent en fait qu'aux besoins d'une partie de la population, soit les familles **à l'aise** ayant de très jeunes enfants. Il en résulte une certaine mobilité, réduisant ainsi les chances d'identification
5 ou d'attachement à un quartier. Généralement, ces quartiers sont peu stables et n'offrent pas les principaux avantages de la vie urbaine, tels l'expérience des rencontres multiples, l'animation et le choix.

La maison unifamiliale détachée, tout en présentant certains avantages, a donc ses inconvénients. À Montréal, les inconvénients commencent à peine à se manifester
10 mais la densité moyenne de la zone métropolitaine diminue toutefois assez rapidement pour que l'on découvre très bientôt que les avantages disparaissent peu à peu.

Il faut, **par ailleurs**, souligner le fait que depuis quelque temps **l'on** observe une tendance à diversifier les types de développements. Il est de plus en plus fréquent de voir certains promoteurs domiciliaires vanter les mérites du triplex jumelé ou
15 du duplex détaché. Ces constructions produiront assurément une densité un peu plus élevée **d'ici quelques années** si la tendance se poursuit. Mais, de façon générale, on peut prévoir que les basses densités continueront à caractériser l'expansion urbaine de la métropole, compromettant ainsi les chances de munir la population des qualités et des avantages nécessaires à la vie dans une grande ville, *à moins qu'un plan*
20 *et des politiques positives de mise en valeur du territoire ne soient élaborées* pour l'ensemble de la région de Montréal.

1) H. Carrier et P. Laurent. *Le Phénomène urbain*, Recherches économiques et sociales, Paris, Aubier-Montaigne, 1965, p. 19
2) *Ibid.*
3) *Ibid.*

« Urbanisation : bulletin technique no 3 », Service d'urbanisme de la Ville de Montréal, 1969, p. 2-5, 62, 65-66

NOTES

1. **Mégalopolis** : du grec *megalos* (grand) et *polis* (ville), terme repris au milieu du XXe siècle pour désigner la vaste conurbation de la côte nord-est des États-Unis. S'applique aujourd'hui à toute très grande ville.
2. **Randstad** : du néerlandais *rand* (bord) et *stad* (ville), nom d'une région de Hollande fortement urbanisée, comprenant entre autres les villes d'Amsterdam, de Rotterdam et de La Haye

ÉTUDE ET EXPLOITATION DU TEXTE

1. Qu'entend-on par *aménagement du territoire* ?
2. Analysez les images contenues dans la phrase : *les superficies bâties s'étalent en taches d'huile et en longues antennes.*
3. Expliquez l'expression *des « nébuleuses urbaines »*. À quel domaine le mot *nébuleuse* est-il emprunté ? Expliquez l'analogie.

à l'aise : *qui ont des revenus assez élevés*
par ailleurs : *d'autre part, d'un autre côté*
l'on : peut remplacer *on* dans la langue écrite, le plus souvent par souci d'euphonie
d'ici quelques années : *dans quelques années*. Combiné avec *de* (au sens de *à partir de*), *ici* marque le point de départ d'une durée dans le temps. Combiné avec *jusque*, il marque l'aboutissement de la durée

4. Expliquez ce que l'auteur entend par *urbanisation « extensive »*.
5. Pourquoi la région de Montréal s'est-elle développée d'une façon désordonnée ? Est-ce le cas pour d'autres grandes villes que vous connaissez ?
6. Quels sont les effets de la dissociation du lieu de résidence et du lieu de travail sur l'individu, la famille, la société ?
7. Quels sont les inconvénients d'une urbanisation trop poussée ? En voyez-vous d'autres que ceux qui sont mentionnés dans le texte ?
8. Quel rôle jouent les média, les promoteurs et les agences immobilières dans le choix du logement, et par conséquent du mode de vie des familles ?
9. Y a-t-il à votre avis des avantages à vivre en banlieue ? Quels sont-ils ? Suffisent-ils à pallier les inconvénients ?
10. Exposez un des problèmes que pose le développement de votre ville ou de votre région. Suggérez des solutions possibles et étudiez-en les divers aspects : réalisation, coût, conséquences sur l'environnement...

TEXTE II
Trente Arpents (extrait)

Le vieil Euchariste Moisan a fait donation de son bien à son fils Étienne : maison, bestiaux, trente arpents de bonne terre... Celui-ci décide son père à aller passer quelque temps chez un autre de ses fils qui est établi aux États-Unis. Il doit changer de train à Montréal.

Un siège vide trouvé et son installation faite, Euchariste se pencha à la fenêtre pour regarder au loin vers sa ferme, vers ce qui jusqu'ici avait été son domaine et son monde. Mais trop tard ; il ne vit qu'un grillage d'arbres, au pied baignant dans les flaques d'eau, et ne sut reconnaître où il était.

Il resta ainsi jusqu'à Montréal, sans bouger, enfoui dans sa pelisse de **racoune**, 5 le bonnet sur les yeux, écrasé sur l'osier gras du siège dans le wagon de **seconde** empuanti de la fumée du charbon et des pipes, maculé de neige fondue et de crachats.

Une heure avant l'arrivée dans la grande ville, le ciel apparut rougeoyant d'une immense lueur. **Dès lors**, Eucharistе ne put **se tenir de** s'informer à chaque arrêt : « **C'est-y Marial, à c't'heure ?** », jusqu'à ce qu'un voisin obligeant lui eût promis 10 de l'avertir.

Un pont, puis des maisons de plus en plus serrées jusqu'à l'infini, des rues allongeant deux rangées jumelles de lumières clignotantes ; puis le train se retrouva dans une demi-campagne. Inquiet, Moisan voulut s'adresser au voisin ; celui-ci avait disparu. Alors il **se terra** dans son coin, à la fois inquiet et résigné, se demandant en quelle 15 nuit nouvelle le train l'emportait, vers quel malheur insondable et nouveau.

Et voilà que réapparurent à la fenêtre les derrières des maisons ***en enfilade****, crasseux de la* ***crasse*** *des trains*, salis encore par la pluie d'hiver qui se figeait en verglas ;

---

racoune : (forme francisée du mot anglais *racoon*) *raton laveur*
seconde : *seconde classe*
dès lors : *à partir de ce moment*
se tenir de : *s'empêcher de*
C'est-y Marial, à c't'heure ? : *est-ce Montréal, maintenant ?*
se terrer : *se cacher, comme sous terre*
en enfilade : *situé(e)s les un(e)s à la suite des autres*
crasse : *couche de saleté*

avec des baies violemment éclairées qui exhibaient sans pudeur la vie familiale des habitants.

Le halètement de la locomotive se fit sonore et ralenti, les freins grincèrent et Moisan, emporté par le flot des voyageurs se trouva dans un hall immense, **à perte de vue**.

Depuis son départ de la maison, d'interminables heures auparavant, il n'avait plus été lui-même, mais au moins n'avait-il eu qu'à se laisser emporter, inerte et vide. *Et voilà qu'il était forcé de reprendre conscience de lui.* Il retrouvait **son moi**, oublié, perdu depuis ce départ ; il redevenait responsable de lui-même mais seul **désormais**, seul comme jamais il ne l'avait été, noyé dans l'océan de la grande ville dont il entendait tout près déferler les vagues bruyantes.

Le train pour les États-Unis ne partait que dans trois heures. La valise de plus en plus lourde **à bout de bras**, Euchariste se mit à explorer prudemment la gare, cherchant un coin où se réfugier et disparaître. Il finit par trouver la salle d'attente grande comme une cathédrale où il s'effaça, dos contre le mur, pour se sentir moins perdu, moins isolé.

Les aiguilles se traînèrent sur le cadran et la faim commença de se faire sentir. D'abord il la fit taire à force de tabac, **pipe sur pipe** de son propre tabac noir et rude. Puis **plus rien n'y fit** et l'estomac se remit à crier.

Il sortit. Un escalier le jeta dans un hall d'où il émergea dans la cohue de la ville. Les tramways passaient, fulgurants et rageurs, se frayant un chemin à coup de gong brutal ; les autos empuantissaient de leur haleine la nuit violentée par le clignotement des affiches. De l'autre côté de la rue, Euchariste vit de petites boutiques dont les montres étalaient des victuailles.

Il se décida à traverser, frôlé par les autos, mais toujours serrant à pleine poigne sa valise. Les prix du premier **buffet** trouvé l'inquiétèrent ; il en passa deux ou trois et finit par se décider pour une gargote où pour dix sous une soupe fade calma ses crampes ; il sortit pour retourner à la gare, la gare n'y était plus !

Pourtant il était bien sûr de l'avoir laissée là, à droite, à cent pas à peine. Il marcha dans cette direction, crut la deviner au bout d'une ruelle, déboucha dans une rue sombre et se trouva perdu.

Pour **rappeler ses esprits**, il s'arrêta un moment, la valise entre les jambes, adossé à un mur de briques, attendant l'impossible salut d'un impossible hasard, d'une inexistante providence. Il attendit en vain. Soudain il regarda sa montre et s'aperçut que le train partait dans une heure. **S'il l'allait manquer !**

Un rare passant, arrêté, le regarda avec défiance et continua son chemin sans un mot. Un second lui marmotta une parole brutale qu'il ne comprit pas. Un troisième apparemment plus complaisant l'écouta puis lui demanda : « *Do you speak English ?* » Moisan remercia **pour la forme** et resta là, écrasé par sa pelisse où

à perte de vue : *très loin, aussi loin que peut porter la vue*
son moi : *ce qui constitue sa personnalité, son individualité*
désormais : *à partir de maintenant. Désormais* et son synonyme *dorénavant* expriment une durée avec un point de départ précis (*maintenant*) et qui se prolonge dans l'avenir. *Désormais* est formé de : *dés-* + *or* (maintenant) + *mais* (plus), et *dorénavant* est formé de : *de* + *or* (maintenant) + *en avant*
à bout de bras : la valise, lui paraissant de plus en plus lourde avec la fatigue, lui pèse et lui tire le bras
pipe sur pipe : *une pipe après l'autre, sans arrêt*
plus rien n'y fit : *plus rien n'eut d'effet pour calmer sa faim*
buffet : *restaurant de gare.* Ici, par extension, *petit restaurant situé aux alentours de la gare*
rappeler ses esprits : *se remettre de son trouble.* On dit aussi : *reprendre ses esprits*
s'il l'allait manquer ! : (style littéraire) *s'il allait le manquer !* Le *si* exclamatif exprime ici la crainte
un rare passant : au sens de *peu nombreux, rare* est généralement au pluriel. Notez l'emploi inhabituel du singulier
pour la forme : *pour se conformer à l'usage* (tout en sachant très bien que c'est inutile car le passant ne le comprendra pas)

le froid de la nuit commençait à geler les gouttes de pluie. *Et le désarroi, un désarroi épouvanté, sans issue, entra en lui.*

Ringuet (Philippe Panneton). *Trente Arpents*, Montréal, Bibliothèque canadienne française Fidèes, 1938, p. 267-269

ÉTUDE ET EXPLOITATION DU TEXTE

1. Quel est le sentiment éprouvé par Euchariste lorsqu'il se trouve dans le train (premier paragraphe) ? Par quel geste ce sentiment s'exprime-t-il ?
2. Montrez comment la résignation et l'inquiétude d'Euchariste sont exprimées dans les trois paragraphes suivants.
3. Quelle est l'impression générale produite par la gare sur le vieux paysan ? Quels sont les mots qui la précisent ?
4. Cherchez tous les mots qui établissent une analogie entre la ville et la mer.
5. Plusieurs éléments de la gare et de la ville sont personnifiés. Quels sont-ils ? Relevez les mots ou expressions qui les personnifient. Montrez comment les images aident à créer l'impression générale.
6. Relevez tous les détails qui contribuent à créer l'impression d'isolement et de désarroi que ressent Euchariste.
7. Étudiez toutes les images du texte.

Remarques de style

« Si l'idée de la planification dans les deux premiers domaines est bien comprise, il arrive souvent... »
Si ne marque pas ici l'idée de condition ni de supposition, mais celle de restriction, d'opposition : *Bien que l'idée soit bien comprise*

« ... que la planification soit associée aux seuls espaces ruraux... »
L'adjectif *seuls* est employé ici pour modifier *espaces ruraux* alors que le sens voudrait l'adverbe *seulement*, modifiant *soit associé*. La transposition attire l'attention sur le mot transposé.

« ... contribue à rendre beaucoup plus complexe l'existence en milieu urbain. »
Notez l'inversion qui attire l'attention du lecteur sur les termes déplacés. Comparez avec : *contribue à rendre l'existence en milieu urbain beaucoup plus complexe.*

« Parler du présent, c'est aborder l'avenir. »
« Mégalopole, c'est une région entière... »
Ce reprend le sujet déjà exprimé. Il est à peu près indispensable quand le sujet est un infinitif. Quand le sujet est un nom, *ce* sert à mettre en relief le sujet, qui se trouve alors détaché du reste de la phrase dont il est séparé par une pause.

« ... à moins qu'un plan et des politiques positives... ne soient élaborés... »
Le *ne* explétif n'est pas nécessaire au sens. On l'emploie en français écrit dans la proposition qui suit :

a. *avant que* ou *à moins que* :

... à moins qu'un plan **ne** soit élaboré...

b. un verbe ou une locution exprimant la crainte ou l'empêchement :

Il craignait que son fils **n'**oublie de venir le chercher.

c. une comparaison d'inégalité :

Cela est beaucoup moins fréquent qu'on **ne** le croit.

« Un siège vide trouvé et son installation faite, Euchariste se pencha... »
Les propositions *un siège vide trouvé* et *son installation faite* n'ont pas de verbe à un temps personnel mais seulement un participe. Cependant, dans les deux cas, le sujet est distinct de celui de la proposition principale. Ce sont des propositions participes.

« Un pont, puis des maisons de plus en plus serrées jusqu'à l'infini, des rues allongeant deux rangées jumelles de lumières clignotantes. »
Phrase elliptique (ellipse du verbe). De la phrase, ne subsiste que l'énoncé de la sensation. En supprimant les verbes de perception (*il voyait, il apercevait*, etc.), l'auteur communique la sensation directement, sans intermédiaire.

« Et voilà que réapparurent à la fenêtre les derrières des maisons en enfilade... »
« Et voilà qu'il était forcé de reprendre conscience de lui. »
Voici que et *voilà que* introduisent souvent un élément de surprise ou de soudaineté dans le fait qui se produit.

« ... crasseux de la crasse des trains... »
La répétition, si elle est voulue, ajoute quelque chose à l'expression, en insistant sur un élément de l'énoncé. Trouvez plus loin d'autres exemples de répétition expressive.

« Et le désarroi, un désarroi épouvanté, sans issue, entra en lui. »
Le participe *épouvanté* peut-il s'appliquer à un nom abstrait ? Logiquement, ce serait *épouvantable* (adj.) qui conviendrait. Lorsqu'un mot est employé d'une façon inhabituelle, il a un effet de choc sur le lecteur.

Exercices de style

1. « Si l'idée de la planification dans les deux premiers domaines est bien comprise, il arrive souvent que... » (p. 225, lig. 10-13)

Récrivez cette phrase en exprimant l'idée d'opposition au moyen de quatre tours différents.

2. *Remaniez les phrases suivantes de façon à employer un* ***ne*** *explétif* :

a. Euchariste ne voulait pas s'avouer à quel point il avait faim.

b. La prolifération des voitures cause de graves problèmes. Nous n'en doutons pas.

c. Il est trop tard, je le crains.

d. Ils viendront s'il ne pleut pas.

e. Il faudrait l'avertir avant son départ.

3. « Un siège vide trouvé et son installation faite, Euchariste se pencha à la fenêtre pour regarder au loin vers sa ferme. » (p. 229, lig. 1-2)

Sur ce modèle, (deux propositions participes et une proposition principale), composez trois phrases décrivant trois situations différentes.

4. « Un pont, puis des maisons de plus en plus serrées jusqu'à l'infini, des rues allongeant deux rangées jumelles de lumières clignotantes. » (p. 229, lig. 12-13)

Sur ce modèle, composez trois phrases elliptiques évoquant :

- une ville sous la neige
- une banlieue de grande ville
- une gare.

Dans chaque cas, choisissez les détails et le vocabulaire en fonction de l'impression que vous voulez communiquer.

Traduction

Traduisez les phrases suivantes en employant le vocabulaire et les expressions des textes :

1. Under the present circumstances, we can do no more than reaffirm our conviction that it now rests with the Province to assume its planning responsibilities.
2. When urbanization is neither controlled nor subject to a plan, it brings about an overdevelopment of the urban environment.
3. Nowadays, due to the increase in the standard of living, we are witnessing an unwanted proliferation of private cars, which creates serious traffic and parking problems.
4. Most people still misinterpret the modern metropolis as just an overgrown city... Not only is its population larger but, as a result of the development of new means of transportation and communication, it is spreading over an increasingly vast territory.
5. He couldn't help looking into the distance to see if he could catch sight of his farm.
6. And then, he thought he heard someone walking at the end of the dark alley.
7. Finally he came out on an avenue where he found a small, cheap restaurant where he would be able to satisfy his hunger.
8. Around him, the travellers had settled down for the night. After an hour, he reluctantly did so too.
9. What if his son had not been able to come and meet him !
10. He smoked so much that he ended up making himself sick.
11. By working hard he had managed to buy a small detached house in the suburbs.

12. He found lodgings in a quiet street near the station, right in the middle of town.

13. A streetcar brushed against him. At the very last moment he moved back. To regain his composure, he leaned against the wall and closed his eyes.

14. The streets were stretching out their long feelers, as far as the eye could see.

Étude de vocabulaire

Les éléments grecs

L'intelligence de nombreux termes du vocabulaire scientifique aussi bien que de la vie quotidienne exige la connaissance d'éléments grecs :

métropole est formé sur *mêter* (mère) et *polis* (ville)

mégalopole est formé sur *megas* (grand) et *polis* (ville)

On trouvera ci-dessous une liste des principaux éléments grecs employés en français aussi bien qu'en anglais.

PRÉFIXES

aéro	: air	mono	: un seul
anthropo	: homme	*morpho	: forme
archéo	: ancien	nécro	: mort
auto	: soi-même	neuro (nevro)	: nerf
baro	: pesanteur	odont(o)	: dent
biblio	: livre	ophtalmo	: œil
bio	: vie	ortho	: droit
caco	: mauvais	oro	: montagne
chromo	: couleur	paléo	: ancien
chrono	: temps	*panto	: tout
chryso	: or	*patho	: douleur, maladie
*cosm(o)	: monde	pédo	: enfant
crypto	: caché	*phago	: manger
*cyclo	: cercle	*philo	: ami
*dactylo	: doigt	phono	: son, voix
démo	: peuple	photo	: lumière
dynamo	: force	pneum(at)o	: souffle
gast(e)r(o)	: estomac	podo	: pied
gé(o)	: terre	poly	: plusieurs
géro(n)	: vieillard	prot(o)	: premier
hélio	: soleil	pseudo	: faux
hém(at)o	: sang	psycho	: âme
hémi	: demi	*ptéro	: aile
hippo	: cheval	pyro	: feu
hom(é)o	: semblable	rhino	: nez
horo	: heure	*techno	: science
*hydr(o)	: eau	télé	: loin
iso	: égal	*théo	: dieu
*litho	: pierre	thermo	: chaleur
macro	: long	topo	: lieu

méga(lo)	: grand	*typo	: caractère
mélo	: musique	xéno	: étranger
*métro	: mesure	xylo	: bois
micro	: petit	zoo	: animal

*Les éléments marqués d'un astérisque s'emploient également en suffixes avec la terminaison en **e** :

*cosmo*naute, micro*cosme*
*métro*nome, thermo*mètre*
*litho*graphie, mono*lithe*
*phil*harmonique, franco*phile*

SUFFIXES

algie	: douleur	mancie	: divination
bare	: qui pèse	mane	: qui a la folie de
céphale	: tête	manie	: folie
crate	: qui a le pouvoir	nome	: règle, loi
cratie	: pouvoir	onyme	: nom
game	: mariage	pédie	: éducation
gène	: qui engendre	phobe	: qui craint
gramme	: lettre ; poids	phobie	: crainte, répulsion
graphe	: qui écrit	scope	: qui permet de regarder
iatre	: qui soigne	scopie	: action de regarder
id(e)	: qui a la forme de	sphère	: sphère
lâtrie	: culte	thèque	: armoire
logie	: science	thérapie	: guérison
logue	: savant en	tomie	: action de couper

1. *Pour chacune des racines grecques suivantes, trouvez trois mots français dans lesquels elle se trouve et indiquez-en le sens* :

biblio
hippo
théo
hydro
télé
anthropo
phono
onyme
cosmo
mane
graphe
archéo

2. *Définissez les mots suivants en vous basant sur leur étymologie* :

a. une substance **cancérigène** (ou **cancérogène**)
b. une voiture **automobile**
c. les prévisions **météorologiques**
d. une personne **xénophobe**
e. un objet **microscopique**
f. un concours **hippique**
g. un institut **hélio-marin**
h. la **géographie**
i. un **pédiatre**
j. un **baromètre**

k. la **gérontologie**
l. des **névralgies**
m. un **mélomane**
n. un **pédophile**
o. une **cacophonie**

3. *Trouvez les adjectifs formés à l'aide du grec pour qualifier* :
a. un roman où l'auteur raconte sa vie
b. une affiche d'une seule couleur
c. du coton qui absorbe facilement l'eau
d. une voix qui prononce tous les mots sur le même ton
e. un récit qui rapporte les faits dans l'ordre où ils se sont passés
f. un chirurgien qui corrige les difformités du corps
g. une personne qui regarde l'univers comme sa patrie
h. un homme qui est marié à plusieurs femmes en même temps
i. une clinique où l'on traite les maladies de l'œil
j. un arbre qui illustre la filiation d'une famille

4. *Trouvez les noms formés au moyen du grec pour indiquer* :
a. un appareil qui enregistre et reproduit la voix
b. un appareil qui transmet la voix au loin
c. un instrument qui permet d'observer ce qui est tout petit
d. un système politique qui accorde le plus d'influence aux techniciens
e. un instrument qui permet de mesurer la chaleur, la température
f. une personne qui mange la chair de l'homme
g. un médecin qui soigne les troubles nerveux
h. l'examen d'un objet ou d'un organe au moyen des rayons X
i. la représentation graphique d'un terrain
j. une personne qui a une tête énorme

Idée de répétition dans le temps

« ... la fatigue tue aux migrations quotidiennes... »
Quotidien signifie : *qui revient chaque jour.*

5. *Donnez l'adjectif qui qualifie ce qui revient* :

deux fois par jour
chaque semaine
deux fois par semaine
tous les dix jours
deux fois par mois
tous les deux mois
tous les trois mois
tous les six mois
tous les ans
tous les deux ans

6. *Les locutions suivantes contiennent toutes le mot* **jour**. *Complétez les phrases au moyen de la locution qui convient :*

prendre jour sur
au jour le jour
à jour
au jour
clair comme le jour
de nos jours
par jour
se faire jour
d'un jour à l'autre
les mauvais jours
donner le jour
à un de ces jours
à contre-jour
en plein jour
du jour au lendemain
de tous les jours
de jour
faire jour
jour pour jour
être dans un bon (mauvais) jour

a. Ils ne sont pas prévoyants, ils vivent ________________. (*from hand to mouth*)
b. Si vous voulez voir le paysage, voyagez ________________. (*by day*)
c. Les cambrioleurs ont fait leur coup ________________. (*in broad daylight*)
d. Le dimanche, nous ne mettions pas nos habits ________________. (*everyday*)
e. Les archéologues ont mis ________________ une nouvelle cité. (*to light*)
f. Il faut faire des économies pour ________________. (*a rainy day*)
g. La vérité ________________ dans son esprit. (*is dawning*)
h. Il a changé d'avis ________________. (*overnight*)
i. Avant les examens il faut que je mette mes notes ________________. (*up to date*)
j. Il fallait aller chercher l'eau deux fois ________________. (*a day*)
k. Dès que ________________, les paysans partent aux champs. (*it is light*)
l. Il était assis ________________, je ne pouvais pas distinguer son visage. (*against the light*)
m. ________________, tout le monde a une voiture. (*nowadays*)
n. J'aime à revoir ma Normandie, c'est le pays qui m'a ________________. (*gave birth*)
o. C'est ________________, c'est lui le coupable. (*clear as daylight*)
p. Ne lui demandez rien, il ________________. (*is in a bad mood*)
q. Il peut arriver ________________. (*any day*)
r. ________________ ! (*So long*)
s. Sa chambre ________________ une petite cour intérieure. (*looks out on*)
t. Il est parti il y a six ans ________________. (*to the very day*)

Idée de durée dans le temps

Une *décennie* est une *période de dix ans.*

7. *Dites à quelle durée correspondent* :

une décade
un semestre
un septennat
un trimestre
une olympiade
un lustre
une lune ou lunaison
un quadrimestre

Les adjectifs à sens passif

Les adjectifs à sens passif sont généralement formés au moyen des suffixes : **-able**, **-ible** et **-uble**. Le sens de ces adjectifs est le plus souvent potentiel :

insond**able** = qui ne peut pas être sondé (très profond)
intang**ible** = qui ne peut (ou ne doit) pas être touché

Certains adjectifs ont un sens passif ainsi qu'un sens actif. ex. : *pitoyable* : *digne de pitié, qui inspire la pitié* ou *qui éprouve de la pitié.* (emploi moins fréquent)

8. *Définissez les adjectifs suivants par un passif de la même famille* :

ex. : des choses **intangibles** : qui ne peuvent pas être touchées

des circonstances **imprévisibles**
un pneu **increvable**
une bonne humeur **inaltérable**
des traditions **immuables**
un ennemi **irréductible**
une souffrance **indicible**
un juge **incorruptible**
un vin **imbuvable**
un problème **insoluble**
une scène **indescriptible**
un acte **inconcevable**
un ennemi **invincible**
un rire **inextinguible**
un causeur **intarissable**
une décision **compréhensible**
une chose **faisable**
un (bateau) **submersible**
une affirmation **indéniable**
une position **intenable**
un corps **extensible**

9. Les adjectifs suivants ne peuvent être définis par un verbe de même racine. *Trouvez le verbe qui convient le mieux* :

des conséquences **inéluctables**
un tissu **imperméable**
de l'eau **potable**
une joie **ineffable**
de l'encre **indélébile**
une matière **combustible**
un jour **ouvrable**
des baies **comestibles**
une loi **immuable**
un son **inaudible**
un texte **inintelligible**
une personne **invulnérable**

10. Les adjectifs suivants ne peuvent pas se définir par un passif, soit qu'ils ne proviennent pas de verbes transitifs directs, soit qu'ils n'aient pas le sens passif. *Définissez-les par une phrase.*

une route **carrossable**
un examen **fiable**
un fleuve **navigable**
une personne **secourable**
un juge **infaillible**
une forteresse **inaccessible**
un logement **disponible**
une réflexion **risible**
un fait **indubitable**
une femme **invivable**
une forêt **impénétrable**
un objet **indispensable**
un échange **profitable**
une perte **irrémédiable**
un projet **viable**
une piste **cyclable**
une tâche **impossible**
un chemin **impraticable**
une personne **charitable**
une raison **valable**

Certains adjectifs ont perdu le sens passif qu'ils avaient autrefois. D'autres ont pris un deuxième sens (par extension). D'autres encore ont aujourd'hui un sens tout autre.

11. *Donnez le sens étymologique et le sens courant des adjectifs suivants* :

aimable
formidable
impayable
convenable
agréable
vraisemblable
inconcevable
inappréciable

Les bruits

Les bruits se caractérisent par des noms ou des verbes précis ou imagés.

12. *Pour chacun de ces* **bruits,** *trouvez un complément de nom (source du bruit)* :
ex. : le halètement **de la locomotive**

le bourdonnement ______________
le grondement ______________
le hurlement ______________
le murmure ______________
le ronflement ______________
le roulement ______________
le sifflement ______________
le souffle ______________
le gémissement ______________
le vrombissement ______________

13. *Trouvez dans la liste donnée le verbe qui convient le mieux* :

bruire	claquer	cliqueter	clapoter	craquer
crépiter	crisser	éclater	grincer	pétiller

a. Le gravier ______________ sous les pas.
b. La grêle ______________ sur le toit de la voiture.
c. Un feu clair ______________ dans la cheminée.
d. Le vent ______________ sur la mousse sèche.
e. Les clés de son trousseau ______________.
f. Les petites vagues ______________ sur la plage.
g. Le vent a fait ______________ la fenêtre.
h. Les brindilles sèches ______________ sous les pas.
i. La vieille grille rouillée ______________ quand on l'ouvre.
j. Le clairon se tut, et la Marseillaise ______________.

Comparaisons et métaphores

Un long usage a banalisé certaines **comparaisons**. On dit, par exemple : *heureux comme un roi, gai comme un pinson, trembler comme une feuille*, etc. D'autres, utilisées par exemple dans la publicité, ont encore leur originalité : *douce comme une peau de bébé.*

14. *Trouvez des comparaisons originales pour caractériser* :

une nuit noire comme
un salon triste comme
une mer agitée comme
une peau rugueuse comme
un visage ridé comme
un regard étincelant comme

Certaines **métaphores** sont passées dans la langue pour personnifier les choses ou pour suggérer la forme d'un objet : *une bouche de métro, un bras de mer, le pied d'un arbre*, etc.

15. *Expliquez la métaphore dans les mots suivants* :

une chauve-souris
un porc-épic
une patte-d'oie
un œil-de-bœuf
le pied-de-poule
un pied-de-biche
une gueule-de-loup
un gratte-ciel

16. *Expliquez les images contenues dans les phrases suivantes* :

a. Le halètement de la locomotive se fit sonore.
b. Les tramways passaient, fulgurants et rageurs.
c. Leur mariage était déjà strié de petites fêlures.
d. Mais déjà Ephrem le remorquait à travers la gare où s'éparpillaient comme un limon les journaux du matin.

e. Sur cette mer d'impressions nouvelles et houleuses il cherchait intérieurement des yeux, comme un phare, le petit toit gris entre les deux grands ormes, et les bâtiments et les prés où il se fût senti chez lui.

Distinctions

jour/journée, matin/matinée, soir/soirée

Le suffixe **-ée** indique la quantité contenue : Une cuillér**ée** est le contenu d'une cuillère et une assiett**ée**, le contenu d'une assiette. Une journ**ée** est le contenu d'un jour, c'est-à-dire l'espace de temps (contenu dans un jour) que l'on vit, que l'on envisage d'un point de vue subjectif.

Le jour, c'est :

- une unité de temps
- une date
- un espace de temps considéré du point de vue de la température (dans quelques expressions seulement)
- une époque indéterminée (au pluriel)
- la durée de la vie (au pluriel)
- la clarté, la lumière

La journée, c'est :

- une durée imprécise comprise entre le lever et le coucher du soleil
- le même espace de temps considéré par rapport aux activités de la personne qui le vit
- le travail fourni pendant ce même espace de temps
- un espace de temps compris entre le lever et le coucher du soleil et considéré au point de vue de la température (toujours accompagné d'un qualificatif)
- le chemin parcouru en une journée, une étape

La même distinction se fait entre *matin* et *matinée*, *soir* et *soirée*.

> REMARQUE : Une *matinée*, c'est aussi une représentation (théâtre, cinéma, musique) qui a lieu l'après-midi. Une *soirée*, c'est aussi une représentation qui a lieu après le dîner ou une réception, une réunion mondaine qui a lieu après le dîner.

1. *Complétez les phrases suivantes en employant* ***jour*** *ou* ***journée*** :

a. Je n'ai rien fait aujourd'hui. J'ai perdu (mon, ma)________________.

b. Au printemps, les (beaux, belles)________________ reviennent.

c. (Le, La)________________ de son mariage fut (le plus beau, la plus belle) de sa vie.

d. Il regarde la télévision à longueur de________________.

e. (Le, La)________________ (continu, continue) permet aux employés de rentrer chez eux une heure plus tôt.

f. Je passerai te voir en fin de __________.

g. Certains ouvriers sont payés à la semaine, d'autres sont payés (au, à la) __________.

h. Il est malade depuis huit __________.

i. Autrefois on voyageait à petit(e)s __________.

j. Nous partirons (au, à la) petit(e) __________.

k. Il a attenté plusieurs fois à ses __________.

l. Il me faudra bien deux __________ pour repeindre la cuisine.

m. Demain j'ai (un, une) __________ très fatigant(e).

n. Je ne dors jamais pendant (le, la) __________.

o. Quel(le) __________ sommes-nous ?

p. Chaque __________ s'accroît la cohorte des migrants quotidiens.

q. En hiver on a souvent de (beaux, belles) __________.

r. Pendant la guerre, nous avons connu des __________ difficiles.

s. Dans (le, la) __________ les banlieues sont de véritables déserts.

t. Éveille-moi dès qu'il fera __________.

apercevoir/s'apercevoir

Apercevoir c'est :

- voir (quelque chose ou quelqu'un) à peine ou très rapidement :

    Je vous **ai aperçu** hier à la bibliothèque.

- réussir à voir (quelque chose ou quelqu'un) que la petitesse, l'éloignement, etc. empêchent de voir facilement :

    Il **aperçut** sa ferme au loin, derrière un rideau d'arbres.

S'apercevoir (de), c'est remarquer, se rendre compte (de), prendre conscience (de). Le complément doit être une chose abstraite ou un fait :

Il **s'aperçut** trop tard de son erreur.

Il **s'aperçut** que le train partait dans une heure.

2. *Traduisez les phrases suivantes* :

a. He noticed an old man leaning against a brick wall.

b. He noticed that it was getting late.

c. Without noticing it, he had wandered away from the station.

d. I hadn't noticed that they had built a new supermarket in this neighbourhood.

e. When he came closer, I noticed that he was not all that good looking.

décider/se décider

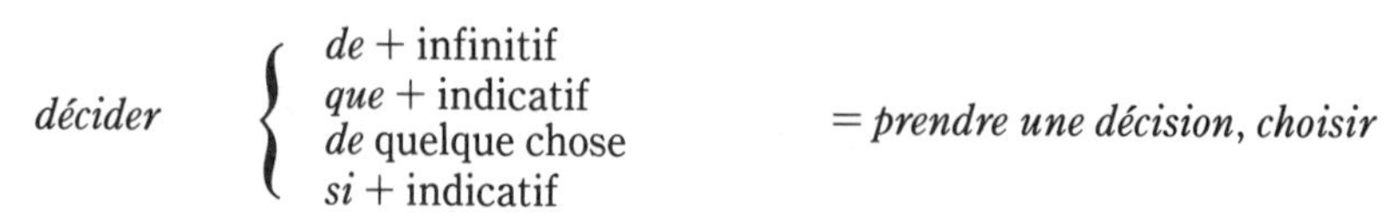

Il **avait décidé de** partir pour les États-Unis.

Ephrem **avait décidé que** son père allait travailler.

Avez-vous **décidé** de la réponse à donner ?

C'est à lui de **décider s'il** doit travailler.

décider quelqu'un à + infinitif, c'est *le convaincre, le pousser* :

Décider son père à partir, Ephrem seul n'y serait jamais parvenu.

se décider pour (quelque chose), c'est *opter pour, choisir* :

Il passa deux ou trois restaurants, et finit par **se décider pour** une gargote...

se décider à + infinitif, c'est *prendre une décision, un parti* ; *se résoudre à, mettre fin à une hésitation* :

Il **se décida à** traverser...

se décider au sens passif, c'est *être résolu, déterminé.* Le sujet est toujours un nom de chose :

Son sort **s'est décidé** ce jour-là.

3. *Traduisez les phrases suivantes* :

a. In spite of all the drawbacks, many families have made the decision to move to the suburbs.

b. Come on. Make up your mind!

c. More and more couples decide in favour of the single family house.

d. I could not persuade him to postpone his trip.

e. The local authorities have decided to set up a new transit system.

demi/semi- /mi- /hémi- /à demi

Demi signifie *la moitié* : un demi-verre = la moitié d'un verre.

Placé devant le nom (auquel il est joint par un trait d'union), il est invariable :

une demi-heure

Placé après le nom, il s'accorde en genre :

six heures et demie

Placé devant un adjectif, il est adverbe, donc invariable :

des fruits demi-secs

Semi- (+ nom ou adjectif) est un préfixe invariable. Il sert à former de nombreux adjectifs, avec le sens de *partiellement, presque* :

un semi-auxiliaire

des terres semi-arides

Mi- est un préfixe invariable. Il sert à former :

- des locutions adverbiales :

  à mi-chemin

- des substantifs féminins :

  la mi-août

- des adjectifs :

  les yeux mi-clos

On emploie *mi-* lorsqu'il y a répétition :

une région mi-rurale mi-urbaine

Hémi- entre en composition avec des éléments savants d'origine grecque :

hémisphère, hémiplégie, hémistiche

À demi (locution adverbiale) s'écrit sans trait d'union. Devant un adjectif, un participe passé, ou après un verbe, *à demi* est synonyme de *à moitié*, ou de *presque* :

La bouteille est à demi pleine. (= à moitié)

Il souriait à demi. (= presque)

REMARQUE : *Demi* peut être aussi un nom :
féminin : Cette horloge ne sonne pas les demies.
masculin : Nous avons bu un demi. (= un grand verre de bière)

4. *Refaites les phrases suivantes en exprimant l'idée de moitié* :

a. La statue était **cachée** derrière un rideau.

b. Ils étaient **morts** de faim.

c. Bientôt nous vivrons dans un environnement **rural**.

d. Elle a acheté **une douzaine** d'œufs.

e. Une allée **circulaire** conduisait au château.

f. Il a plusieurs **frères** et **soeurs**.

g. Une sirène est **poisson** et **femme**.

h. Tu ne m'écoutes pas. Tu **dors**.

i. Les **finales** commencent la semaine prochaine.

j. Il y a un car toutes les **heures**.

5. *Traduisez les phrases suivantes* :

a. Come at half past.

b. You always do things by halves.

c. In the first half of the game, he scored a goal.

d. I had to turn around to get the books I had forgotten.

e. Children under twelve pay half fare.

f. I would prefer to work part-time.

g. We will leave in the middle of January.

h. After several pints of beer, he was half-drunk.

Étude de langue

Accord du verbe avec une expression quantitative ou un collectif sujet

Si l'**expression quantitative** est suivie d'un nom :

- singulier, le verbe se met au singulier :

  Beaucoup de temps **se passe** à discuter.

  Peu de monde **était venu** l'écouter.

- pluriel (exprimé ou sous-entendu), le verbe se met au pluriel :

  Beaucoup de gens **préfèrent** les maisons individuelles.

  Beaucoup **préfèrent** les maisons individuelles.

  La plupart des gens **s'étaient installés** pour la nuit.

  La plupart **s'étaient installés** pour la nuit.

REMARQUE : Si le sujet du verbe est plutôt la quantité exprimée, le verbe se met au singulier :

Trop de voitures **stationnent** dans la rue. (sujet : *voitures*)
Trop de voitures **cause** des problèmes de stationnement. (sujet : *trop*)

Le peu de renseignements que j'ai pu obtenir m'**aideront** à prendre une décision. (sujet : *renseignements*)
Le peu de loisirs que nous avons nous **empêche** de profiter à fond de la vie. (sujet : *le peu* = l'insuffisance)

Avec *plus d'un*, le verbe se met au singulier ou au pluriel :

Plus d'un l'**ignore** (l'**ignorent**).

Avec *la majorité*, le verbe se met au singulier pour insister sur l'unité collective, et au pluriel pour insister sur l'idée de pluralité.

La majorité des Français n'**est** pas satisfaite du gouvernement.

La majorité des jeunes ménages **ont** des enfants en bas âge.

Si le **collectif** est suivi d'un nom pluriel précédé :

- d'un article défini ou d'un adjectif démonstratif ou possessif, le verbe se met généralement au singulier :

  La foule des élèves nous **empêchait** d'avancer.

  Cette foule d'élèves nous **empêchait** d'avancer.

- d'un article indéfini, le verbe se met au singulier si le sujet est le groupe, et au pluriel si le sujet est les individus :

  Un groupe d'élèves **bloquait** la galerie.

  Un groupe d'élèves **discutaient** entre eux.

Avec *une quantité de*, le verbe se met au singulier ou au pluriel selon le sens.

Avec *quantité de* ou *nombre de*, le verbe se met au pluriel.

Avec *le surplus*, le verbe se met au singulier.

Avec *moitié*, *tiers*, *quart*, *dizaine*, *douzaine*, *centaine*, etc. :

- indiquant une quantité précise, le verbe se met au singulier :

  Combien **coûte** une douzaine d'œufs ?
- indiquant un nombre approximatif, le verbe se met au pluriel :

  Une douzaine de locataires **ont déménagé**.

Avec *moins de* + numéral pluriel, le verbe se met au pluriel :

Moins de deux mois **se sont écoulés** depuis lors.

Avec *le reste de(s)* suivi :

- d'un nom pluriel, le verbe se met au singulier :

  Le reste des examens **aura** lieu en septembre.
- d'un nom pluriel + *être* + nom pluriel, le verbe se met au pluriel :

  Le reste des examens **sont** des contrôles de vocabulaire.

1. *Faites accorder le verbe* :

a. La majorité des Québécois parle____français.

b. Une centaine d'élèves désire____se faire inscrire.

c. Un vol d'oies sauvages passe____au-dessus des toits.

d. Le surplus des marchandises se vendr____facilement.

e. Le nombre des constructions nouvelles témoigne____de la vitalité de l'économie.

f. Nombre d'Acadiens habite____aujourd'hui en Louisiane.

g. Je ne finirai jamais ! Avec le peu de temps qui me reste____ !

h. La moitié des membres n'étai____pas là ; on n'a donc pas pu voter.

i. Plus d'une erreur aurai____facilement pu être évitée____.

j. La plupart des banlieues se vide____tous les matins.

k. Le peu de connaissances qu'il possède explique____ses mauvaises notes.

l. Une foule de gens étai____venu____pour voir le défilé.

m. Quantité de jeunes ménages préfère____le pavillon unifamilial.

n. Un groupe de jeunes gens part____en excursion.

o. Une dizaine d'enfants joue____dans la cour de récréation.

p. Moins de cinq surveillants ne suffir____pas.

q. Le plus grand nombre habite____dans des chambres meublées.

r. Le reste des bâtiments tombe____en ruine.

s. Trop d'élèves perd____un temps précieux.

t. Sur deux cents diplômés, cent-vingt se destine____à l'enseignement.

Participe présent, participe passé, gérondif

Le **participe présent** s'emploie dans la langue écrite pour exprimer une action liée à l'action principale par un rapport de :

cause : Ne sachant que dire, il ne répondit rien.
conséquence : Il se blottit dans le coin, laissant la place aux autres.

temps : Il descendit du train, oubliant sa valise. (simultanéité)
Empoignant sa valise, il descendit du train. (succession)

Le participe présent se construit aussi comme épithète et marque généralement une action ou un état passager. Il peut être remplacé par un verbe précédé de *qui* :

On a trouvé un sac **contenant** des clefs. (= qui contenait)

REMARQUE 1 : Le participe présent peut s'employer lorsqu'il y a une nuance qualificative, mais on emploiera la relative s'il s'agit d'une action :

Nous cherchons une bonne **sachant** faire la cuisine.
Je connais quelqu'un **qui cherche** une place.

REMARQUE 2 : Ne pas confondre le participe présent (invariable) et l'adjectif verbal (variable). Ils diffèrent :

- par le sens. L'adjectif verbal exprime un état, une qualité durable et permanente. Le participe présent exprime une action, un état passager.
- par la syntaxe. L'adjectif verbal ne peut pas avoir de complément d'objet. Le participe présent peut en avoir un.
- quelquefois par l'orthographe :

participe présent : *-ant -guant -quant*

adjectif verbal : *-ent -gant -cant*

Le **participe passé**, accompagné d'un auxiliaire, s'emploie dans les mêmes cas, mais il exprime en outre un rapport d'antériorité :

Ayant fini son travail, il rentra chez lui.

Le participe passé s'accorde avec le nom ou le pronom auquel il se rapporte :

Étant arriv**ée** en retard, **elle** a manqué l'ouverture.

Parfois l'auxiliaire n'est pas exprimé ; dans ce cas, le participe passé est souvent précédé de *sitôt, dès, une fois* (et cela obligatoirement si le participe passé n'a pas de sujet propre) :

Notre visite **faite**, nous irons nous promener.

Une fois notre visite **faite**... (insiste sur l'antériorité)

Dès (Sitôt) notre visite **faite**... (insiste sur l'immédiat)

Une fois parti, vous ne penserez plus à moi.

REMARQUE : Quand le participe n'a pas de sujet exprimé, on lui attribue celui du verbe principal :

Se sentant vieillir, **Euchariste** avait fait don de ses biens à son fils.

On ne dira pas, par exemple : *M'étant levé de bonne heure, il faisait encore nuit,*
mais : *Comme je m'étais levé de bonne heure...*

Le **gérondif** est une forme verbale composée de *en* + participe présent. Il sert à exprimer certaines circonstances de l'action et a la valeur d'une proposition circonstancielle :

de temps : Il lit **en mangeant**. (simultanéité)
d'opposition (souvent avec *tout*) : **Tout en regrettant** le pays, il s'était habitué aux États-Unis.
de manière ou de moyen : Le train s'enfonça **en trépidant** dans la plaine.
Il entra **en sautant** par la fenêtre.
de condition ou de cause : **En partant** plus tôt, vous arriveriez à l'heure.

REMARQUE : La préposition est toujours *en*, alors qu'en anglais on peut avoir *by*, *in*, *on*, *while*, *with*, etc.

2. *Dans les phrases suivantes, substituez à l'infinitif le* ***participe présent****, le* ***gérondif*** *ou l'****adjectif verbal****, et faites l'accord s'il y a lieu :*

a. La voiture, ______________(cahoter) dans les ornières, glissait sur le chemin boueux.

b. Pour Étienne, la face du monde est maintenant ______________(sourire).

c. On décida de rentrer la semaine ______________(précéder) la rentrée des classes.

d. Il fut renversé par un tramway ______________(traverser) la rue.

e. La nuit avait été ______________(fatiguer).

f. Il ne vit qu'un grillage d'arbres, aux pieds ______________(baigner) dans les flaques d'eau.

g. Qu'est-ce-que c'est que le principe des vases ______________ (communiquer) ?

h. ______________(laisser) les villes se développer au hasard, on crée de graves problèmes.

i. Le soufre, ______________(brûler), dégage un gaz ______________ (suffoquer).

j. Il sortit de la maison en flammes ______________(suffoquer).

k. Le roi déclara ______________(rire) qu'il « désirait beaucoup voir le testament d'Adam... »

l. Enfin, le 20 avril 1534, deux petits navires de soixante tonneaux, ______________(avoir) à bord une soixantaine d'hommes, sortirent du port de Saint-Malo.

m. ______________(ne pas aller) en classe hier, je ne sais pas ce que le professeur a expliqué.

n. ______________(ne pas avoir) sommeil, je décidai de sortir.

o. Je cherche quelqu'un ______________(connaître) le chinois.

3. *Remplacez le gérondif ou le participe par une proposition subordonnée, un nom ou toute autre forme grammaticale afin de faire ressortir la circonstance (temps, cause, conséquence, etc.) :*

a. On entendait les enfants **jouant** dans la rue.

b. **En acceptant** de travailler, vous nous aideriez.

c. Il avait tout donné à Étienne, **dépossédant** du même coup ses autres enfants.

d. **Enlevant** son manteau mouillé, il s'approcha du feu.

e. Un soir, **en rentrant** du travail, il avait trouvé la porte fermée.

f. Le déjeuner **fini**, l'oncle tira sa pipe.

g. **Ayant trouvé** un logement moins cher, nous allons déménager.

h. **Une fois mariés**, nous achèterons un pavillon de banlieue.

i. Alors, n'en **pouvant** plus, il s'adossa à un mur de briques.

j. Il essaya de faire taire sa faim **en fumant** pipe sur pipe.

k. **Sachant** que le cours était supprimé, je ne serais pas venu.

l. Ne **voulant** pas être vue, elle marchait le dos penché, la tête rentrée.

m. Des maisons de plus en plus serrées, des rues **allongeant** deux rangées jumelles de lumières clignotantes...

n. Ses parents **ayant reçu** l'enseignement primaire en anglais, il n'est pas tenu d'aller à l'école française.

o. Nous **référant** à votre lettre du 15 courant, nous avons l'honneur de vous informer...

La proposition participe

Le participe présent ou passé peut s'employer en construction absolue avec un sujet qui lui est propre pour former une proposition participe :

Son installation faite, Euchariste se pencha à la fenêtre.

La pluie s'étant mise à tomber, ils s'abritèrent sous un arbre.

Les beaux jours revenant, nous reprendrons nos promenades.

La proposition participe est complément circonstanciel du verbe principal de la phrase :

- complément circonstanciel de temps :

  Saint-Lambert passé, le train s'enfonça dans la plaine.

- complément circonstanciel de cause :

  Le niveau des revenus ayant augmenté, un nombre de plus en plus grand de familles sont en mesure de satisfaire cette aspiration.

- complément circonstanciel de condition :

  Dieu aidant, nous réussirons.

Les expressions *sitôt, une fois, dès* peuvent commencer la proposition participe (avec un participe passé) :

Saint-Lambert passé, ou : **Une fois** Saint-Lambert passé, le train s'enfonça dans la plaine.

Le dîner fini, ou : **Sitôt** le dîner fini, il montait se coucher.

La proposition participe est indépendante de la proposition principale, et le sujet du participe ne se rattache généralement à aucun mot de la proposition principale, mais il est parfois représenté dans la principale par un pronom complément, et vice versa :

Sitôt **la décision** prise, Euchariste **la** regretta.

Les tramways **le** frôlant, **Euchariste** n'osait pas traverser.

4. *Récrivez les phrases suivantes en employant dans chaque cas une proposition participe. Faites tous les changements nécessaires :*

a. Lorsque l'inspecteur d'immigration fut passé, les voyageurs s'installèrent pour la nuit.

b. Les travailleurs et les collégiens partent le matin ; la banlieue est alors un véritable désert.

c. Comme personne ne pouvait le renseigner, il se mit à errer dans le hall, de plus en plus perdu.

d. Dès que les nouveaux quartiers seront construits, des milliers de foyers viendront s'y installer.

e. Si un système de transport en commun était établi, il serait plus facile aux vieillards et aux adolescents de se déplacer.

f. Comme la sècheresse avait dévasté le reste du pays, blés et avoines se vendirent à des prix exorbitants.

g. Quand vous aurez terminé cet exercice, vous ferez le suivant.

h. Un grillage d'arbres lui cachait la vue, aussi Euchariste ne sut reconnaître où il était.

i. « Métropole » ne suffit plus à décrire la réalité. On a alors trouvé « mégalopole ».

j. Lorsque sa faim fut apaisée, Ephrem voulut retourner à la gare.

Sens particulier de l'imparfait et du passé de certains verbes

A. L'**imparfait**, comme son nom l'indique, est le temps de l'**inachevé**, de l'**incomplet**. Le **passé (simple** ou **composé)** c'est au contraire le temps du **fini**, de l'**accompli** (voir p. 100).

Dans le cas de certains verbes, cette différence d'aspect entraîne un changement de sens qui se traduit parfois en anglais par un changement de vocabulaire. Par exemple :

il **voulait** se lever — *he wanted to get up* (pas d'action)
il **a voulu** se lever — *he tried to get up* (action)

je **savais** que vous étiez malade — *I knew that you were sick*
j'**ai su** que vous étiez malade — *I heard that you were sick*

il la **connaissait** depuis longtemps	*he had known her a long time*
il l'**a connue** à Paris	*he met her in Paris*
il **devait** partir de bonne heure	*he was (supposed) to leave early*
il **a dû** partir de bonne heure	*he had to leave early*
il **pouvait** sortir	*he could leave*
il **a pu** sortir	*he was able to leave*

B. L'imparfait et le passé simple ou composé marquent parfois la différence entre l'aspect **duratif** et l'aspect **inchoatif** :

il **se taisait**	*he was silent*
il **s'est tu**	*he fell silent*
il **courait** vers moi	*he was running toward me*
il **courut** vers moi	*he started running toward me*

5. *Dans les phrases suivantes, dites quel aspect revêt le verbe (duratif ou inchoatif) ou si le verbe exprime une action accomplie* :

a. Il trouva une gargote où il **put** apaiser sa faim.
b. Il ne **savait** pas où était la gare.
c. Quand je vous ai vue, si pâle, j'**ai compris** qu'il vous était arrivé quelque chose.
d. Il aperçut une lumière et **alla** dans cette direction.
e. Il **essaya** de soulever la valise ; elle était trop lourde.
f. Ça y est ! Maintenant, j'**ai compris**.
g. Quand il **voulut** partir, il s'aperçut qu'on avait fermé la porte à clef.
h. Il m'**a fallu** partir de bonne heure.
i. Quand elle l'aperçut, elle **sourit**.
j. Il ne **voulait** pas que je le sache.
k. Elle écoute la belle histoire qu'elle **a connue** autrefois.
l. Il **savait** qu'il ne reviendrait plus au pays.
m. Nous l'avons invitée, mais elle n'**a** pas **voulu** venir.
n. Je n'**ai** pas **pu** finir ce chapitre.
o. Un grillage d'arbres lui cachait la vue ; Euchariste ne **sut** reconnaître où il était.

6. *Complétez les phrases suivantes* :

a. Tous les enfants ______________ répondre aux questions. Ils ont tous eu une bonne note. (savoir)
b. J'ai eu du mal à me faire comprendre ; je ne ______________ que quelques mots de français. (savoir)
c. La porte n'était jamais fermée. Nous ______________ comme nous voulions. (sortir)
d. Il y avait tellement de circulation qu'il ______________ traverser la rue. Il se résigna à retourner à la gare à jeun. (ne pas pouvoir)

e. Tiens, vous êtes là ? Je (J') ______________ que vous étiez parti. (croire)

f. Où ______________ ta femme ? (connaître)

g. Quand je ne vous ai pas vu, je (j') ______________ que vous étiez malade. (croire)

h. Dans quelle province vivons-nous ? demanda l'institutrice. Aucun enfant ne le (l') ______________. (savoir)

7. *Traduisez* :

a. They did not want to go to school, but their mother was adamant.

b. We asked him to come with us, but he refused.

c. Were you able to finish in time?

d. He went out; the station was no longer there! He got scared.

e. His son was to meet him at the station.

f. Since he did not know where to find a restaurant, he had to do without lunch.

g. A few years ago, very few young couples could buy a house.

h. From then on, he could not help asking at every stop if it was Montreal.

Stylistique comparée

Le passif

Le passif anglais peut se traduire par :

- la forme **passive** du verbe :

  Cette urbanisation n'**a** pas **été pensée** et **coordonnée** dans un plan de zonage.

- la forme **active** du verbe (le sujet est souvent *on*) :

  Aux États-Unis **on se sert** du mot « mégalopolis » pour décrire ce complexe.

- la forme **pronominale** du verbe :

  De nouveaux quartiers **se construisent**...

A. La forme **passive** met en lumière le sujet du verbe passif, et enlève à l'agent son importance. Comparez :

Québec fut fondée par Champlain en 1608.

Champlain fonda Québec en 1608.

La forme passive des verbes impersonnels ajoute une nuance d'emphase ou d'officialité :

Il est absolument interdit de se pencher à la portière.

REMARQUE 1 : Ne pas confondre la forme **passive**, qui exprime toujours une action en train de se faire, et la forme **adjective**, qui exprime un état résultant d'une action passée :

La porte est fermée. (état : forme adjective)
La porte est fermée par le vent. (action : forme passive)

Si l'agent n'est pas exprimé, on évitera la confusion en choisissant une autre forme :

La porte se ferme.
On ferme la porte.

REMARQUE 2 : Seuls les verbes transitifs **directs** peuvent être employés à la forme passive. Il est donc impossible de traduire par une forme passive des constructions comme : *he was asked, he was told, he was advised, he was shot at,* etc. En l'absence d'agent exprimé, on emploiera *on* et la forme active ou une forme impersonnelle (exceptions : *obéir, désobéir,* et *pardonner* qui peuvent se mettre au passif)

REMARQUE 3 : Il n'existe pas en français de forme passive en progrès.

The letter is being typed. On est en train de taper la lettre.

REMARQUE 4 : L'agent est introduit par la préposition *par* quand le verbe est employé comme un verbe d'action, par *de* quand il s'agit d'un verbe d'état, ayant une valeur affective et un aspect statique :

La décision a été prise **par** les pouvoirs publics.
Il est aimé **de** tout le monde.
La route est bloquée **par** la neige.
La route est couverte **de** neige.

B. La forme **active** avec *on* s'emploie :

- pour traduire les formes passives des verbes **transitifs indirects** et des verbes **intransitifs** :

I was told	on m'a dit
you will be asked	on vous demandera

- de préférence à la forme passive, pourvu que l'agent du verbe soit sous-entendu ou indéterminé :

  On m'a volé ma bicyclette. (= quelqu'un)

  Au Québec on parle français. (= les gens)

REMARQUE : Évitez l'emploi de *on* à la place du pronom *nous*, surtout dans la langue écrite (style très familier).

C. La forme **pronominale** exprime :

- ce qui est habituel, ce qui suit une règle générale :

  Le clocher **se voit** de loin.

  Ce mot **s'écrit** avec un trait d'union.

- ce qui est encore en train de se faire, l'aspect non accompli :

  De nombreux bâtiments **se construisent** à la périphérie des villes.

  La route **s'élargit**.

REMARQUE : Parfois le français fait appel à un verbe supplémentaire qui ajoute souvent une nuance de sens :

se faire (le sujet est plus ou moins responsable de l'action qu'il subit) :
Les musiciens se **sont fait** siffler.
Je **me suis fait** voler mon portefeuille.

se voir (nuance de surprise, de soudaineté) :
Il **s'est vu entouré** d'une foule hurlante.

se laisser (implique un certain scepticisme, ou passivité) :
Je **me suis laissé** dire que...
Il **s'est laissé** punir sans rien dire.

1. *Dans les phrases suivantes, relevez les constructions de sens passif et traduisez-les en anglais* :

a. Les distances sont trop grandes pour être parcourues à pied.

b. Les lampes sont allumées du matin au soir.

c. Il fut de nouveau envahi par un désarroi sans issue.

d. Le noir ne se porte pas cette année.

e. Puis le train se retrouva dans une demi-campagne.

f. Ces foyers sont attirés par de meilleures conditions de vie.

g. Il est formellement interdit de se déshabiller sur la plage.

h. Cette porte ne se verrouille pas.

i. Les fournisseurs sont montés par l'escalier de service.

j. La vie de l'homme est divisée entre trois milieux.

k. Le malade est monté par deux infirmiers.

l. Cette maison est bien construite.

m. Elle a été construite avec de bons matériaux.

n. En province les patois se sont toujours parlés.

o. Dans la journée, les banlieues ne sont animées que par les ménagères et les fournisseurs.

p. Il s'est fait dire ses quatre vérités.

q. Plus on avance plus les maisons se dispersent.

r. Le pied de la table s'est cassé.

s. Les jupes se portent de plus en plus courtes.

t. Chaque hiver le mur se fissure davantage.

2. *Traduisez les phrases suivantes en choisissant la meilleure forme possible* :

a. My suitcase has been stolen.

b. You are wanted on the phone.

c. He was given a bowl of tasteless soup.

d. The doctor was sent for.

e. The children are not allowed to travel alone.

f. French Spoken (sign in a store)
g. He is expected next week.
h. It is to be regretted that...
i. He was arrested by the police.
j. If you carry on like this, you are going to be scolded.
k. He wants to be listened to and obeyed.
l. This hasn't been well done.
m. The Montreal region gets more and more urbanized.
n. I don't need to be reminded of the date.
o. This house hasn't been lived in for a long time.
p. In France, oysters are usually eaten raw.
q. There are exceptions, as has already been mentioned.
r. We are not allowed to use a dictionary during the examination.
s. The handle broke when I tried to open the door.
t. The problem is being discussed by a special committee.
u. Their banns had been published in the village church.
v. He would like his son to be allowed to attend an English school.
w. This has already been brought to our attention.
x. You must be in before midnight, when the door is locked.
y. To her surprise, she was refused permission.

Texte à traduire

The Paris Métro

Paris is groaning under the weight of its motorist traffic. One million cars flood into the capital every day, swelling the ranks of the 600 000 cars owned by the city's two million inhabitants. Parking is a nightmare... Yet the majority of people continue to prefer to use their car rather than the métro. Why ?

"Because the Frenchman is an individualist," a Parisian businessman explained. "He dislikes being herded together with all sorts of people like that... Furthermore it's grubby, and at night it's not really so safe. A car is *just* so much more convenient... " The time and nervous energy spent sitting in endless traffic jams or looking for a parking place seemed to have been forgotten.

In fact, the *bald* statistics do not really give a fair picture of the popularity of the métro because they include a wide area outside Paris... Within Paris proper, that is to say within the limits of the "*périphérique*", the métro is much used and appreciated.

First and foremost... it is so easy to use. You can buy your tickets in advance in batches of ten, *un carnet*, (at almost half the price of ten singles) and thereby avoid queueing. The same ticket will take you anywhere on the 125 mile métro system, while a weekly or monthly season ticket allows you unlimited use of all forms of public transport, including *main-line suburban trains*.

Since 1974, all métro stations have been equipped with automatic *ticket barriers*, which have eliminated the former queues at the access *gates* onto the platform. *Trains* are frequent — every 95-100 seconds during the peak period (five hours a day), and every 2-2 1/2 minutes during the daytime off-peak period.

Parisians may complain about the dirtiness of the métro, but they have a remarkably high standard of cleanliness. (Paris must be the only city in the world where dustbins are emptied every day, including Sundays.) The métro is certainly not spotless, but all the *stations* are cleaned and disinfected, at least once a day — several times for the busiest stations, and the trains are spring-cleaned inside and outside once a fortnight, as well as being swept out daily.

Although some Parisians complain that the métro is *unsafe*, it is a lot *safer* than most big city underground services. *Pick-pocketing* is the most common *crime* — 8 000 cases (more than 20 a day) were reported last year, but that was half the level of four years ago before the police cleared up the main culprits — roving gangs of *pre-teen gypsy children*.

Reported armed attacks in the métro totalled 2 686 last year. That may sound high, but it needs to be seen in the perspective of the nearly 5 million métro passengers carried every day. It also represents a cut of over a third in comparison with 1984.

Serious accidents, such as train crashes or fires, are rare. Special safety measures were incorporated into the design of the métro from the outset following a catastrophic fire *in 1903*, caused by an electrical short-circuit, in which 84 people were killed. The next fatal failure of the métro did *not* occur *until* nearly 80 years later, in 1981, when two trains collided, *killing* one person and *injuring* 71 others, at the Auber station. Another collision, a few months later, at the National station left one dead and five injured. There have been no serious accidents since.

Diana Geddes. "... and Paris", in *The Spectator*,
June 18, 1988, p. 10-11

NOTES

just : omettre
bald : employer brutes
périphérique : boulevard qui entoure Paris proprement dit (ou toute autre grande ville) et permet de se déplacer rapidement
main-line suburban trains : *trains de grande banlieue*
ticket barriers : *tourniquets*
gates : *portillons*
trains : pour le métro, on emploie *rames* plutôt que *trains*
stations : pour le métro, on emploie *stations* et non pas *gares*
unsafe, safer : penser non à la sécurité des usagers, mais aux dangers qui peuvent compromettre leur sécurité
pick-pocketing : *le vol à la tire*
crime : un *crime* est un homicide volontaire, ou une infraction très grave à la loi, jugée par la cour d'assises. Un *délit* est une infraction moins grave, passible de peines correctionnelles
pre-teen gypsy children : effectuer deux transpositions : groupe adjectif-nom (pre-teen children)/adjectif, adjectif (gypsy)/nom
in 1903 : voir l'étoffement p. 67
not until : voir p. 21
killing, injuring : verbe *faire* + nombre de *morts*, de *blessés*

Composition : Le rapport

Un rapport a pour but d'exposer une situation, d'en faire l'analyse et de proposer une ou des solutions au problème posé.

A. **Exposé de la situation :** ce sont des faits que l'on expose et que l'on va analyser ; le but est d'informer. L'exposé doit être objectif et autant que possible impersonnel. Éviter les termes affectifs, pittoresques. Choisir un vocabulaire technique adapté au sujet.

B. Analyse de la situation : déterminer les causes et les conséquences de la situation, les problèmes posés. Éviter les jugements personnels et trop absolus.

C. Proposition de solutions ou d'action : sous forme d'avis, de suggestions, et toujours en modérant l'expression.

Préparation (orale)

1. Faites une liste des problèmes causés par l'expansion urbaine exposés dans le TEXTE I. Recherchez-en les causes et les conséquences. Y a-t-il une ou des solutions ?
2. Recherchez les termes techniques ou pseudo-techniques (*mégalopole, pouvoirs publics*, etc.), les expressions impersonnelles (*il est indéniable, qu'il suffise de mentionner*, etc.), les expressions qui jalonnent l'exposé (*donc, par ailleurs*, etc.).

Rédaction (écrite)

Choisissez un problème qui affecte votre ville ou votre région (urbanisme, criminalité, logement, chômage, etc.), et présentez-le sous forme de rapport, en suivant les trois étapes indiquées plus haut (1 000 mots environ).

CHAPITRE HUIT

La terre

TEXTE I

Félix-Antoine Savard : *Menaud, maître-draveur*

Félix-Antoine Savard a situé l'action de ses romans dans ce sauvage et grandiose pays de la Côte Nord, où la nature, partout disproportionnée, enveloppe l'homme de son immensité. On sent confusément, au premier regard levé sur *ces falaises, où s'agrippent de modestes hameaux*, que l'agriculteur ici compte peu. Et l'on comprend l'irrésistible fascination que la forêt exerce sur les plus fiers de ces êtres qui refusent de se laisser asservir par les conditions géographiques.

Les personnages de *Menaud, maître-draveur* sont attachés à la forêt par les fibres les plus profondes. Pour Menaud, pour Joson, son fils, pour Alexis le Lucon, « la vie c'était le bois où l'on est chez soi partout, mieux que dans les maisons où l'on étouffe, c'était la montagne là-bas aux cent demeures... » (1) Et de Menaud, l'auteur ajoute que, sous les mœurs les plus tranquilles, il avait « **à pleine mesure d'âme**, l'amour de son pays » (2), « une passion sauvage pour la liberté » (3).

Menaud n'aime pas les Anglais. Deux cents ans après la Conquête, il ne leur reconnaît aucun droit dans le pays. Et il rêve de les chasser de la province. Forcé pour vivre de les servir, en dirigeant la **drave**, il se reproche cette concession comme une lâcheté.

C'est une intervention extérieure, la lecture d'une page de Louis Hémon sur la province de Québec, où rien ne doit changer, qui détermine l'attitude agressive de Menaud, **son repliement sur lui-même**.

Menaud est assis à la fenêtre et il écoute « les paroles miraculeuses » (4) que lui lit sa fille Marie : « Nous sommes venus il y a trois cents ans et nous sommes

---

à pleine mesure d'âme : l'amour de son pays remplit tout son cœur, toute son âme
drave : (can.) *flottage du bois*. Les troncs d'arbres coupés sont transportés par flottage sur les rivières
son repliement sur lui-même : *son retrait du monde extérieur*

restés » (5) « Nous avons marqué un plan du continent nouveau... en disant : ici toutes les choses que nous avons apportées avec nous, **notre culte**, notre langue, nos vertus et jusqu'à nos faiblesses deviennent des choses sacrées, intangibles et qui devront demeurer jusqu'à la fin. Autour de nous des étrangers sont venus qu'il nous plaît d'appeler des barbares ! Ils ont pris presque tout le pouvoir ! Ils ont acquis presque tout l'argent ; mais au pays de Québec... rien... n'a... changé ». (6)

Ces mots se gravent dans l'esprit du vieux **coureur des bois**. *C'est que l'auteur de Maria Chapdelaine a transmué en idées simples*, presque sensibles, *ce que Menaud sentait confusément* mais ne savait pas exprimer. Nous voyons peu à peu le maître-draveur devenir prisonnier de ces formules, auxquelles **il prête** un dynamisme qu'elles n'ont pas et dont **il se fait** des **mots d'ordre**. Désormais, l'évolution du roman suivra le cheminement dans l'esprit de Menaud, de ces idées reçues fortuitement, et que Félix-Antoine Savard reprend à la façon d'un leitmotiv.

Trop vieux pour entreprendre lui-même la lutte, le maître-draveur met son espoir en son fils Joson, qu'il a élevé dans la forêt, où se forment les âmes fortes et d'où, « un jour peut-être descendrait la liberté, terrible comme la Sinigolle au printemps. » (7) Certes, « Joson **prendrait** un jour **la relève** et chasserait (du pays) la **maraudaille** étrangère. Car, enfin, il faudrait en venir là ». (8)

Mais au cours des périlleuses manœuvres de la descente des billots sur la grande rivière Malbaie, Joson se noie en dégageant une **embâcle**.

Après la mort de son fils, Menaud a l'impression que toutes les choses auxquelles il a donné le meilleur de lui-même le trahissent. Et presque aussitôt, il doit faire face à une nouvelle épreuve. Sa fille Marie **s'est éprise** de Délié pour lequel le maître-draveur ressent une singulière aversion. En effet, à ses yeux, le Délié représente les forces du Mal. Il sert d'intermédiaire entre les étrangers qu'on ne voit pas, et la montagne dont ils veulent s'emparer. C'est le Délié qui, par intérêt, leur a montré le chemin du domaine.

Désormais, les chasseurs se verront interdire l'accès de ce territoire. Menaud se révolte. « Pour défendre tout cela, dit-il, je donnerais ma vie. » (9) Mais aucune résistance n'est possible sans la levée en masse de tous les habitants de la région. Et personne autour de Menaud ne veut en arriver à ces extrémités.

Abandonné de tous, Menaud se retranche dans la montagne avec son fusil et devient un proscrit. On ne le poursuit pas comme il l'avait d'abord espéré ; on ne lui donnera même pas l'occasion de se faire tuer en défendant sa montagne.

Alexis le Lucon, que Marie préfère au Délié, depuis qu'elle connaît la trahison de ce dernier, accompagne le vieillard. Puis c'est l'attente dans la forêt, l'énervement de Menaud, sa course dans la tempête de neige, la mauvaise chance qui lui fait perdre son chemin, les secours qui tardent et la folie.

En face de son père, Marie incarne le bon sens, l'attachement, non à des terres illimitées, mais à la portion de sol qu'on cultive. À la fin du livre, la jeune fille conseillera au Lucon de reprendre le bois, de continuer la lutte, mais nous pouvons voir là le geste d'une amoureuse qui sait accepter l'inévitable et **tirer le meilleur parti** de la folie des hommes. Elle sait qu'Alexis n'a ni l'envergure, ni l'obstination de Menaud. Il est jeune, il aime, il ne tardera pas à se conformer.

---

notre culte : *notre religion*
coureur des bois : *quelqu'un qui passe une grande partie de sa vie dans les bois*
il prête : *il attribue* (à tort)
il se fait : *il invente pour lui-même*
mot d'ordre : *consigne impérative*
prendre la relève : *remplacer quelqu'un dans un travail, une tâche, une mission* ; ici, *continuer la lutte*
maraudaille : de *maraud* : (coquin méprisable) + *-aille*, suffixe péjoratif qui désigne un groupe
embâcle : *obstruction d'un cours d'eau par les glaces, ou une cause quelconque* ; ici, les billots bloquent la descente
s'est éprise : *est tombée amoureuse*
tirer le meilleur parti : *profiter, utiliser au mieux*

Menaud symbolise le drame d'un peuple minoritaire, économiquement pauvre et isolé, mais il symbolise également, sur le plan universel, tous les êtres qui se détournent de leur temps pour **se complaire** dans une vision stérile du passé et qui sont écrasés par la marche d'un monde qu'ils n'ont pas essayé de comprendre.

5 Ce résumé de *Menaud, maître-draveur* laisse malheureusement de côté la plupart des grands tableaux, comme la drave, le combat d'Alexis et du Délié, l'incendie de forêt, qui ne se rattachent pas à la ligne principale de l'action. Et nous pouvons nous demander si nous n'avons pas eu tort de traiter cet ouvrage comme un roman.

Il y a, en effet, entre ce récit et la conception la plus large qu'on peut **se faire**
10 du genre romanesque, toute la distance qui sépare la création d'un monde imaginaire de la reconstitution stylisée, poétique du monde réel.

Il est évident que le premier souci de Félix-Antoine Savard n'est pas la connaissance de l'homme, mais bien l'investigation poétique du monde sensible. Le frère Marie-Victorin[1], qui avait salué en l'auteur de *Menaud* un grand écrivain, disait que
15 « personne n'avait appliqué une aussi brillante imagination à fouiller le cœur des choses ». Fouiller le cœur des choses, c'est là un art de poète plutôt que de romancier, ce dernier s'appliquant surtout à fouiller les consciences, à sonder les reins et les cœurs.

Dans *Menaud*, les événements, sauf la folie du héros, ne sortent pas des
20 personnages ; le ton, le rythme général de l'ouvrage sont ceux d'un poème, et *il n'est pas jusqu'au leitmotiv*, emprunté à Louis Hémon, *qui ne vienne renforcer cette impression*.

Le roman exige une plus grande rigueur de composition, le sacrifice de descriptions qui souvent ici constituent l'essentiel. On voudrait, par exemple, que la mort de
25 Joson soit reliée à l'action, qu'elle ne soit pas un simple accident, que le **corps à corps** d'Alexis et du Délié pèse d'un certain poids sur la marche du récit...

Cette absence de lien entre les événements est encore plus évidente dans *la Minuit*, où tout un village se laisse séduire par des idées de partage des richesses et d'égalité. C'est Corneau qui relie entre eux les divers fils de l'intrigue, et Geneviève, la plus
30 belle figure du livre, se contente de subir l'action.

Mais renonçons à toutes ces complications psychologiques, regardons comme des poèmes ces deux récits. Dans cette nouvelle perspective, Corneau et le Délié deviennent des mythes poétiques ; ils incarnent les menaces obscures qui viennent des villes ; Menaud et Geneviève reprennent leur grand rôle de figures symboliques,
35 engagées dans une aventure non plus individuelle mais collective. Et nous avons dans *Menaud* une magnifique épopée de la forêt, dans *la Minuit*, un poème à la gloire de **la communion des saints**.

La langue de Félix-Antoine Savard, en dépit de **préciosités** inattendues, est robuste, savoureuse, fortement enracinée dans le terroir. Son style se compose d'une
40 marqueterie de phrases amoureusement ciselées, aux images somptueuses. Cet écrivain, qui conçoit ses livres par larges fresques, possède un ton bien à lui, un sens inné de la beauté, servie par une attention patiente devant la nature et une

---

se complaire : *trouver du plaisir, de la satisfaction*
se faire : *se représenter*
corps à corps : *lutte, combat corps contre corps*
la communion des saints : *l'union spirituelle qui existe entre tous les membres de l'Église, vivants ou morts* (ici, entre tous les membres du même village)
préciosité : *affectation dans les manières ou dans le langage*

connaissance approfondie de la flore indigène. Il est incontestablement un grand poète descriptif et l'un de nos meilleurs prosateurs.

1. *Menaud, maître-draveur*, p. 28
2. *Ibid.*, p. 6
3. *Ibid.*, p. 5-6
4. *Ibid.*, p. 1
5. *Ibid.*, p. 1
6. *Ibid.*, p. 2
7. *Ibid.*, p.28-9 (citation libre)
8. *Ibid.*, p. 16-7
9. *Ibid.*, p. 146

5

Robert Charbonneau. *Romanciers canadiens*, Québec, Les Presses de l'Université Laval, 1972, pp.117-121

NOTES

1. **le frère Marie-Victorin** : botaniste et écrivain québécois (1885-1944)

ÉTUDE ET EXPLOITATION DU TEXTE

1. Où se situe l'action des romans de Savard ? Quelle acception revêt « la terre » chez lui ?
2. Quel est le thème principal de *Menaud* ? Définissez-le en une phrase.
3. D'après les données de ce texte, résumez la trame du roman.
4. Il s'agit ici de l'analyse d'une œuvre littéraire. Distinguez les différentes parties de cette analyse.
5. Les personnages se définissent par rapport à l'idéal de Menaud et se divisent en deux clans distincts « les bons et les mauvais ». Indiquez dans quelle catégorie se place chacun des personnages et expliquez pourquoi.
6. Distinguez les grandes phases de la vie de Menaud. Relevez les phrases qui soulignent les étapes de son évolution.
7. La mort de Joson n'est-elle pour Menaud que la perte d'un fils, ou revêt-elle une signification plus profonde ?
8. Pourquoi peut-on se demander si *Menaud* est bien un roman ?
9. Le roman s'achève-t-il sur un échec ?
10. Après avoir lu cette étude, pensez-vous avoir une idée juste du roman ? Expliquez votre réponse.

TEXTE II

Menaud, maître-draveur, chapitre IX (extrait)

La nuit s'achevait lorsque le froid réveilla Menaud. Il regarda l'heure, et s'étonna d'avoir dormi.

La fenêtre ressemblait à une plaque d'argent et faisait un demi-jour pâle.

Il se leva sur le bout des pieds, entrebâilla sa porte pour voir le temps. *Tout le ciel, entre les têtes des bouleaux, ressemblait à ces toiles d'araignées que la rosée emperle.*

Il referma, fit **une attisée**, pria le bon Dieu.

Le Lucon dormait encore. Menaud lui remonta les couvertures sur les épaules, comme il faisait pour Joson, autrefois.

Point de tendresse qu'il n'eût au cœur pour lui maintenant.

Le Lucon, Marie, ces deux noms s'unissaient mystérieusement dans une vision de maison rajeunie, dressée comme une place forte sur le chemin des grands domaines...

Il se mit à fumer tandis que, sur les vitres, fusaient, à la chaleur, les papillons de givre.

Jamais Menaud n'avait trouvé le jour aussi lent à se lever. Car, il y avait un projet qui lui était venu, une issue qui s'était ouverte **comme ça**, magiquement, dans **le fouillis de ses misères**, une idée qu'il avait hâte de montrer au grand jour.

Alors, tout le pays verrait bien que Menaud n'était pas mort dans sa **ouache**, que le vieil ours savait faire encore sa piste, une piste large, puissante, avec des trous de griffes qui percent la neige jusqu'au sol.

Tout le pays, les **coupes**, les lacs, les **passes**, les montagnes verraient qu'un grognement de Menaud pouvait encore faire lever tout le clan des chasseurs, depuis le plateau des Martres jusque là-bas, au loin, partout où des hommes libres dans leurs vieilles cabanes d'héritage, avaient gardé vivant et clair le feu que les Anciens y avaient allumé.

Ah ! yah ! Ah ! yah !

Il essaya de se rappeler la chanson sauvage de la veille. Il se mit ensuite à ramasser ses **nippes**, **sortit dehors**, frotta au clair **les lisses de sa traîne**, puis wa ! wa ! comme un enfant, il se mit à battre ses mitaines l'une contre l'autre, tandis que ses chiens lui **sautaient au cou**, et **prenaient des bauches** folles dans les étangs roses que répandait partout la première coulée de soleil.

Quand il rentra, le Lucon était debout, l'air perdu dans cet aria de jappements et de chansons.

Menaud lui annonça, **sans plus**, qu'il partait pour les lacs de Périgny. Il rencontrerait là le vieux Mas qui chassait avec son fils, sur la tête des eaux, au-delà de la ligne du Serpent.

Il ne tenait plus en place, étant **sur les nerfs**, comme on dit, ***poignant*** *à droite, à gauche, dans ses* ***hardes*** *qu'il jetait,* ***bout-ci, bout-là****, dans un sac.*

---

une attisée : (can.) *une flambée, un bon feu produit par une bonne quantité de bois qu'on met en une seule fois et qu'on ne renouvelle pas*
comme ça : *tout seul, soudain, sans qu'on puisse se l'expliquer*
le fouillis de ses misères : *le désordre, la masse de ses malheurs*
ouache : (can) *gîte d'un animal, terrier*
coupe : (can.) *tranchée, fossé creusé pour laisser passer l'eau, faire un sentier, etc.*
passe : (can.) *sentier ou passage étroit*
nippes : (can.) *vêtements*. En français standard, familier et péjoratif
sortir dehors : pléonasme courant à la campagne, ou parmi le peuple
les lisses de sa traîne : (can.) *les lames de métal placées sous les patins de son traîneau, et sur lesquelles le traîneau glisse*
sauter au cou : généralement, *embrasser avec effusion*. Ici, les chiens sautaient pour lui faire des démonstrations d'affection
prendre des bauches : (can.) *courir*
sans plus : *sans explication, sans rien ajouter*
il ne tenait plus en place : *il était très agité*
être (ou *vivre*) **sur les nerfs** : *tirer son énergie de sa volonté tendue, de son excitation*, (quand on est très fatigué)
poignant : (can.) *saisissant, prenant*
hardes : (can.) synonyme de *nippes*
bout-ci, bout-là : (can.) *pêle-mêle, en désordre*

Il était insaisissable, debout, accroupi ; et, comme un homme qui craint que le bon sens ne s'interpose, il parlait vite, dévidant toute l'enfilade de ses projets : course aux Martres, au Berly, à la Bergère, course aux étangs de la Noire par delà les Sables. Puis, avant que le Lucon eût pu placer un mot, il harnacha ses chiens, descendit en deux foulées l'**écore** du lac, et disparut vers la coupe, celle qu'avaient suivie **les Anciens** dans leur migration vers le royaume de Saguenay. 5

Maintenant, raquettes aux pieds, il reprenait enfin le sentier de sa jeunesse.

Sa fête était grande au milieu de tout ce cortège de souvenirs qui, dans les chemins de soleil, descendaient de partout, affluaient par mille avenues, à travers les colonnades et le décor fantastique de la coupe enneigée. 10

Il faisait de grands gestes, fredonnait des rengaines de l'ancien temps, s'arrêtait aux vieilles **plaques**, heureux de frapper, comme un pic d'avril, deux coups pour signifier sa présence de maître à la terre inquiète.

Puis, il repartait à grands pas, la tête haute, les pieds **piqués** dans ses brides de raquettes, *tandis que, derrière lui, dévalait la lumière* dans le canal des pistes 15 conquérantes.

« Nous sommes venus ! et nous sommes restés ! »

Ces mots-là détendaient à chaque pas les ressorts de ses vieilles jambes.

« Nous sommes venus ! et nous sommes restés ! »

Il trouvait ces mots-là bons, inépuisablement bons, comme le glaçon de l'air vif 20 dans sa gorge brûlante de batteur de neige !

Nous sommes restés ! Nous sommes restés !

Les étrangers, les traîtres le verraient bien, lorsque lui, Menaud, aurait soulevé, d'un bout à l'autre du pays, tout le clan des libres chasseurs.

Alors, alors, partout, à toutes les portes du domaine, il y aurait une garde tenace, 25 infranchissable, qui, dès les premiers pas de l'intrus, signifierait qu'il valait mieux ne pas empiéter, car les sentinelles étaient debout dans tout le pays, maintenant !

Ah ! yah ! Ah ! yah !

Menaud marchait, marchait, marchait toujours, en tempête, escaladait les raidillons, **s'agriffait** aux branches, sans trêve, et tout son vieux corps invinciblement 30 halé par une pensée impitoyable qui grimpait en avant de lui.

Depuis des heures et des heures maintenant qu'il fouillait dans cette misère !

Il s'arrêta.

Une fatigue soudaine lui avait frappé les reins. Tout le bois se remplit du bourdonnement que le sang lui faisait aux oreilles, s'embruma de cette vapeur qui 35 sortait de sa poitrine velue.

Le jour baissait. Le vent s'était mis en chasse, là-haut, dans les cimes des hautes **épinettes**.

Menaud, inquiet, regarda la neige qui commençait à s'abattre autour de lui.

Il ralentit sa marche, se mit à faire **une piste à mailles drues**, profondes 40 et bientôt... à **piétonner**, comme disent les chasseurs en parlant du gibier exténué.

C'est qu'il avait tout un fourmillement de lueurs étranges, là, devant les yeux, le pauvre ! Il ne trouvait plus ses plaques sous les longs **appentis** de neige branchue ;

écore : (can.) *rive escarpée, en pente raide*
les Anciens : *les générations passées*
sa fête était grande : *il était tout joyeux*
plaque : (can.) *entaille ou toute autre marque faite aux arbres pour marquer un chemin*
piqué : (can.) *planté, bien attaché*
s'agriffait : *s'accrochait avec les griffes*. En imaginant ce mot, l'auteur continue l'analogie de l'ours
épinette : (can.) *arbre de la famille des épicéas*
une piste à mailles drues : *des pas plus serrés*
piétonner : (can.) *piétiner, remuer les pieds sur place*
appentis : *abri formé d'un toit appuyé à un mur et soutenu par des poteaux* ; ici, *formé par les branches recouvertes de neige*

il se sentait arrêté à chaque pas par la griffe raide de toute chose dans le bois hostile.

Il ôta ses raquettes, s'accota au tronc d'un arbre, presqu'anéanti, tandis que ses chiens léchaient, en guise de caresses, les glaçons de ses **mitasses**.

Il calcula qu'il devait être dans **le dernier tirant** de la longue montée. Après cela, il lui resterait juste une petite traverse pour atteindre les lacs de Périgny. Ses chiens feraient bien le reste ensuite...

La misère qu'il avait, bah ! c'était une vieille connaissance. Les chasseurs l'avaient toujours eue dans leur sac !

Pour se faire illusion, il voulut fumer une pipe, mais... ses allumettes ne prenaient plus.

Alors, toutes ces histoires qu'on lui avait racontées tant de fois, de ces pauvres **écartés**, morts tout seuls, comme des chiens, dans les nuits de tempête, toutes passèrent dans le ciel brun de son esprit.

Le jour baissait. La barre du soir au bout de la coupe ressemblait à une mâchoire avec des crocs couleur de sang.

Le vent venu des hauts était mauvais de plus en plus.

Peut-être allait-il, lui, payer pour tous... souffrir pour toutes les trahisons !

Dans le passé, presque tout s'était fait au prix du sang. Mais la génération d'aujourd'hui avait oublié ce prix humain de l'héritage... Elle l'avait laissé profaner comme une chose **de peu**.

« Des étrangers sont venus... » disait le livre. « Ils ont pris presque tout le pouvoir. Ils ont acquis presque tout l'argent. » Peut-être, l'heure expiatoire était-elle venue... la grande heure où quelqu'un dût mourir, sa face contre la terre offensée... Menaud eut peur !

Il se mit à voir partout des signes étranges, prostrés, funèbres... des formes comme des formes humaines ensevelies sous l'immense linceul. Dans toutes les fosses noires où il enfonçait, il sentait des griffes, entendait des menaces...

Il ramassa ce qui lui restait de forces pour grimper le surplomb de neige au bord de la coupe... mais, épuisé, vaincu des pieds à la tête, il s'affaissa dans un trou, tandis que tous les démons de la tempête hurlaient au-dessus dans les **renversis**.

Alors, il fit signe à l'un de ses chiens d'aller au secours en bas.

La nuit noire était tombée.

D'immenses suaires s'abattaient en sifflant.

Ohé ! Ohé ! vous autres... les saints pitoyable qu'il avait toujours priés... les morts... la terre... le grand bois qu'il était venu défendre...

Ohé ! vous autres... les conquérants !

Sa voix râlante n'était plus maintenant qu'une petite chose perdue, blessée, **bavolant** de-ci, de-là, à travers les huées de la rafale.

Ohé ! Joson... Joson...

Mais bientôt, le râle ne déborda plus du trou de neige, tandis que les pieds de l'homme gelaient dans le linceul où il était entré debout !

Félix-Antoine Savard. *Menaud, maître-draveur*,
Montréal, Fidèes, 1978, p. 192-200

---

mitasse : (can.) *guêtre ou chaussure de drap, de cuir ou de feutre pour les grands froids*
le dernier tirant : *la dernière partie, la dernière côte*
la misère : (can.) *le mal, la difficulté, la peine*
écarté : (can.) *égaré, perdu*
de peu : *sans importance*
renversis : (can.) *partie de forêt où les arbres ont été renversés par un ouragan*
bavoler : (de l'ancien français) *voleter*

ÉTUDE ET EXPLOITATION DU TEXTE

1. À quel moment du récit se situe ce passage ?
2. Quel est le grand dessein de Menaud ?
3. Quels sont les détails qui trahissent son exaltation, lorsqu'il se prépare à partir ? lorsqu'il chemine dans la forêt ?
4. Montrez comment cette exaltation devient peu à peu de la folie.
5. La terre des aïeux est la grande héroïne de ce récit. Étudiez son rôle dans ce passage. Relevez les détails, les mots et expressions qui servent à la personnifier.
6. Les traits physiques et les traits moraux de l'homme semblent parfois se communiquer à la terre, et vice versa, concrétisant ainsi l'interaction entre les thèmes inséparables de la terre et de la race. Relevez plusieurs exemples de cette intime communion.
7. Les animaux font aussi partie de la nature. Relevez les comparaisons et les métaphores qui identifient Menaud aux bêtes qui peuplent la forêt.
8. Relevez les détails qui montrent que l'amour du vieux draveur pour la terre canadienne est inséparable de son culte du passé.
9. Montrez comment peu à peu Menaud prend conscience de l'inutilité de ses efforts.
10. Comment s'explique, dans l'esprit de Menaud, le geste cruel de la terre qui, par deux fois, frappe celui qui veut la défendre ?
11. En parlant de la terre canadienne dans des termes dont l'usage est propre à la race qui l'habite, Savard souligne l'indissoluble harmonie de ces deux thèmes. Relevez dans le texte les canadianismes, en particulier les mots et expressions du terroir.
12. En quoi consiste la poésie du style de Savard ? Analysez-en les divers éléments.

Remarques de style

« ... ces falaises, où s'agrippent de modestes hameaux... »

L'auteur aurait pu écrire : *ces falaises, où sont bâtis de modestes hameaux...* , mais la forme passive entraîne l'emploi de l'auxiliaire *être*, peu original, et le participe passé *bâtis* n'est pas descriptif, ou encore : *ces falaises, où se dressent de modestes hameaux...* , où le recours à la forme active élimine l'auxiliaire. Si *se dressent* est moins banal que *sont bâtis*, il a un sens vague et ne parle guère à l'imagination. *S'agrippent*, verbe précis et pittoresque, renforce l'impression créée par les mots : *sauvage, disproportionné, immensité...*
Notez l'inversion du sujet : *s'agrippent de modestes hameaux*. L'inversion se fait souvent dans une proposition relative, quand le sujet est un nom, afin d'éviter de placer le sujet trop loin du verbe, de terminer la phrase ou la proposition par un verbe sans objet, d'avoir une chute rythmique désagréable. L'inversion est évidemment impossible lorsque le verbe est accompagné d'un déterminant assez long : *où la nature enveloppe l'homme de son immensité.*

« C'est que l'auteur de Maria Chapdelaine a transmué en idées simples...ce que Menaud sentait confusément... »

C'est que indique la cause, la raison d'un fait exprimé précédemment. Ce fait peut être introduit par *si* :

Si ces mots se gravent dans l'esprit du vieux coureur des bois, c'est que l'auteur...

« ... il n'est pas jusqu'au leitmotiv...qui ne vienne renforcer cette impression. »

Tournure littéraire pour : *même le leitmotiv vient renforcer cette impression.* Le présentatif négatif *il n'est pas*, complété par la particule *ne*, entraîne l'emploi du subjonctif.

« Tout le ciel, entre les têtes des bouleaux, ressemblait à ces toiles d'araignées que la rosée emperle. »

Essayez de déterminer les éléments qui créent la poésie de cette phrase. Relevez dans le même texte au moins deux autres exemples de phrases poétiques.

« ... poignant à droite, à gauche, dans ses hardes qu'il jetait, bout-ci, bout-là, dans un sac. »

Le rythme haché reflète l'excitation de Menaud en donnant l'impression d'une activité désordonnée, brouillonne.

« Puis, il repartait à grands pas...tandis que, derrière lui, dévalait la lumière. »

Tandis que peut marquer soit l'opposition, soit la simultanéité. Notez l'inversion du sujet (avec déplacement du complément circonstanciel) pour l'harmonie du rythme. Comparez :

tandis que la lumière dévalait derrière lui

et : tandis que, derrière lui, dévalait la lumière

Exercices de style

1. « Il n'est pas jusqu'au leitmotiv qui ne vienne renforcer cette impression. » (p. 260, l. 20-22)

Transformez les phrases données sur ces modèles de style littéraire.

a. Même Luzina connaît l'histoire de son pays.

b. Même sa fille semble se ranger du côté de l'ennemi.

c. Même les bois lui paraissent hostiles.

d. Même les arbres amis sont devenus hostiles.

2. *Composez deux phrases dans lesquelles **tandis que** marquera une **opposition**, et deux phrases dans lesquelles il marquera la **simultanéité**.*

3. *Refaites les phrases suivantes en effectuant l'inversion du sujet toutes les fois qu'elle est possible (voir p. 44) :*

a. Il écoute les paroles miraculeuses que sa fille Marie lui lit.

b. Il admire les Anciens dont le livre parle.

c. Il se mit à fumer tandis que les papillons de givre fusaient à la chaleur sur les vitres.
d. Les chiens prenaient des bauches folles dans les étangs roses que la première coulée de soleil répandait partout.
e. Tout le bois se remplit du bourdonnement que le sang lui faisait aux oreilles.
f. Je me souviens encore des rengaines que ma grand-mère me chantait.
g. Connaissez-vous la ville où Jacques Cartier est né ?

Traduction

Traduisez les phrases suivantes en employant le vocabulaire et les expressions des textes :

1. There, nature is wild and imposing : cliffs to which dismal hamlets cling, deep forests where so many woodsmen have lost their lives, buried in some snow pocket.

2. Little by little the foreigners had taken over the mountain and the hunters were forbidden to enter the woods. Menaud dreams of stirring up all the inhabitants of the region.

3. He signalled to Marie to resume reading while he half-opened the door to look at the weather.

4. For Menaud, the English have no rights in the country. The reason is that he has preserved the traditional attachment to the ancestors' sacred heritage.

5. Since his son's death, Menaud has had to face a new ordeal. Marie has fallen in love with Délié, whom Menaud considers a traitor, in the pay of the English.

6. Before the Lucon could put in a word, Menaud harnessed his dogs and disappeared through the spruce trees.

7. He couldn't keep still, anxious to leave for the lakes where he would meet the other hunters; then, there would be an impassable guard everywhere.

8. Nobody would have known that he was there; the snow was covering him in a vast shroud of white.

9. From father to son, they were raftsmen and felt more at home in the woods than in the stifling houses.

10. As he advanced, his nervousness mounted. He started singing the tune from the previous day and kept repeating to himself the marvellous words: we came and we stayed.

11. It is more than a novel: it is a poem, an epic poem. Even the leitmotif serves to reinforce this impression.

12. It is a poem on account of : a) the disposition of each chapter into stanzas of various lengths; b) the abundance of images; and c) the picturesque use of regional vocabulary.

13. It is an epic poem on account of : a) the characters, which are thoroughly good or thoroughly bad; b) the dignity of its style; and c) the presence of the mountain which is one of the characters.

Étude de vocabulaire

Les antonymes

Les antonymes, ou contraires, sont des mots qui s'opposent par le sens :

pauvre/riche — jeune/vieux — beau/laid

Des mots dérivés peuvent être antonymes par leur suffixe ou par leur préfixe :

hydro**phile**/hydro**phobe** — **em**barquer/**dé**barquer

NOTE : Les préfixes négatifs et privatifs sont essentiellement antonymiques (voir p. 120).

1. *Donnez le contraire des mots suivants* :

partout
avant-garde
déjà
bien
permettre
savoir
toujours
en haut
tout
quelque chose
la veille
meilleur
sécurité
force
souvent
tôt
revenir
rien moins que

Formez les antonymes des mots suivants :

- *en ajoutant un préfixe* :

proportionné
tangible
espoir
s'intéresser (à)
limité
continuer
conformiste
réel
attendu
tendu
adéquat
alphabétisme
content
violence

- *en changeant le préfixe* :

attaché
apporter
monogame
importer
apparaître
concorde
antérieur
associer
embarquer
bienveillant
absence
intérieur
synonyme
encourager

Le pléonasme

Le pléonasme consiste à employer une surabondance de mots qui ne sont pas nécessaires à l'énoncé de la pensée. Il est à éviter lorsqu'il n'ajoute rien à la pensée ou lorsqu'il constitue une faute de syntaxe, mais il peut être figure de style quand on y a recours pour donner plus de force à l'expression :

Il sortit dehors. (mauvais pléonasme)

Elle en avait laissé des noms de personnages... (pléonasme expressif)

Le pléonasme peut être :

- **grammatical**, quand la même fonction grammaticale est remplie par des mots différents : *Elle en avait laissé des noms...*
- **sémantique**, quand la phrase contient un ou plusieurs mots superflus qui répètent inutilement la même idée (mais sans contenir de mots grammaticalement en excès) : *Il sortit dehors.*

2. *Supprimez les pléonasmes* ***sémantiques*** *contenus dans les phrases suivantes* :

a. La ville de Montréal s'est beaucoup étendue au cours des dix années de la dernière décennie.

b. Il y a fait allusion à demi-mots.

c. C'est un fait avéré exact.

d. Sa tentative échoua par suite d'un hasard imprévu.

e. Si j'avais été prévenu d'avance, j'aurais agi différemment.

f. Ils se verront contraints malgré eux d'abandonner la forêt.

g. Tout fut fini en moins de deux heures de temps.

h. C'est un dessert très délicieux.

i. Le directeur promit de le défrayer de ses dépenses.

j. Ils doivent ce côté pantagruélique à l'atavisme de la race.

k. Très épuisé, il tomba comme une masse.

l. Le Lucon, Marie, ces deux noms était unis ensemble dans son cœur.

3. *Refaites les phrases qui contiennent un pléonasme* ***grammatical*** *à supprimer* :

a. L'érable est un arbre du Canada dont on fait un délicieux dessert avec sa sève.

b. Il a acheté une maison dont sa femme a fait une pension de famille.

c. Cette forêt, il en connaissait tous ses sentiers.

d. Un deuxième accident se reproduisit au même endroit.

e. C'est une histoire que, une fois entendue, on ne l'oublie pas.

f. C'est une histoire si passionnante que, une fois entendue, on ne l'oublie pas.

g. C'est de son père, dont elle savait l'exaltation, qu'elle s'inquiétait.

h. C'est là qu'on finit par l'y trouver, enseveli sous un linceul de neige.

i. Il faudrait rajouter encore un peu de sel à la soupe.

j. Il secouait l'arbre pour en faire tomber ses fruits.

k. Il s'en va de la maison à l'aube.

l. C'est une cuisine riche et variée dont l'originalité est le signe de sa perfection.

4. *Mettez en valeur les mots indiqués au moyen d'un pléonasme grammatical* :

a. **L'Acadien** aussi est de la famille.

b. L'Acadien aussi est **de la famille**.

c. Cette maison, c'étaient **ses** ancêtres qui l'avaient faite.
d. **Me** faire ça !
e. Il croyait **à ces paroles miraculeuses**.
f. Il va bien souvent **dans les bois** !

5. *Supprimez les pléonasmes sémantiques qui vous paraissent inutiles* :

a. Il n'a fait aucun commentaire sur les négociations actuellement en cours.
b. C'est le seul et unique fils qui me reste.
c. Puisque je l'ai vu ! De mes yeux vu !
d. C'était à qui obtiendrait du roi le monopole exclusif de la navigation et du commerce.
e. Il présidera en lieu et place de son frère.
f. Ça s'est passé il y a environ une quarantaine d'années.
g. Faites-le à vos risques et périls.

Le pittoresque

Le choix de termes descriptifs et suggestifs joue un rôle essentiel dans la composition. Les mots traduisent des impressions et des sensations, évoquent des idées et des images, non seulement par leur sens mais aussi par leur valeur évocatoire et par leur sonorité.

6. *Notez ce qu'ont de pittoresque ou d'original les verbes indiqués ci-dessous. Indiquez ceux qui sont devenus banals* :

a. ... tandis que, derrière lui, **dévalait** la lumière dans le canal...
b. Menaud escaladait les raidillons, **s'agriffait** aux branches.
c. Ces mots **se gravent** dans l'esprit du vieux coureur des bois.
d. La fenêtre **faisait** un demi-jour pâle.
e. ... les étangs roses que **répandait** partout la première coulée du soleil.
f. Il parlait vite, **dévidant** toute l'enfilade de ses projets.
g. Une fois par année, ça nous permet de nous **retaper** la conscience.
h. ... quand vous aurez **déniché** en Acadie toutes les familles de vieilles ou de nouvelles souches...
i. S'il était tapi quelque part, attendant, ce serait facile, Agaguk **saurait** sa présence.
j. Il y avait une souche, tout contre l'école. Luzina s'y laissa **choir**.
k. La découverte de l'Amérique, imprévisible, ne pouvait être qu'un accident. On la **cueillera** en passant.
l. Les aiguilles **se traînèrent** sur le cadran, et la faim commença de se faire sentir.

7. *Complétez les phrases suivantes au moyen d'un verbe pittoresque* :

a. Tout autour de lui, comme une peau de caribou qu'on étale sur un lit, ______________ la grande paix du soir.

b. Voilà maintenant que cette parole_______________dans l'humble maison comme un feu d'abatis dans la clairière du printemps.
c. Le chemin_______________à flanc de coteau.
d. Les petits ports de pêche_______________au creux des anses.
e. Puis, soudain, la pluie_______________brusquement comme une tente qui s'écrase.
f. Agaguk vit_______________deux larmes sur les joues d'Iriook.
g. Les étoiles_______________le ciel de mille diamants.
h. Vers le milieu du jour c'était le blizzard. Le vent_______________sur la plaine.
i. La picote avait outrageusement_______________ses traits et son teint était celui d'un homme souffrant de la jaunisse.
j. ... des toiles d'araignées que la rosée_______________.
k. La nuit tombait sur la plaine,_______________le reste du jour.
l. Le train s'enfonça en_______________dans la plaine.

8. *Remplacez les verbes indiqués par des verbes plus descriptifs ou pittoresques, en faisant tous les changements nécessaires* :

a. Derrière chez nous, **il y avait** une grande forêt.
b. Devant eux, **il y avait** une muraille haute, lisse, menaçante.
c. **On voyait** le clocher au loin, entre les ondulations des blés mûrs.
d. Dans le grenier **il y avait** quelques vieux livres poussiéreux.
e. Alors, poussant un cri d'horreur, le vieillard **tomba** sur son fauteuil.
f. Dans la cheminée **on entendait flamber** un bon feu clair.
g. Deux énormes statues de pierre **se trouvent** de chaque côté de l'entrée.
h. Sous l'Arc de Triomphe **se trouve** la dépouille du soldat inconnu.
i. On **entendait** le tonnerre au loin.
j. Les cristaux **brillent** à la lumière des lustres.
k. La campagne **était remplie** de soleil.
l. Dans les bois du Québec **on trouve** des baies sauvages de toutes sortes.
m. L'arôme qui se dégage de la soupe qui cuit lentement **remplit** la cuisine d'un parfum robuste d'oignon, de lard, de pois et de sarriette.
n. Le colon français faisait **cuire longtemps** les fèves sèches apportées de France.
o. L'animal **apparut** soudain devant le chasseur.
p. Un escalier le jeta dans un hall d'où il **sortit** dans la cohue de la ville.
q. Il se **fit** un chemin à coups de hache au plus épais de la forêt.
r. Ils les suivaient comme des loups, jour et nuit, toujours prêts à **tomber** sur eux pour les massacrer.
s. Abandonné de tous, Menaud **va** dans la montagne.
t. Menaud **montait** les raidillons, **descendait** les pentes, **soufflait** de fatigue.

9. *Remplacez le superlatif absolu par un adjectif plus descriptif :*

a. un **très fameux** prince
b. une **très grande** quantité d'or
c. une histoire **très intéressante**
d. une couleur **très laide**
e. une **très grosse** bête l'observait
f. un chasseur **très fatigué**
g. un soleil **très brillant**
h. le cri **très triste** d'un engoulevent
i. des températures **très basses**
j. un panorama **très beau**
k. un homme **très maigre**
l. un vent **très fort**
m. une banquette **très sale**
n. des demeures **très luxueuses**
o. un **très bon** dessert
p. une soupe **très chaude**
q. un paysage **très imposant**
r. une chemise **très propre**
s. une statue **très grande**
t. une famille **très pauvre**

10. *Remplacez la proposition relative par un adjectif :*

a. des falaises **qui tombent à pic**
b. des choses qu'**on ne peut pas toucher**
c. une maison **où personne n'habite**
d. les tâches **que l'on fait tous les jours**
e. un sol **où rien ne pousse**
f. un territoire **où sont assurés des services réguliers**
g. la zone **qui s'étend en dehors de la ville**
h. une nature **qui manque de proportions**
i. un ciel **où il y a des nuages**

Les archaïsmes

Ce sont des mots, des expressions et des constructions qui ne sont plus en usage dans la langue contemporaine. Cependant, on les emploie parfois pour obtenir un effet de style, pour donner une couleur locale au récit, ou parce qu'ils expriment une réalité que la langue actuelle ne peut exprimer (objets qui n'existent plus, par exemple). Certains archaïsmes ont survécu dans une région donnée, grâce à des circonstances géographiques, politiques ou culturelles.

Un certain nombre de mots ont disparu de l'usage contemporain, mais ont subsisté dans des expressions toutes faites, où ils sont toujours employés et compris.

11. *Remplacez les mots indiqués par un équivalent contemporain (si c'est possible) :*

a. **Maintes fois** déjà, il s'était arrêté sur la toundra.
b. Va donc me **quérir** un verre d'eau.
c. Il était **quasiment** mort de faim.
d. Il frappa à l'**huis**.
e. Il fit **mander** ses fils, leur parla sans témoins. (La Fontaine)
f. **Oyez, oyez**, bonnes gens !
g. Tout le monde rit de sa tête sale et **chenue**.
h. Les **manants** du roi ne s'exprimaient pas autrement.
i. La vieille dame dodelinait du **chef**.
j. Vous avez le choix entre le nord et l'ouest. Si vous roulez, **j'entends**.

12. Les expressions suivantes, toujours en usage, contiennent des mots qui ont subi un changement sémantique et qui ne se comprennent dans leur sens ancien, qu'en présence des mêmes éléments. *Expliquez le sens de l'expression indiquée et donnez un équivalent moderne des mots soulignés :*

a. Agaguk s'écroula, **plus mort que vif**.
b. Ils sont restés **en dépit des** Anglais.
c. Elle a **maille à partir** avec tout le monde !
d. Il n'**en pouvait mais**.
e. Il n'y a pas **péril en la demeure**.
f. ... **en vertu de** l'article 73 de la Charte
g. Il **se fait fort** de réussir là où les autres ont échoué.
h. Cela **ne laissa pas de** m'étonner.
i. Faites ce que vous voudrez. **Peu me chaut**.
j. Ils ont pris la ville **sans coup férir**.

13. *Les mots suivants ont survécu dans des expressions figées. Trouvez ces expressions et donnez-en le sens :*

a. aloi
b. clin
c. dépens
d. dérobée
e. ores
f. emblée
g. entrefaites
h. escampette
i. fort (beaucoup)
j. franquette
k. fur
l. gré
m. guise
n. instar
o. insu
p. liesse
q. martel
r. mégarde
s. noise
t. sauf (adj.)

14. Les locutions suivantes contiennent des archaïsmes de construction. *Trouvez des expressions synonymes conformes à l'ordre habituel des mots* :

a. À qui de droit.

b. Qu'à cela ne tienne !

c. Ceci dit, passons à autre chose.

d. Soit dit en passant, voilà une réflexion que j'approuvais fort...

e. Mieux vaut faire comme si de rien n'était.

f. Faites comme bon vous semble.

g. Je vous communique ce document à toutes fins utiles.

h. Puisque telle est la loi, il faut bien se soumettre !

i. M. Finlay sait, ou peu s'en faut, la part de trouble que cache le passé des siens.

j. Tout compte fait, je préfère ne pas partir.

k. Il ne sait pas tout, tant s'en faut !

l. Somme toute, elle n'était pas trop malheureuse.

m. Ainsi soit-il.

n. Libre à vous de ne pas me croire.

o. Chemin faisant, il fredonnait la chanson de la veille.

p. Il partit sans plus tarder.

q. Il gèle à pierre fendre.

r. Qui ne dit mot consent.

s. Ils voyagent sans bourse délier.

t. Nous pousserons jusqu'au bout du lac, tant qu'à faire !

Idée de chute

Les verbes *s'affaisser*, *s'effondrer*, *s'écrouler*, *s'abattre*, *s'écraser*, *s'affaler*, *s'ébouler*, *s'étaler*, *dégringoler*, *dévaler*, *couler*, *sombrer* et *choir* expriment tous l'idée de chute, mais avec certaines nuances qui en déterminent l'usage.

15. *Complétez les phrases suivantes au moyen d'un de ces verbes* :

a. Atterré, le vieillard ________________ dans son fauteuil.

b. Il dormait la bouche ouverte, ________________ sur la mousse.

c. Le mur ________________ dans un grondement de tonnerre.

d. Le torrent ________________ la montagne.

e. L'avion ________________ au sol. Il n'y a eu aucun survivant.

f. Le bateau ________________ par une torpille.

g. Les rochers ________________ sous les pas des chevaux.

h. L'enfant ________________ l'escalier en courant.

i. La neige ______________ en sifflant.
j. Sa raison a fini par ______________.
k. Le toit ______________ sous le poids de la neige.
l. J'ai manqué la marche et je ______________ de tout mon long.
m. Il y avait une souche près de l'école. Luzina s'y laissa ______________.

Idée de donner

Les verbes *livrer, conférer, prêter, accorder, offrir, léguer* et *décerner* expriment tous l'idée de donner.

16. *Choisissez celui qui convient* :

a. ______________ un entretien
b. ______________ un titre
c. ______________ quelque chose par testament
d. ______________ quelque chose en cadeau
e. ______________ une marchandise
f. ______________ à quelqu'un des intentions qu'il n'a pas
g. ______________ un prix
h. ______________ des pouvoirs

Distinctions

roman/romanesque/romantique

L'adjectif *roman* s'applique :

- à l'architecture religieuse caractérisée par les voûtes en plein cintre, qui s'est épanouie dans les pays latins aux XIe et XIIe siècles (avant l'art gothique)
- aux langues dérivées du latin et à la langue populaire parlée autrefois en France (avant l'ancien français)

L'adjectif *romanesque* signifie :

- *du roman, propre au roman* (*roman* = genre littéraire en prose)
- (pour une chose) *extraordinaire, fantastique, invraisemblable, comme dans les romans et non dans la vie*
- (pour une personne) *rêveur, sentimental à l'excès, qui s'imagine la vie comme les aventures décrites dans les romans*

L'adjectif *romantique* s'applique :

- aux écrivains et artistes de l'école romantique (1820-1830) qui, à l'encontre des classiques, donnent aux sentiments plus d'importance qu'à la raison
- aux choses ou aux personnes qui possèdent les qualités et émotions chères aux romantiques : rêverie, mélancolie, vague à l'âme, etc.

1. *Complétez les phrases suivantes au moyen d'un des adjectifs ci-dessus :*
   a. En 1820, Lamartine publia *Les Méditations poétiques*, premier recueil de poèmes ____________.
   b. La cathédrale de Poitiers est un bel exemple d'art ____________.
   c. Ce garçon a un esprit trop ____________ pour réussir dans les affaires.
   d. Emma Bovary rêvait d'amour, d'enlèvements au clair de lune, de toutes sortes d'aventures ____________.
   e. Les principales langues ____________ sont le français, l'espagnol, l'italien, le portugais et le roumain.
   f. *Menaud, maître-draveur* se rattache peut-être plus au genre poétique qu'au genre ____________.
   g. Le tutu classique est court, tandis que le tutu ____________ descend jusqu'aux chevilles.
   h. Les héroïnes de George Sand ont beaucoup influencé les ____________ jeunes femmes de l'époque.
   i. *Les Serments de Strasbourg* de Louis le Germanique, petit-fils de Charlemagne est le premier texte ____________ que l'on possède aujourd'hui.
   j. Les petites universités ont souvent un département des langues ____________ qui regroupe plusieurs langues.

au moins/du moins

Les locutions *au moins* et *du moins* sont souvent considérées comme synonymes pour exprimer une idée de restriction.

Au moins s'emploie plutôt dans le milieu ou à la fin de la proposition restrictive ; *du moins* sert à introduire la proposition restrictive et peut entraîner l'inversion du sujet en français écrit :

Si tu n'a pas le temps d'écrire, tu pourrais, **au moins**, téléphoner.

Ton frère, lui, il téléphone, **au moins**.

Si tu n'a pas le temps d'écrire, **du moins** tu pourrais téléphoner.

S'il n'écrit pas souvent, **du moins** téléphone-t-il fréquemment.

Dans l'usage moderne, on emploie de préférence *du moins* pour souligner l'idée de restriction (syn. : *cependant*, *néanmoins*, *pourtant*), et *au moins* pour indiquer un minimum, ou pour ajouter une nuance de crainte :

Les Anglais n'avaient aucun droit dans le pays ; **du moins** c'était l'opinion de Menaud. (restriction)

Il est parti il y a **au moins** deux heures. (minimum)

Il n'est pas mort, **au moins** ? (nuance de crainte)

2. *Refaites les phrases suivantes en employant* ***au moins*** *ou* ***du moins*** :
   a. J'espère qu'on ne leur a pas interdit l'accès du territoire !
   b. S'il est abandonné de tous, il lui reste toujours la montagne.
   c. Je comprends que vous n'ayez pas eu le temps de lire tout ce livre, mais vous auriez pu en lire une partie !

d. Tu rentreras avant la nuit, j'espère !
e. Ça ne te fera peut-être pas de bien, mais ça ne te fera pas de mal non plus.

Les homographes

Certains homographes (homonymes qui s'écrivent de la même façon) se distinguent sémantiquement par leur genre. Les principaux sont :

aide	enseigne	livre	office	pupille
aigle	finale	manche	orgue	radio
aune	foudre	manœuvre	page	solde
barde	garde	mémoire	parallèle	tour
cartouche	geste	mode	pendule	trompette
couple	gîte	moule	physique	vapeur
crêpe	greffe	mousse	poêle	vase
critique	hymne	œuvre	poste	voile

3. *Mettez les mots donnés au masculin ou au féminin selon le cas et faites les modifications nécessaires* :

a. Alors, partout, il y aurait (un/une)_____ garde infranchissable.
b. (Le/La)_____ vapeur se condense sur les vitres.
c. Les religieuses modernes ne portent plus (le/la)_____ voile.
d. Pour faire un soufflé, il faut (un/une)_____ moule spécial.
e. La Marseillaise est l'hymne national(e)_____ de la France.
f. Ce n'est pas un ouvrier spécialisé, c'est (un/une)_____ simple manœuvre.
g. Avant usage, lire (le/la)_____ mode d'emploi.
h. Pour économiser le mazout, nous avons acheté (un/une)_____ poêle à bois.
i. (Le/La)_____ vase se dépose au fond des étangs.
j. (Le/La) critique est aisé(e)_____, mais l'art est difficile.
k. Il a publié (un/une)_____ mémoire fort intéressant.
l. J'espère obtenir (un/une)_____ poste dans l'enseignement.
m. Pour labourer, il attelait (un/une)_____ couple de bœufs.
n. Il ne faut pas jeter (le/la)_____ manche après la cognée.
o. De nos jours, (le/la)_____ greffe des organes est devenu(e) une opération courante.
p. (Le/La)_____ pendule avance.
q. Un acompte sera payé à la commande, (le/la)_____ solde à la livraison.
r. Envelopper le rôti dans (un/une)_____ barde de lard avant de mettre au four.
s. Les enseignes lumineux(euses)_____ l'étourdissaient...
t. (Le/La)_____ foudre est tombée sur la maison.
u. Ce politicien véreux est (au/à)_____ la solde des capitalistes.
v. Ne manquez pas (le/la)_____ finale de la Coupe de France à la télé !

w. Deux soldats montaient (le/la)_____ garde devant le palais.

x. (Le/La)_____ livre vaut à peu près 450 grammes.

y. On dit de quelqu'un qui est au courant de tout qu'il est (au/à)_____ la page.

demander/se demander

demander { quelque chose *à* quelqu'un / *que* + subjonctif / *de* + infinitif } = exprimer un désir, une volonté

Il **demande** l'heure **à** son voisin.

Demander (*à* quelqu'un) *si, quand, où, pourquoi*, etc., c'est solliciter une réponse à une question :

Il **a demandé à** son voisin si c'était Montréal.

Medaud **demande qu'**on le laisse partir.

Il **demande** à Marie de lui **lire** le texte.

Demander quelqu'un ou *quelque chose*, c'est nécessiter, appeler, avoir besoin de :

Ce travail **demande** beaucoup de **patience**.

Allô ? **Qui demandez**-vous ?

On **demandait** un **gardien** de nuit, il se présenta.

Se demander (le sujet est toujours une personne), c'est être dans l'incertitude à propos de quelque chose :

Il **se demandait** vers quelle nuit nouvelle le train l'emportait.

REMARQUE : Suivi d'un infinitif,

- si *demander* n'a pas d'objet, on emploie indifféremment *à* ou *de* :
  Pierre a demandé **à** (**de**) venir. (= Pierre veut venir)
- si l'objet indirect de *demander* est un nom, on emploie *de* :
  Pierre a demandé à Jean **de** venir. (= Pierre veut que Jean vienne)
- si l'objet indirect de *demander* est un pronom, on emploie :
  — *de* si le sujet de l'infinitif représente la même personne que l'objet indirect de demander :

  Il m'a demandé **de** sortir. (= il veut que je sorte)

  — *à* (pour éviter toute ambiguïté) ou *de* (si le contexte est clair) lorsque les deux verbes ont le même sujet :

  Je ne t'ai pas demandé **à** venir. (= je ne veux pas venir)
  Je ne t'ai pas demandé **de** venir, c'est toi qui as voulu m'accompagner. (aucune ambiguïté)
  Je ne t'ai pas demandé **de** venir, c'est toi qui as voulu que je t'accompagne. (aucune ambiguïté)

4. *Traduisez les phrases suivantes* :

a. He was wondering whether he shouldn't go back.

b. He asked to be called early.
c. He asked Le Lucon to call him early.
d. This will need an explanation.
e. You are wanted on the phone.
f. How much do you want for your sleigh?
g. I was asked to come with you so that you won't get lost.
h. He asked a passer-by to tell him where the station was.
i. I wonder if it is true that the Anglophone population in Quebec is about to disappear.
j. Le Lucon asked him to go away with him. (Le Lucon wanted to go with him)

il y a/il y a ... que avec indication de temps

Il y a... que exprime une durée pendant laquelle le procès se poursuit :

Il y a longtemps qu'il fouille dans cette misère.

Il y a indique le moment du passé où s'est accompli le procès :

Nous sommes venus **il y a** trois cents ans.

5. *Composez des phrases au moyen des éléments donnés et en remplaçant le tiret par* ***il y a*** *ou* ***il y a ... que*** :

a. Ma sœur/partir pour le Brésil/ — /plusieurs années.
b. — /des siècles/des colons/venir/et/défricher la terre.
c. — /longtemps/tu/ne pas me lire/cette histoire.
d. — /des mois/Menaud/rêver/rallier/tous les chasseurs.
e. Ils/se servir/assiettes de faïence/rapporter/leurs ancêtres/ — /trois cents ans.

car/parce que

Car introduit une explication. *Parce que* introduit l'énoncé d'une cause.

Il s'inquiéta, **car** il connaissait le danger.

Il n'y voyait plus **parce que** la neige s'était mise à tomber.

Dans de nombreux cas, la cause et l'explication se confondent, et on peut employer indifféremment *car* ou *parce que* selon que l'on veut souligner le rapport causal ou non :

Il ne viendra pas, **car** il est malade.

Il ne viendra pas **parce qu'**il est malade.

La proposition introduite par *car* suit toujours la proposition qu'elle explique alors que la proposition introduite par *parce que* peut commencer ou terminer la phrase :

Il ne viendra pas, **car** il est malade.

Il ne viendra pas **parce qu'**il est malade.

Parce qu'il est malade, il ne viendra pas.

Il est d'usage de faire précéder *car* d'une virgule.

6. *Au moyen des éléments donnés, faites des phrases exprimant une cause ou une explication :*

a. ils chasseront la maraudaille étrangère/il faudra en venir là

b. la vieille reine Victoria avait eu neuf enfants/Luzina la respectait

c. jamais Menaud n'avait trouvé le jour aussi lent à se lever/il y avait un projet qui lui était venu

d. il valait mieux ne pas empiéter/les sentinelles étaient debout dans tout le pays, maintenant

e. on leur a pris leurs barques et leurs rames/ils ont dû revenir à pied

7. *Complétez les phrases suivantes au moyen de* **car** *ou de* **parce que**, *et dites si les deux sont possibles :*

a. La plus grave dissociation a été celle du lieu de résidence et du lieu de travail, ________________ cette urbanisation extensive n'a pas été pensée et coordonnée dans un plan de zonage.

b. S'il avait été déporté en Chine ou en Nouvelle-Calédonie, il ne s'en serait pas tiré si facilement, ________________ enfin, il est revenu.

c. Cet enfant peut aller à l'école anglaise ________________ son père a reçu l'enseignement en anglais au Québec.

d. Euchariste ne put voir sa ferme ________________ un grillage d'arbres lui en cachait la vue.

e. Menaud déteste les Anglais ________________ il les considère comme des usurpateurs.

Étude de langue

Les adjectifs numéraux cardinaux

Les adjectifs numéraux cardinaux sont invariables excepté *un*, *vingt* et *cent*.

Un fait *une* au féminin.

Pris comme ordinal, il reste invariable :

la note vingt et **un**, la page **un**

Cependant, on trouve aussi :

la note vingt et **une**, la page **une**

Vingt et *cent* se mettent au pluriel lorsqu'ils sont précédés d'un autre nombre qui les multiplie :

trois **cents** ans, quatre-**vingts** personnes

Ils sont invariables :

- lorsqu'ils sont suivis d'un autre adjectif numéral cardinal :

  quatre-**vingt** deux ans, trois **cent** cinquante personnes

- lorsqu'ils sont employés comme adjectifs numéraux ordinaux :

  la page quatre-**vingt** (= la quatre-vingtième page)

  l'année mille neuf **cent** (= la mille neuf centième année)

Employés comme noms, les adjectifs numéraux cardinaux sont invariables, sauf *zéro* et *cent* :

Formez mieux vos **cinq** et vos **zéros**.

Mille adjectif numéral est toujours invariable, mais *mille* mesure itinéraire est un nom et prend la marque du pluriel.

Million et *milliard* sont des noms et s'accordent en nombre (comme *dizaine*, *vingtaine*, *centaine*, etc. et *millier*).

REMARQUE : Avec un nom de nombre pluriel comme sujet, le verbe se met :

— au pluriel si l'on comprend l'ensemble comme une pluralité d'unités :

Vingt ans **sont** vite passés.

— au singulier s'il n'y a pas l'idée de pluralité :

Vingt ans **est** le plus bel âge de la vie.

1. *Faites accorder les numéraux s'il y a lieu* :

a. C'était en l'an deux mille____avant Jésus-Christ.

b. Nous avons fêté ses vingt____ans hier.

c. Il gagne des cent____et des mille____.

d. Il n'a que des zéro____en dictée.

e. L'Inde a une population de plus de quatre____cent____million____.

f. Les derniers cent____mètres ont été les plus difficiles.

g. Les un____français ressemblent aux sept____anglais.

h. Ce livre a trois cent____quatre-vingt____pages.

i. Nous en sommes à la page deux cent____.

j. Ça fera deux cent____quatre-vingt____six mille____francs.

k. Ça m'a coûté quelque cent____mille____francs.

l. Montréal est à huit____cent____mille____environ de New York.

m. Le Mississippi a trois mille____sept cent____quatre-vingt____kilomètres de long, c'est-à-dire deux mille____trois cent____cinquante mille ____environ.

n. Il a payé sa propriété plusieurs centaine____de millier____de dollars.

o. Si vous avez de la chance, vous pourrez gagner plusieurs million____à la Loterie nationale. Des million____de dollars, pas de francs !

L'expression de la cause

La cause s'exprime le plus souvent au moyen d'une proposition causale, c'est-à-dire :

- une proposition qui énonce la cause, le motif, la raison de la proposition principale :

Je ne suis pas sorti **parce qu'il pleuvait**.

- une proposition qui énonce la cause, le motif, la raison d'un état ou d'un sentiment, exprimé dans la proposition principale :

  Je m'étonne **que vous n'ayez pas été invité**.

Les propositions causales peuvent être :

A. des propositions indépendantes :

- simplement juxtaposées :

  Il est jeune, il aime, il ne tardera pas à se conformer.

- introduites par *tant* ou par *tellement* :

  Il pouvait à peine se tenir de pleurer **tant il était inquiet**.

B. des propositions dépendantes introduites :

- par *que* (+ subj.) ou par *de ce que* (+ ind. ou subj.)

  Je m'étonne { **que vous ayez menti.**
{ **de ce que vous avez** (ayez) **menti.**

- par une locution conjonctive suivie :

  — de l'indicatif : *comme**, *parce que, puisque, vu que, étant donné que, d'autant plus que, c'est que, si... c'est que*

  — du subjonctif : *non que* (cause niée), *soit que... soit que* (cause supposée)

  *la proposition introduite par *comme* précède la principale

- par le conjonctif *que*. La proposition causale précède alors la principale :

  Vous avez donc déménagé, que je ne vous vois plus !

- par une locution prépositive : *à cause de, par suite de, à force de, à la faveur de, de par, étant donné*, etc.

C. une subordonnée relative :

  Son père, **qui était très affaibli**, s'effondra dans le fauteuil.

D. un participe ou un gérondif (si le sujet est le même) :

  Il ne tenait plus en place, **étant** sur les nerfs comme on dit.

E. une proposition participe :

  Le jour baissant, il eut peur de ne pas trouver son chemin.

F. un infinitif :

  Il s'étonna **d'avoir dormi**.

La cause peut aussi s'exprimer à l'aide d'un complément introduit par une préposition, ainsi que de diverses autres façons illustrées dans les exercices qui suivent.

2. *Indiquez les mots ou groupes de mots qui annoncent l'expression de la cause* :

a. Fermé pour cause de décès.

b. En qualité de maître-draveur, c'est lui qui commandait le chantier.

c. Il l'appela baie des Chaleurs parce qu'il y faisait très chaud à cette époque de l'année.

d. Comme on lui avait pris ses barques et ses rames, il a dû faire le voyage de retour à pied.
e. Son nom avait été omis par suite d'une erreur.
f. À la faveur de la nuit, ils se glissèrent dans le jardin sans être vus de qui que ce soit.
g. Du moment que le français est la langue de la majorité des Québécois, la loi en fait la langue habituelle du travail, de l'enseignement, du commerce et des affaires.
h. Il n'osait pas lâcher sa valise de peur de la perdre.
i. Ces mots se gravent dans son esprit. C'est que l'auteur de *Maria Chapdelaine* a transmué en idées simples ce que Menaud sentait confusément.
j. Par la faute de l'institutrice, les enfants s'étaient mis à détester l'école.
k. Dans son exaltation, il ne sentait plus la fatigue.
l. Avec la mort de son fils, il avait reporté son affection sur le Lucon.
m. Faute de planification, les villes se développent souvent de façon désordonnée.
n. Étant donné l'augmentation du niveau des revenus, un nombre de plus en plus élevé de familles sont en mesure de satisfaire leurs aspirations.
o. Cet enfant peut être exempté de l'application du présent chapitre, vu qu'il présente des difficultés graves d'apprentissage.

3. *Dites de quelle façon s'exprime la cause dans les phrases suivantes (proposition juxtaposée, locution, subordonnée relative, proposition participe ou infinitive, participe passé ou présent, gérondif, etc.) :*

a. Après quelques jours de navigation, il lui fallut déchanter. Le détroit n'était qu'une baie.
b. Menaud, qui n'en pouvait plus, s'affaissa dans un trou.
c. Étant donné son indigence, la langue doit être enrichie.
d. C'est par le sel, dont ils disposaient en abondance, que s'explique la prédominance, dans ces parages, des pêcheurs français.
e. Cinq jours plus tard, ayant fait voile au sud-ouest, Cartier apercevait une île à laquelle il donna le nom de Brion.
f. Il s'est trompé plus qu'un autre. Il avait entrepris pour dix.
g. Comme il n'y avait que des pommes de terre, l'homme de peine fut déçu. Il s'attendait à mieux.
h. L'institutrice était fatiguée de répéter toujours la même chose.
i. Les chiens avaient peine à le suivre tant il marchait vite.
j. Épuisé, vaincu des pieds à la tête, il s'affaissa dans un trou.
k. Forcé pour vivre de les servir, il se reproche cette concession comme une lâcheté.
l. À entendre cette chanson sauvage, il sentait battre son cœur.
m. Il se trompait en pensant que les autres chasseurs se rallieraient à lui.
n. Il connaissait toutes les pistes, en homme des bois qu'il était.

o. Si son rêve était teinté de folie, en était-il moins admirable ?

p. De ce qu'il s'était calmé, n'allait pas croire qu'il s'était résigné.

q. Marie conseillera au Lucon de continuer la lutte. Non qu'elle partage le rêve de son père, mais elle sait accepter l'inévitable et tirer le meilleur parti de la folie des hommes.

r. Son fils mort, Menaud reporte son affection sur le Lucon.

s. La nuit venant, Menaud prit peur.

t. Il avait tort de croire que tous partageaient son rêve.

4. *Refaites les phrases données sans en changer le sens, en employant les tours indiqués pour marquer la cause :*

a. Il ralentit sa marche ; la neige s'était mise à tomber.
- locution conjonctive
- proposition participe
- locution prépositive

b. Menaud était fatigué parce qu'il avait beaucoup marché.
- infinitif
- subordonnée relative
- propositions juxtaposées

c. Il trouva le jour lent à se lever ; il y avait un projet qui lui était venu.
- locution conjonctive
- conjonction

d. La nature est sauvage ; l'agriculture compte peu.
- proposition participe
- proposition indépendante (introduite par un adverbe)

Infinitif ou participe passé après certains verbes

Certains verbes de sensation, comme *(se) voir*, *(s')entendre*, *(se) sentir*, *apercevoir*, ainsi que *se croire*, peuvent être suivis d'un **infinitif** ou d'un **participe passé** selon l'aspect que l'on veut exprimer.

On emploie l'**infinitif** :

- lorsque l'objet du premier verbe fait l'action exprimée par le deuxième :

  Je **les** ai vus **partir**.

- lorsque le sujet du premier verbe subit l'action exprimée par le deuxième, et qu'on veut exprimer **l'actualité** de l'action :

  Elle s'est senti* **toucher** au bras. (action en train de se faire)

*pour l'accord du participe passé suivi d'un infinitif, voir p. 27 et p. 169

On emploie le **participe passé** lorsque l'objet du premier verbe subit l'action exprimée par l'infinitif, et qu'on veut exprimer le **résultat** de l'action (si le premier verbe est à un temps composé, le participe passé s'accorde normalement) :

Elle s'est sentie **touchée** au bras. (action passée, résultat)

5. *Employez l'**infinitif** ou le **participe passé** des verbes donnés, et faites les accords voulus :*

a. Cette histoire-là, je ne l'avais jamais entendu________ ________. (raconter)

b. Elle s'est vu________ ______________la permission de sortir. (refuser)

c. Ils se sont senti________ ______________à mort. (blesser)

d. Je ne les aurais pas cru________ si______________. (fatiguer)

e. Elle se croit toujours______________, même quand il ne s'agit pas d'elle. (viser)

f. Ils se sont vu________ ________des milliers de lettres de félicitation. (envoyer)

g. Les chasseurs se sont vu________ ________l'entrée du territoire. (interdire)

h. Quand il revint à lui, il se sentit______________comme dans un linceul. (envelopper)

i. Tous ses compagnons, il les avait cru________ ________de la même folie. (atteindre)

j. On ne vous a jamais entendu________ ________, Mademoiselle. (se plaindre)

k. Des choses comme ça, je n'en ai jamais entendu________ ________. (dire)

l. Ils se sont trouvé________ ______________l'un à côté de l'autre. (placer)

m. Elle s'est vu________ ______________de partir sans délai. (ordonner)

n. ... la trahison dont il se sent______________... (menacer)

o. Ils se sont entendu________ ______________bien des choses. (reprocher)

p. Elle m'a servi la cipaille que je l'avais vu________ ________la veille. (préparer)

q. Nous les avons trouvé________ ______________dans la neige. (coucher)

r. Elle s'est laissé________ ______________sans rien dire. (emmener)

s. Elle s'est vu________ ______________la médaille d'or. (attribuer)

t. Cette chanson, il l'avait entendu________ ________la veille. (chanter)

Accord du verbe avec plusieurs sujets

Si les sujets (ou un seul) sont au pluriel, le verbe se met généralement au **pluriel** :

Les bois, les falaises, les lacs l'**appelaient**.

Il se met au **singulier** :

- si les sujets sont représentés par un pronom singulier :

  Les bois, les falaises, les montagnes, **tout était** beau.

- si on veut attirer l'attention sur le dernier sujet (avec lequel on fait l'accord) :

  Ses amis, ses parents, ses ouvriers, **sa fille** même **voulait** l'empêcher de réaliser son grand rêve.

Si les sujets sont tous au singulier, l'usage est le suivant :

A. sujets juxtaposés :

Le verbe se met généralement au **pluriel**, mais il se met au **singulier** si les sujets sont à peu près synonymes ou si le dernier résume tous les autres :

La jeunesse, l'amour le **feront** oublier.

L'excitation, l'énervement le **faisait** parler vite.

La joie, la douleur, la peine, tout lui **paraissait** bon.

B. sujets reliés par *et, comme, ainsi que*, etc :

Le verbe est généralement au **pluriel**. Il est au **singulier** si les sujets représentent la même personne ou la même chose :

Sa fille et son fils **partagent** son enthousiasme.

Ce beau poème et cette grande épopée qu'est *Menaud* **symbolise** le drama d'un peuple...

l'un et l'autre :

adjectif : le plus souvent accord au **singulier**

pronom : le plus souvent accord au **pluriel**, et toujours si le verbe précède le pronom

L'un et l'autre chapitre **sera** étudié cette semaine.

L'un et l'autre **sont partis** dans la montagne.

Ils **sont partis** l'un et l'autre.

C. sujets reliés par *ou* ou par *ni* :

Le verbe se met au **singulier** :

- si l'idée exprimée ne peut se rapporter qu'à un sujet à la fois :

  C'est son chien ou son fils qui l'**a trouvé** ?

- si le deuxième terme est compris comme un équivalent du premier :

  Le bleuet, ou myrtille, **est** très abondant au Québec.

Il se met au **pluriel** si l'idée exprimée peut se rapporter aux deux sujets à la fois :

Ni le froid ni la fatigue ne **réussiront** à l'abattre.

l'un ou l'autre : accord au **singulier**

ni l'un ni l'autre : les deux sont possibles, mais :

— accord toujours au **singulier** s'il y a exclusion :

Ni l'un ni l'autre ne **gagnera** le premier prix.

— accord toujours au **pluriel** si le verbe précède le pronom :

Ils n'**auront** le premier prix ni l'un ni l'autre.

Lorsque les sujets sont à des **personnes différentes**, on a :

Toi ou ton frère **pouvez** y aller.

Toi ou moi **pouvons** y aller.

Mon frère et moi **pouvons** y aller.

(la 1re personne prévaut sur les autres, et la 2e sur la 3e)

6. *Faites accorder les verbes et complétez* :

a. Un immense suaire, un blanc linceul l'enveloppai_____.

b. La fatigue et la douleur lui avai_____frappé les reins.

c. Est-ce la connaissance de l'homme ou l'investigation poétique du monde sensible qui (est/sont)_____ le_____ premier_____ souci_____ de Savard ?

d. Pour Luzina, l'instruction ne pouvait être que joie. Une si grande richesse, une si profonde expérience pouvai____bien coûter quelques pleurs.

e. Ni vous ni lui ne sav____ce qu'il faut faire.

f. Savoir une chose et pouvoir l'expliquer ne marche____pas toujours de pair.

g. La falaise, le bois, la montagne exerce____sur ces êtres fiers une irrésistible fascination.

h. Et un découragement, une lassitude sans nom l'envahi____.

i. Lire et relire cette belle histoire étai (son/ses)____ seul____ plaisir____.

j. Le roumain, ainsi que le français, dérive____du latin.

k. Mon ami et moi accept____votre proposition.

l. La chanson, la poésie, la danse, la cuisine, toute la culture d'un peuple devr____être préservée____ à tout prix.

m. L'alcool comme la drogue (est/sont)____ (un/de)____ véritable____ fléau____.

n. Ni mon frère ni ma sœur ne répondr____au téléphone.

o. Le Lucon et Marie (l'a/l'ont)____ cherché toute la nuit.

p. La vie loin des villes, l'existence rude et solitaire de l'homme des bois qu'il était, avai____fait de lui un être sauvage et fier.

q. Ou Paul ou moi passer____te prendre ce soir.

r. La myrtille, ou bleuet, donne____une excellente confiture.

s. Je suis sûr que Jacques ou Pierre gagner____le marathon.

t. Ils ne (m'a/m'ont)____ écrit ni l'un ni l'autre.

avant que + subjonctif/*après que* + indicatif ou conditionnel

Avant que marque un fait futur par rapport au verbe principal, c'est-à-dire non un fait réel, mais un fait conçu par l'esprit, dont la réalisation n'est pas certaine. C'est pourquoi il est suivi du **subjonctif**.

Il en est de même pour toutes les propositions temporelles indiquant l'antériorité, introduites par *jusqu'à ce que*, *d'ici que*, *en attendant que*, etc. :

> **Avant que** son homme revienne, Iriook s'occupe de l'enfant.
>
> **En attendant que** son homme revienne (revînt), Iriook s'occupait de l'enfant.

Après que marque un fait passé par rapport au verbe principal, c'est-à-dire un fait réel. C'est pourquoi il est suivi de l'**indicatif**.

Il en est de même pour toutes les propositions temporelles indiquant la simultanéité ou la postériorité, introduites par *quand*, *lorsque*, *dès que*, *pendant que*, *aussitôt que*, etc :

> **Après que** son homme **est parti**, elle s'occupe de l'enfant.
>
> **Dès que** son homme **sera parti**, elle s'occupera de l'enfant.

Il est suivi du **conditionnel** s'il s'agit d'un fait éventuel :

> Il ne pourrait plus vivre **après qu'**on lui **aurait pris** sa terre. (= dans le cas où on lui prendrait sa terre)

7. *Terminez les phrases suivantes* :

a. Cartier put armer ses navires après que le roi...

b. L'homme poussa un cri quand il...

c. Restez ici jusqu'à ce que je ...

d. Il se mit en chasse aussitôt que la lune...

e. Il fera jour avant que...

f. Menaud partit avant que le Lucon...

g. Elle s'occupait de l'enfant en attendant que...

h. Je partirai après que tu...

Stylistique comparée

Caractérisation et détermination

Plus que l'anglais, le français distingue nettement entre la *caractérisation* (l'énoncé des qualités, des caractéristiques) et la *détermination* (identification).

A. Dans le groupe **composé** *une feuille d'érable*, le complément *d'érable* indique de quelle sorte de feuille il s'agit. Il joue le rôle d'un adjectif, qui sert à **qualifier** le nom *feuille*, comme le feraient les adjectifs *verte*, *morte*, etc. Le mot *érable* ne se réfère pas à un arbre en particulier, mais représente un concept virtuel indéterminé, qui n'a pas de réalité.

Pour exprimer la **caractérisation**, on peut se servir :

— d'un adjectif : une feuille verte

— d'un complément : une feuille d'érable

Parfois on peut se servir de l'un ou l'autre indifféremment :

une recette culinaire (adjectif)

une recette de cuisine (complément)

Cela n'est pas toujours possible, soit qu'il n'existe pas d'adjectif correspondant (*feuille d'érable*), soit que le sens ne soit pas le même (*collier doré*, *collier en or*).

B. Dans le groupe **syntaxique** *une feuille de l'érable*, le complément *de l'érable* indique de quel arbre est cette feuille. Il **détermine**, il identifie le nom *feuille*. Le mot *érable* désigne ici un érable qui existe en réalité.

En anglais, cette distinction n'est pas toujours faite :

a doctor's wife peut être : { une femme de docteur (caractérisation)
la femme d'un docteur (détermination)

a French student peut être : { un étudiant français (caractérisation)
un étudiant de français (détermination)

1. *Dans les phrases suivantes, dites s'il s'agit de* ***caractérisation*** *ou de* ***détermination*** :

a. There was nothing on the beach but **fishermen's** nets.

b. **The fishermen's** nets were drying on the beach.

c. He could hear the rustling **of the wind** against the moss.
d. English instruction is maintained for the children **of parents who have received their elementary instruction in English**.
e. He removed his snowshoes, leaned against the trunk **of a tree**...
f. Their sister loved them with **a mother's** love.

g. La patte d'arrière **du loup** tremblait encore.
h. Et voici que réapparurent à la fenêtre les derrières **des maisons en enfilade**.
i. Le gel **de surface** rejoindrait bientôt la glace **de fond**.
j. Il prit à son bord deux des fils **du chef huron**.
k. Une tête énorme **de mégacéphale** surmontait un tronc très court...
l. On nous a donné la chambre **de la bonne**.

2. *Dites si l'adjectif et le complément ont le même sens ou non* :

a. un instrument **musical**, un instrument **de musique**
b. un costume **marin**, un costume **de marin**
c. une voix **enfantine**, une voix **d'enfant**
d. une tête **chevaline**, une tête **de cheval**
e. une journée **printanière**, une journée **de printemps**
f. une blouse **paysanne**, une blouse **de paysan**
g. la chaleur **solaire**, la chaleur **du soleil**
h. une figure **marmoréenne**, une figure **de marbre**
i. les classes **sociales**, les jeux **de société**
j. un oiseau **nocturne**, un oiseau **de nuit**

3. *Passez du groupe* ***syntaxique*** *au groupe* ***composé*** *et vice-versa, et dites s'il y a une différence de sens. Traduisez en anglais* :

a. C'est le fils du cuisinier.
b. J'ai très mal à la tête.
c. Le train est entré en gare.
d. Allons faire le tour du jardin.
e. Il a acheté une vieille porte de grange.
f. Ils arriveront en fin de matinée.
g. Elle portait un chapeau et une veste d'homme.
h. L'eau de la source est très fraîche.
i. Il repartait à grands pas, les pieds piqués dans ses brides de raquettes.
j. C'est un conseil d'ami.
k. Je n'aime pas écrire avec un crayon.
l. Fouiller le cœur des choses, c'est un art de poète plutôt que de romancier.

4. *Traduisez* :

a. The sunsets are magnificent in the mountains.

b. What is your phone number? And your house number?

c. She had a doll-like face.

d. He woke up early and went out at sunrise.

e. He could hear a child's voice in the library, and yet he knew nobody was there.

f. In Nova Scotia, one finds many picturesque fishing villages nestled among the dunes.

g. I don't know much about Canadian history. Do you?

h. Her elder son is an electrical engineer; the younger one is a medical student.

i. He used to go to the park for his morning walk.

j. The trunks of the trees seemed to close in around him.

k. If there is no calf liver, give me chicken livers.

l. We stayed in a monastery and slept in a monk's cell.

m. Your room is as bare as a monk's cell!

n. Her ducks' eggs are the biggest I have ever seen.

Texte à traduire

Social Realism in the French Canadian Novel

Trente Arpents is the outstanding achievement of realistic writing in French Canada in the pre-Second World War period. It dealt a death blow to the "roman de la fidélité" by turning a generally objective gaze on life in ***a typical Quebec rural parish.*** In a sweeping social canvas, Ringuet painted the gestures and language of farm folk, their limited perspectives and their eventual decadence as they move to the towns to become unskilled labourers who gradually lose their French language.

The theme of the language is fundamental to the novel and has a contemporary *ring.* One could say that the move of Ringuet's hero from the Laurentian countryside to White Falls, Massachusetts, is essentially the same as that of hundreds of thousands of his compatriots who left their farms to become unskilled workers in the industrial centres of Quebec where English was the language of work. The network of alienation is all-embracing : Moisan feels powerless before the political and social elites — *the M.P.*, ***the party organizer***, the judge, the lawyers, the priests (including his own son), the notary, the government inspectors; his economic ***position degenerates from a*** self-sufficient farmer ***to a*** night watchman who cannot even converse with the mechanical monsters of the municipal garage, and whose former role of family head becomes meaningless. Exiled in White Falls, Moisan feels totally adrift in the cultural ambiance, in which his language of communication has become a barely understood *hodge-podge*...

It was stated at the beginning of this chapter that the "roman de la fidélité" generally resulted in lifeless "romans à thèse". This, of course, was not always the case. As far back as Aubert de Gaspé's *Les Anciens Canadiens* (1863), we have a novel which, in spite of its idyllic portrayal of the seigneurial system of New France, and its harmonious reconciliation between former *warring* enemies, still reflects ongoing and enduring tensions in the impossibility of marriage between Blanche d'Haberville and Archibald de Locheill. Louis Hémon's fine work, *Maria Chapdelaine* (1916) is *best* known as the model of the traditional novel because of the decision of the heroine to remain on the land and marry *her* stolid *farmer neighbour*, as a response to the mysterious voices which speak magically to her following her mother's death. Yet the author *has* many a touch of realistic art in his picture of these isolated farm folk of the Lac Saint-Jean region, especially in the character of the lumberjack and trapper, François Paradis, a potential agent of disequilibrium, whose life he snatches away in the middle of the novel. In F.-A. Savard's *Menaud, maître-draveur* (1937), a poetic and symbolic extension of Hémon's novel, the dominant register is again mystical and epic, but the struggle of the inhabitants of Mainsal to protect their ancient domain from the anonymous "Compagnie" and its representatives, who speak only through interpreters, shows that there is a significant component of reality in the work. Clearly, the economic and political themes are in sharp focus, and the theme of violence is an important undercurrent.

Ben-Zion Shek. *Social Realism in the French Canadian Novel*, Montréal, Harvest House Ltd., 1977, pp. 58–60

NOTES

a typical Quebec rural parish : prendre *Quebec* comme nom, et attribuer un des adjectifs (*typical* and *rural*) à *parish* et l'autre à *Quebec*
ring : *résonance*
the M.P. : *le Député*
party organizer : le secrétaire du parti
position : *situation*
degenerates : attention, *dégénérer* se construit avec *en*, mais pas avec *de*
from a...to a : étoffement nécessaire (pronom démonstratif)
hodge-podge : *méli-mélo*
warring : ne pas traduire
best : *surtout* (ou *c'est comme...que...est le mieux connu*)
her farmer neighbour : *son voisin, un fermier*
has : *a mis*

Composition : le compte rendu (d'un ouvrage)

Le compte rendu doit permettre au lecteur de se faire une idée exacte de l'œuvre, de l'action, des personnages, des thèmes et des problèmes qui y sont traités, de ses qualités et éventuellement de ses défauts. Il comprendra les parties suivantes :

- **l'auteur** : quelques brèves indications, si cela est jugé nécessaire seulement. Surtout ne pas raconter sa vie ; choisir seulement ce qui est pertinent à l'œuvre analysée
- **la nature de l'ouvrage** : indiquée par un ou deux mots, ainsi que les détails utiles (date de parution, par exemple)
- **le cadre** : où se déroule l'action, à quelle époque, dans quel milieu...
- **l'action** : résumée de façon claire et succinte. Bien faire ressortir la situation de départ, l'enchaînement des événements, le dénouement. Jalonner le récit de mots qui soulignent le déroulement de l'action : *un jour, ce jour-là, la veille, le lendemain, puis, ensuite, mais, cependant, enfin*, etc.

- **les personnages** : analyse des principaux personnages, leurs relations, leur signification (s'ils en ont une)
- **les thèmes** : quels problèmes, quels thèmes y trouve-t-on ?
- **jugement d'ensemble** sur l'œuvre, sa valeur, son style

Préparation (orale)

Étudiez l'analyse de *Menaud* (TEXTE I). On y distingue :

- **détermination du sujet**, l'idée première qui fait l'unité de l'œuvre : l'attachement du héros à la montagne, et par suite sa haine des Anglais
- **analyse de l'œuvre**, avec plusieurs rappels de l'idée première et la mention des événements les plus importants et les plus significatifs ; les épreuves qui accablent Menaud (la mort de son fils, l'amour de sa fille pour le traître et enfin la perte du territoire des ancêtres), sa course dans la montagne pour soulever le clan des chasseurs et défendre l'héritage
- **brève analyse du caractère des principaux personnages** : Marie et le Lucon (antithèse de Menaud) avec un aperçu du développement futur de la situation et une explication de la signification de Menaud, symbole non seulement de son peuple mais de tous ceux qui refusent la société
- **critique de l'art de l'auteur**, qui amène quelques réflexions sur l'art du romancier et celui du poète et des remarques sur le style de Savard
- **jugement d'ensemble** sur l'œuvre et sur l'auteur

Rédaction (écrite)

En suivant dans les grandes lignes les étapes de l'analyse de Robert Charbonneau, faites le compte rendu d'un roman, d'une pièce de théâtre ou d'un film qui vous a particulièrement plu (1 500 mots environ).

Illustrations

CHAPITRE 1:
Illustration par Feodor Rojankovsky, "Jacques Cartier à Gaspé," pris du livre *Cartier Sails the Saint Lawrence* de Esther Averill; © 1937, 1956 par Esther Averill. Reproduit avec la permission de Harper & Row, Publishers, Inc.

CHAPITRE 2:
Sculpture par Abraham Anghik, Canadien né 1951, "Mother and Child/Polar Bear," 1983: pierre à chaux, pierre; 35,0 × 12,0 × 26,5 cm.; collection privée, Toronto, Ontario. Photo: The Winnipeg Art Gallery; Ernest Mayer.

CHAPITRE 3:
"Amerique du Nord," Outline Map Series, Centre Cartographique; Faculté d'études environmentale; Université de Waterloo.

CHAPITRE 4:
Illustration par Thoreau MacDonald, "Famille autour de la table à manger," pris du livre *Maria Chapdelaine* de Louis Hémon; Macmillan Co. of Canada, 1938, p.33.

CHAPITRE 5:
Photo: "Je vis en français, et je l'affiche," XG 128, Canapress, 1987.

CHAPITRE 6:
Photo: "Le retour à l'école," Canapress, 1982.

CHAPITRE 7:
Photo: "L'heure de point à Montréal," Louis Tetu, 1989.

CHAPITRE 8:
Photo: "Le trappeur canadien," NAC C388, National Archives of Canada, 1983.

Index

N

O

P

Au propriétaire de cet ouvrage:

Nous aimerions connaître votre réaction à l'ouvrage suivant : **Horizons nouveaux : cours supérieur de français**. Vos commentaires nous sont précieux. Ils nous permettront d'améliorer l'ouvrage au fur et à mesure de ses rééditions. Ayez l'amabilité de bien vouloir remplir le questionnaire ci-dessous.

1. Pour quelle raison avez-vous utilisé ce manuel ?

   _______ cours d'université
   _______ cours de collège
   _______ cours d'éducation permanente
   _______ intérêt personnel
   _______ autre raison (précisez)

2. Quel pourcentage du livre avez-vous utilisé ? _______

3. Quelle est, selon vous, la qualité principale de l'ouvrage ?

4. Avez-vous des améliorations à proposer ?

5. Autres commentaires ou suggestions ?

6. Veuillez indiquer votre réaction aux différents extraits présentés par titre et auteur et classés par ordre d'apparition.

	TITRE, AUTEUR	AIMÉ LE PLUS			AIMÉ LE MOINS	PAS LU
Chap. 1:	Histoire du Canada pour tous, Bruchési	5	4	3	2	1 ___
	Colomb, les morutiers et les Vikings, Ferron	5	4	3	2	1 ___
	Jacques Cartier's Three Voyages, Francis	5	4	3	2	1 ___
Chap. 2:	L'Europe à l'assaut du nouveau monde, Ringuet	5	4	3	2	1 ___
	Agaguk, Thériault	5	4	3	2	1 ___
	Consider Our Past, Manuel	5	4	3	2	1 ___
Chap. 3:	L'Acadie historique, panoramique, humaine, Maillet	5	4	3	2	1 ___
	Au Cap Blomidon, Groult	5	4	3	2	1 ___
	Acadian Reminiscences, Voorhies	5	4	3	2	1 ___
Chap. 4:	L'importance d'un savior culinaire, Benoit	5	4	3	2	1 ___
	Maria Chapdelaine, Hémon	5	4	3	2	1 ___
	La Scouine, Laberge	5	4	3	2	1 ___
	Cajun and Creole Cooking, Prudhomme	5	4	3	2	1 ___
Chap. 5:	Panorama littéraire du Canada français, Gay	5	4	3	2	1 ___
	La messe de minuit, Renaud	5	4	3	2	1 ___
	The Spoken French of Louisiana, Phillips	5	4	3	2	1 ___
Chap. 6:	La Charte de la langue française, Chapitre VIII	5	4	3	2	1 ___
	L'école était commencé, Roy	5	4	3	2	1 ___
	Letter to the Minister of Education	5	4	3	2	1 ___
Chap. 7:	L'expansion urbaine	5	4	3	2	1 ___
	La Grande ville, Ringuet	5	4	3	2	1 ___
	The Paris Metro, Geddes	5	4	3	2	1 ___
Chap. 8:	Felix-Antoine Savard: *Menaud, maître-draveur*, Charbonneau	5	4	3	2	1 ___
	La folie de Menaud, Savard	5	4	3	2	1 ___
	Social Realism in the French Canadian Novel, Shek	5	4	3	2	1 ___

Plier ici

- -

Courrier réponse d'affaires

Se poste sans timbre au Canada

LE PORT SERA PAYÉ PAR

David Dimmell
éditeur
College Editorial Department
HOLT, RINEHART AND WINSTON
OF CANADA, LIMITED
55, avenue Horner
Toronto (Ontario)
M8Z 9Z9

Prière de cacheter